inspire 2

Méthode de français A2

Jean-Thierry Le Bougnec
Marie-José Lopes

Avec la collaboration de
Anne-Marie Diogo (DELF)
Joëlle Bonenfant (S'entraîner,
Précis de grammaire et de conjugaison)

Pourquoi inspire ?

Chère collègue, cher collègue,

Les manières de comprendre, d'apprendre, d'être en classe ont énormément changé avec la technologie. Elle a donné à l'étudiant de nouvelles possibilités de s'exprimer, de pratiquer la langue, d'être autonome et de jouer un rôle actif dans son apprentissage. Nous le constatons tous les jours dans nos classes ainsi qu'en mission avec nos collègues étrangers.

Parce que nous pensons que la classe doit être un espace d'échanges, de communication, de productions et de corrections, nous plaçons l'étudiant et l'autonomie au cœur de l'apprentissage.

Inspire est basé sur deux principes fondamentaux : d'une part, il offre un cadre dans lequel les étudiants collaborent, réfléchissent au fonctionnement de la langue et produisent. D'autre part, il permet à l'étudiant de travailler plus librement, à son rythme, en autonomie. Cette possibilité d'hybridation, notamment lors des activités de compréhension et de production, libère du temps en classe pour la communication authentique.

Pour offrir une expérience vivante, nous avons choisi des documents authentiques en intégrant les formats issus des nouveaux moyens de communication.

Les étudiants découvriront des techniques pour utiliser le français dans des situations réelles et concrètes. Ils réaliseront des documents qu'ils pourront utiliser et partager.

Nous privilégions la médiation pour impliquer l'étudiant, lui donner un rôle actif. Il devient alors l'intermédiaire entre le contenu et le groupe. Ainsi, *Inspire* crée un espace à la fois rassurant et respectueux des cultures de tous.

C'est grâce à notre expérience, à nos rencontres mais aussi grâce à vous, chère collègue, cher collègue, qu'*Inspire* est né.

Vous nous avez inspirés !

Amicalement,

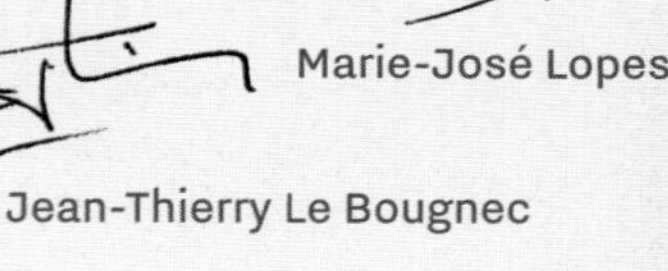

Marie-José Lopes

Jean-Thierry Le Bougnec

PARCE QUE

Tous les jours, j'écoutais la radio française pour améliorer ma compréhension orale.

Fernando, Espagne

J'ai corrigé mes erreurs de grammaire en faisant beaucoup d'exercices à la maison.

Lucía, Équateur

Les applications de traduction, c'est vraiment utile pour enrichir son vocabulaire.

David, États-Unis

PARCE QUE

Sylvie Vaskou, Régine Mertens, Catherine Brumelot, Marthe Vorobiov, Iryna Linde, Frédéric Moussion

Françoise Hynek, Axel Polybe, Christophe Peyrani

Julien Agaësse, Malvina Lecomte, Sylvain Mokhtari, Xavier Gillard, Guillaume Delaveney, Rodolphe Bourgeois, Nicolas Bouffé, Fabrice Chotin, Charles Hacquel, Antoine Nicolas, Frédéric Lafaye, Fabien Lautier

LES ÉTUDIANTS NOUS ONT PARLÉ DE LEURS EXPÉRIENCES

« Qu'est-ce qui vous a aidé lors de votre apprentissage ? »
Voici leurs témoignages. Vous retrouverez ces étudiants dans les unités d'*Inspire*.

J'ai appris des chansons françaises pour mieux prononcer !

Samson, Kenya

Moi, je prenais des cours de conversation deux fois par semaine.

Franziska, Allemagne

Notre professeur nous montrait des sites français ou des exemples de mails pour avoir des modèles de textes.

Yuka, Japon

On peut progresser plus vite en s'entraînant en ligne !

Asael, Mexique

S'entraîner à la prononciation en français avec des vidéos m'a beaucoup aidé.

Akram, Algérie

J'écoutais plusieurs fois les documents sonores de ma méthode pour bien les comprendre.

Anastasia, Russie

VOUS AVEZ PARTAGÉ VOS IDÉES

Pour nous rapprocher le plus possible de vos pratiques de classe, nous sommes venus à votre rencontre. Merci à tous !

Mamadou Wade, Imane Ettoubaji

Sophie Villate, Prescillia Milhet, Ricardo Gonzáles, Diego Damian Gomez Becerra, Oscar Gamaliel Osorio Garcia, Betty Fritz Delienne, César Paz, Miriam Domínguez Granados

Maxime Hunerblaes, Christine Comiti, Audrey Gloanec, Catherine Loche, Christine Josserand, Samara Ibarra, Enriqueta Cabra, Mercedes Castaño, Beatriz de Loizaga, Carlos Pérez, Marina García, Olivier Mathlet, Laetitia Bournazel, Roxane Beauvais

Samia Berbachi, William Moissenet, Nathalie Rognon, Christine Thomoré, Francis Zahi

Diego Chotro, Victoria Torres, Marie-Hélène Mieszkin

Et vous ?

Racontez-nous votre expérience avec *Inspire* !

Vos remarques et vos suggestions nous aident à faire évoluer nos collections !

inspirez-nous...

inspire, c'est vous !

PARCE QUE

Documents, thématiques, cultures

Les thématiques de la vie réelle doivent être stimulantes pour maintenir l'intérêt des étudiants. Les documents doivent permettre de rencontrer « le quotidien en français » et la culture.

Roxane Beauvais, Alliance française de Madrid, Espagne

Inspire propose :

- des documents variés et de sources authentiques français et francophones pour **intégrer la vie réelle dans la classe** ;
- des thématiques du quotidien pour **agir en français** avec :
  - des tâches collaboratives (rubriques *Agir*),
  - des stratégies pour développer l'autonomie à l'oral et à l'écrit (pages *Techniques pour...*) ;
- des rendez-vous culturels réguliers avec des vidéos et des rubriques dédiées (*Culture(s)*) pour **enrichir les échanges**.

Contenus et activités linguistiques

Les contenus linguistiques doivent être structurés et clairs. Il faut aussi multiplier les activités motivantes qui favorisent la prise de parole et l'utilisation des éléments de langue et de vocabulaire dans des contextes proches du réel.

Ionut Pepenel, professeur au lycée Câmpulung Muscel, Roumanie

Inspire offre :

- une approche **en contexte**, **progressive** et **inductive** de la langue avec des étapes de **collaboration** et de **réflexion commune** ;
- un **tableau synthétique** de grammaire, vocabulaire et phonétique dans chaque leçon et une liste des **expressions utiles** en fin d'unité (pages *Faites le point*) ;
- des **capsules vidéos** pour guider l'étudiant dans sa production ;
- de **nombreuses activités** à réaliser seul ou en groupe :
  - des activités de production ludiques,
  - des exercices d'entraînement en contexte,
  - des activités interactives autocorrectives (Parcours digital®).

VOUS NOUS AVEZ FAIT PART DE VOS BESOINS

Outils pour évaluer

Les évaluations formatives sont une manière simple pour l'enseignant de savoir où en est l'étudiant et de lui proposer des activités en fonction de ses besoins. J'essaie également d'intégrer l'autoévaluation au fil des cours, ce qui permet aux étudiants de mesurer les progrès qu'ils pensent avoir réalisés et me permet de réadapter mon cours !
L'institution demande des notes.
Il faut aussi évaluer de façon sommative.

Catherine Brumelot, professeure de FLE
à l'université, Paris, France

Inspire inclut :

- dans **le livre de l'élève** : une autoévaluation par unité, une évaluation de type DELF toutes les deux unités et une épreuve DELF complète ;
- dans **le cahier d'activités** : un bilan par unité et un portfolio pour faire le point sur son apprentissage ;
- dans **le Parcours digital®** : 250 activités de remédiation et un tableau de bord pour suivre ses progrès ;
- dans **le guide pédagogique** : des tests complémentaires (téléchargeables et modifiables), des fiches d'approfondissement et une épreuve DELF complète.

Outils pour organiser le temps et personnaliser l'apprentissage

Le livre doit faciliter la gestion de la classe, m'aider à faire face aux contraintes actuelles : moins de temps en classe, l'organisation du travail, les besoins différents au sein du groupe.

Samah El Khatib, professeure de FLE
en centre universitaire, Beyrouth, Liban

Inspire comprend :

- des consignes illustrées et des exemples systématiques pour **faciliter l'autonomie** ;
- des médias et ressources complémentaires facilement accessibles **en classe ou hors de la classe** (voir le verso de la couverture) ;
- des fiches de révision et d'approfondissement et le Parcours digital® pour **gérer l'hétérogénéité de la classe** ;
- des ressources pensées pour **l'hybridation de votre enseignement** :
  - une démarche didactique compatible avec la classe inversée et favorisant l'autonomie des apprenants,
  - des pistes proposées dans le guide pédagogique ou en ligne pour vous accompagner.

Comment utiliser inspire ?

Le livre de l'élève

- **8 unités** de 4 leçons
- 3 évaluations de type DELF, toutes les deux unités
- Des annexes : une épreuve DELF A2 complète, des précis de grammaire, de conjugaison et de phonétique, les transcriptions des enregistrements, les corrigés des exercices « S'entraîner » et des « Évaluez-vous ! », une carte de France
- Un livret avec un lexique multilingue

+ 175 documents audio et 35 vidéos complémentaires

+ 250 activités autocorrectives pour s'entraîner sur **inspire2.parcoursdigital.fr**

1 unité = 12 pages

Une page d'ouverture
avec le contrat d'apprentissage.

Les savoir-faire et savoir agir

Les objectifs grammaticaux par leçon

Une vidéo culturelle avec son exploitation dans le guide pédagogique téléchargeable sur hachettefle.fr et sur TV5MONDE (enseigner.tv5monde.com)

Trois leçons d'apprentissage
en doubles pages, avec un travail sur la langue en contexte.

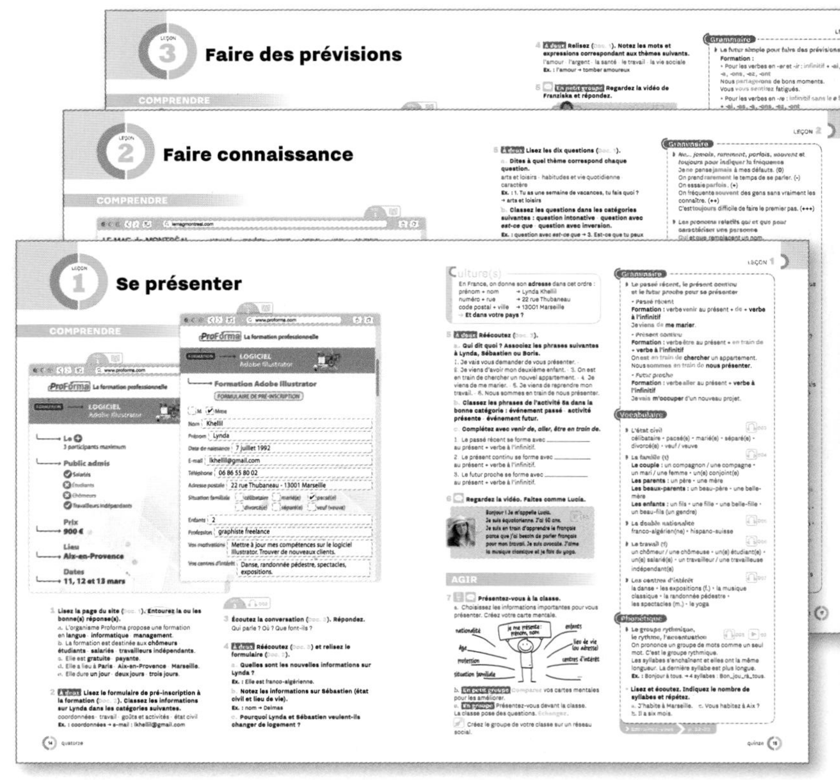

Une double page « Techniques pour... » qui développe l'autonomie en français, à l'oral et à l'écrit, à l'aide de matrices discursives et de la médiation.

Une double page « S'entraîner » avec de nombreux exercices de systématisation à faire seul(e) ou à deux.

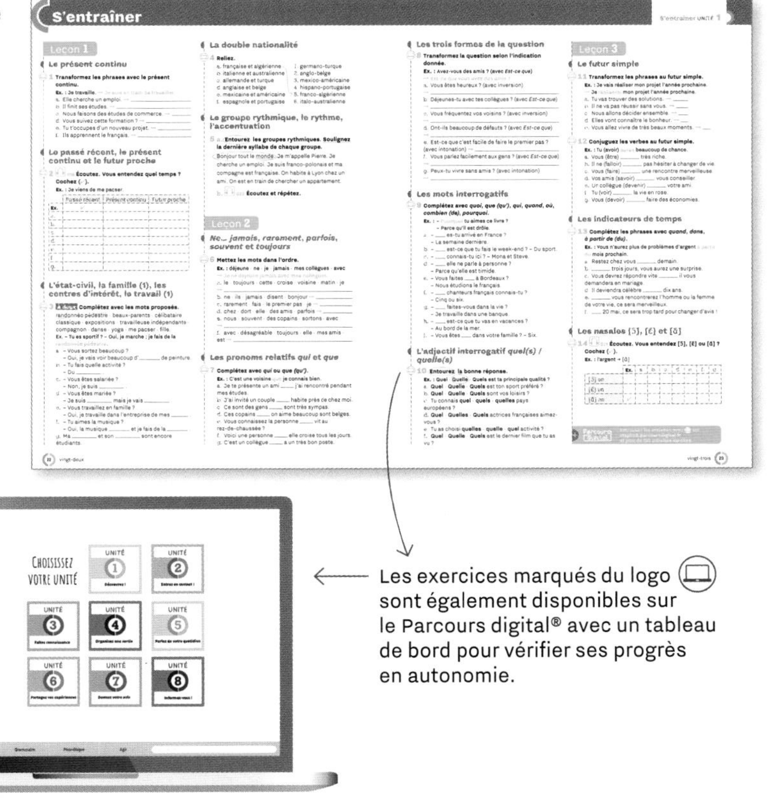

Les exercices marqués du logo sont également disponibles sur le Parcours digital® avec un tableau de bord pour vérifier ses progrès en autonomie.

Une page « Faites le point » présente la liste des expressions utiles et une autoévaluation à réaliser.

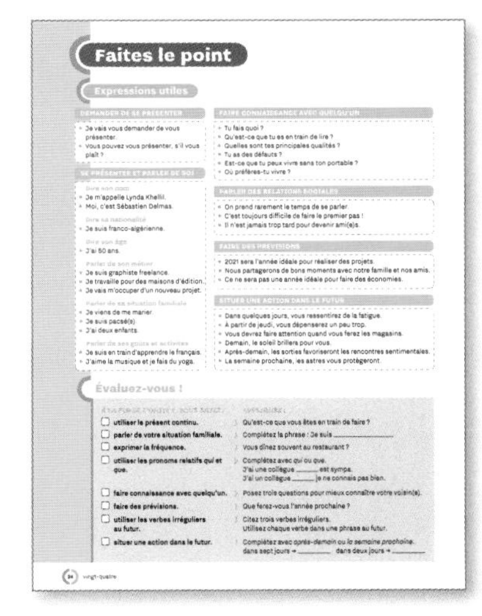

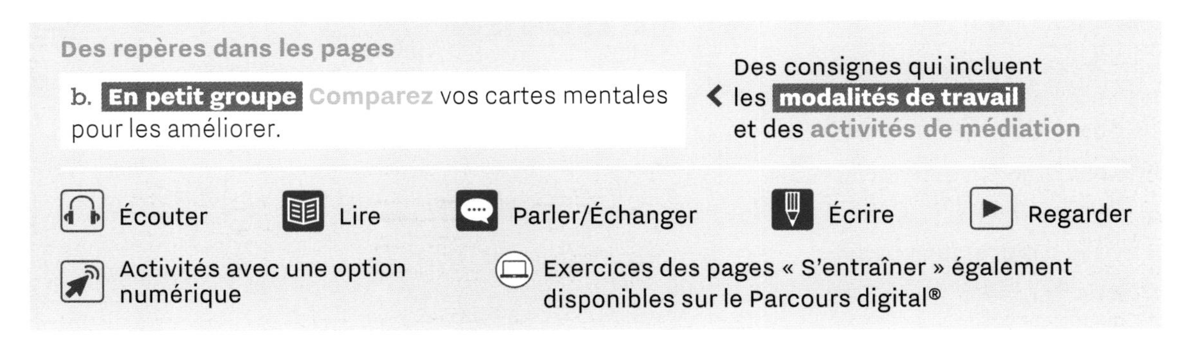

Des repères dans les pages

b. **En petit groupe** Comparez vos cartes mentales pour les améliorer.

Des consignes qui incluent les **modalités de travail** et des **activités de médiation**

- Écouter
- Lire
- Parler/Échanger
- Écrire
- Regarder
- Activités avec une option numérique
- Exercices des pages « S'entraîner » également disponibles sur le Parcours digital®

Comment utiliser inspire ?

1 leçon d'apprentissage = 1 double page

Une séquence complète avec de nombreuses activités pour s'entraîner.

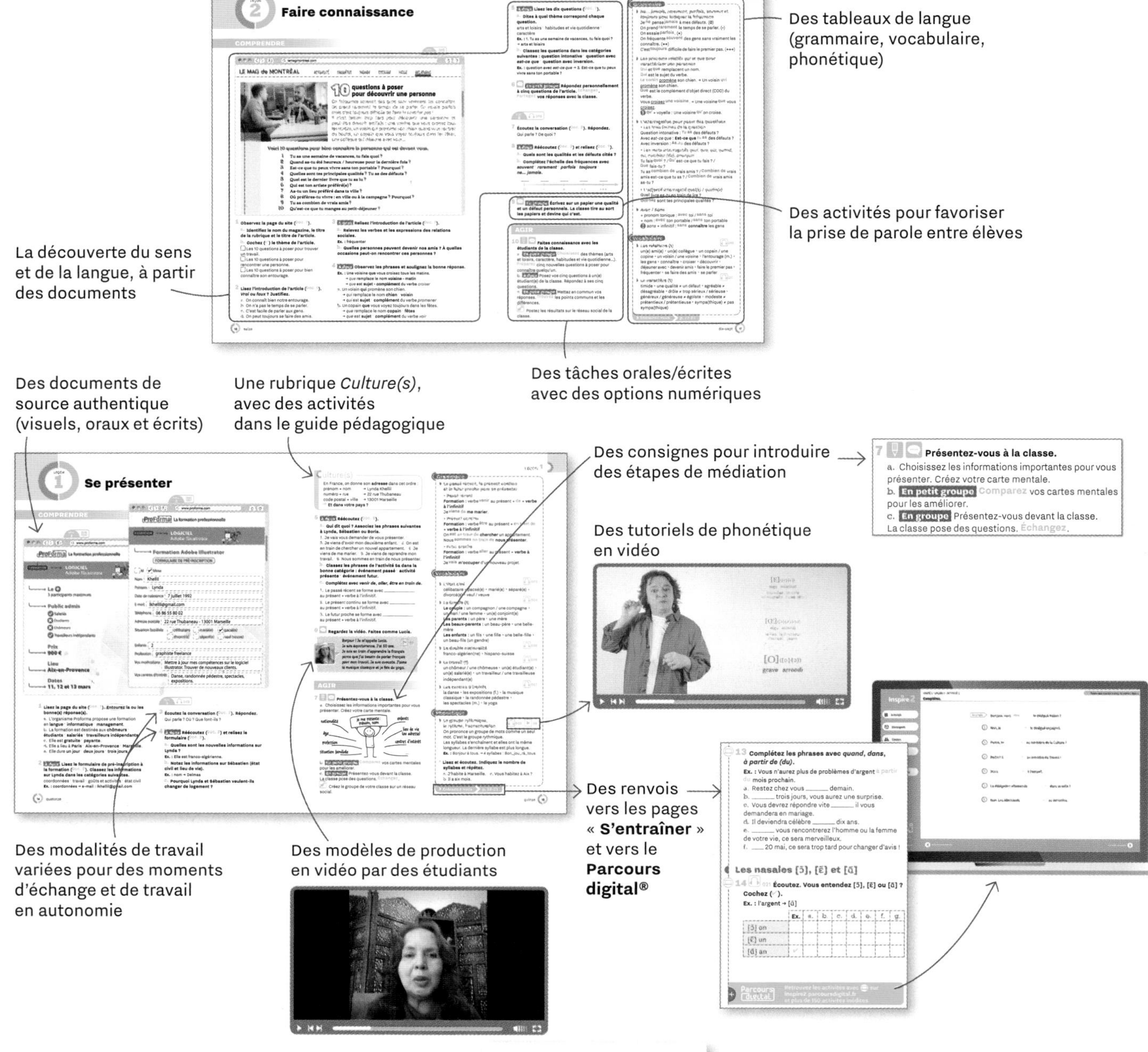

***Inspire 2*, c'est + de 500 activités d'entraînement !**

- **+ 100 exercices de systématisation** dans les pages « S'entraîner » (livre de l'élève + Parcours digital®)
- **+ 150 activités autocorrectives inédites** dans le Parcours digital®
- **+ 250 activités d'entraînement** avec les corrigés dans le cahier d'activités

Des activités pour s'entraîner en autonomie :

- Activités de compréhension et de production, orales et écrites
- Exercices de réemploi : *Vocabulaire, Grammaire, Conjugaison, Phonétique* et *Culture(s)*
- 2 pages de bilan en fin d'unité et un portfolio en annexe
- 1 épreuve DELF A2 en annexe

Sommaire

UNITÉ 3

PARLEZ DE VOTRE MODE DE VIE

	Savoir-faire / Savoir agir	Grammaire	Vocabulaire	Phonétique	Socioculturel
LEÇON 9 **Parler de son lieu de vie**	• Parler de la ville • Caractériser un lieu de vie • Parler de ses habitudes d'achats (1) • Indiquer ses impressions	• Le pronom personnel sujet *on* • Les pronom relatif *qui* (2), *que* (2) et *où*	• La ville (1) • Les commerces et les commerçants • Les services	• Les liaisons	• La désertification des centres-villes • Les habitudes d'achats • Bruxelles et Nivelles
LEÇON 10 **Comparer des lieux de vie**	• Décrire un lieu de vie • Parler de son quotidien (1) • Indiquer ses préférences • Parler d'un phénomène urbain	• Le genre et le pluriel des noms • Les comparatifs : – *plus / aussi / moins* + adjectif / adverbe (+ *que*) – *plus de / autant de / moins de* + nom (+ *que*) – verbe + *plus / autant / moins* (+ que) *Meilleur(e), mieux* Les superlatifs : *le plus / le moins* + adjectif	• La ville (2) • Le logement (1) • Les goûts		• La vie à Paris, en banlieue, en province • La routine « métro, boulot, dodo » • Le quotidien *Le Parisien*
LEÇON 11 **Décrire une expérience à l'étranger**	• Décrire un pays • Parler de son quotidien (2) • Raconter une anecdote	• Les prépositions devant les noms de villes, de pays et de continents • Les pronoms *y* et *en* compléments de lieu • Les pronoms COI	• La géographie • La cuisine (1) • Les mots familiers	• Les nasales [ɛ̃] et [ɑ̃]	• L'association France Volontaires • Le Togo et Lomé
LEÇON 12	**Techniques pour...** • écrire un e-mail amical de remerciement • **la médiation** : présenter un événement culturel à l'oral				**Culture(s) vidéo** *Ivry, ma ville*

ENVISAGEZ L'AVENIR

	Savoir-faire / Savoir agir	Grammaire	Vocabulaire	Phonétique	Socioculturel
LEÇON 13 **Demander de l'aide**	• Exprimer un désir • Demander poliment • Communiquer au téléphone • Parler des tâches ménagères	• Le conditionnel présent	• La politesse • Les caractéristiques • Le logement (2) • Les tâches ménagères • Les actions	• Les sons [i], [y] et [u]	• La conciergerie *Lulu dans ma rue* • La vie de quartier
LEÇON 14 **Conseiller**	• Donner des conseils • Faire des propositions • Faire des suggestions • Exprimer une obligation	• L'impératif • L'expression de l'obligation : – *il faut* + infinitif – *c'est nécessaire / indispensable de* + infinitif – *devoir* + infinitif • *Devoir* et *pouvoir* au conditionnel + infinitif • *Si* + présent + présent ou impératif	• Le travail (3) • L'entreprise • L'information et la formation (1) • Les projets	• Les sons **[y]** et **[u]**	• Le salon des Entrepreneurs • L'entreprenariat • Pôle emploi
LEÇON 15 **Parler d'un lieu de travail**	• Exprimer un souhait • Exprimer un espoir • Faire une hypothèse	• *Souhaiter* + infinitif • *Espérer que* + indicatif • *Si* + présent + futur	• Le travail (4) • La tarification	• Les sons [s] – [z] et [ʃ] – [ʒ]	• Le coworking • Les espaces de travail
LEÇON 16	**Techniques pour...** • faire son CV • **la médiation** : expliquer le code vestimentaire au travail				**Culture(s) vidéo** *Le coworking*

UNITÉ 5

PARTAGEZ

	Savoir-faire / Savoir agir	Grammaire	Vocabulaire	Phonétique	Socioculturel
LEÇON 17 **Écrire une biographie**	• Donner des informations biographiques • Situer dans le temps (2)	• Le passé composé et l'imparfait (2) • Les indicateurs temporels *il y a* et *depuis* • L'expression de la durée avec *pendant, de… à, en*	• Le sport et le handisport • L'engagement associatif		• Marie-Amélie Le Fur • Les Jeux olympiques et paralympiques • Le Top 10 des sports en France
LEÇON 18 **Raconter une expérience exceptionnelle**	• Exprimer la manière et l'intensité • Montrer le caractère exceptionnel d'un événement	• Les adverbes en *-ment* (1) • Les adverbes d'intensité *très, trop* et *beaucoup* • Les exclamations : *Quel* + nom – *Comme / Qu'est-ce que* + phrase	• Le transport aérien • Le château (de Versailles) • La cuisine (2) • L'exception	• Les sons /E/, /Œ/ et /O/	• Le château de Versailles • Alain Ducasse
LEÇON 19 **Décrire un projet de vie**	• Indiquer la chronologie • Exprimer l'insatisfaction	• *Trop de* + nom • L'antériorité et la postériorité : *avant* + nom, *avant de* + infinitif, *après* + nom • Les adverbes en *-ment* (2) • La négation (2) : *ne pas encore, ne plus*	• Les marqueurs temporels • Les sentiments (3) et les sensations • Les médias (1) • Les expressions • La formation (2)	• Le son [r]	• La méditation • Les tests de personnalité
LEÇON 20	**Techniques pour…** • écrire un poème • **la médiation** : réagir à un texte littéraire, créatif ou poétique				**Culture(s) vidéo** *La reconversion pour tous*

UNITÉ 6

ENGAGEZ-VOUS

	Savoir-faire / Savoir agir	Grammaire	Vocabulaire	Phonétique	Socioculturel
LEÇON 21 **S'engager**	• Expliquer • Justifier un engagement	• La cause : *grâce à, à cause de* + nom / pronom ; *parce que / comme* + phrase • La conséquence : *donc, alors, c'est pourquoi*	• L'engagement • L'environnement • Les catastrophes naturelles	• Les enchaînements	• Les associations Fridays for future, Youth for climate, 1 Déchet Par Jour • L'engagement citoyen
LEÇON 22 **Caractériser des produits**	• Décrire un objet ou un vêtement • Demander des précisions sur un objet • Désigner des objets	• Les adjectifs possessifs (*mon, ma…*) • Les pronoms possessifs (*le mien, la mienne…*) • Le pronom interrogatif *lequel* • Les pronoms démonstratifs (*celui-ci, celle-là…*)	• Les régimes alimentaires et les modes de vie • Les matières (1) • Les vêtements et les accessoires • Les produits de toilette • Les appréciations		• La ville de Lille • Le végétarisme et le véganisme
LEÇON 23 **Parler de sa consommation**	• Faire les courses • Parler de ses habitudes d'achats (2) • Indiquer des quantités	• L'expression de la quantité : – les articles partitifs – les quantités précises • Le pronom *en* • La restriction *ne… que*	• Les achats et l'alimentation • Les quantités et les contenants • L'écologie • Les matières (2)	• Les sons [p] et [b]	• La consommation en vrac • Le quotidien *Le Figaro*
LEÇON 24	**Techniques pour…** • rédiger une lettre de demande de rendez-vous • **la médiation** : expliquer un mot ou une expression				**Culture(s) vidéo** *Interview de Yann Arthus-Bertrand*

Sommaire

UNITÉ 7 RÉAGISSEZ

	Savoir-faire / Savoir agir	Grammaire	Vocabulaire	Phonétique	Socioculturel
LEÇON 25 **S'informer**	• Réagir à une information • Mettre en valeur une information • Dire comment on s'informe	• L'opposition : *mais* • La mise en relief *c'est / ce sont… qui / que* • Les pronoms *y* et *en* COI • *Si / Non* • *Moi aussi / Moi non plus*	• Les médias (2) • L'information		• Les Français et les médias • Les fausses informations
LEÇON 26 **Présenter un problème et proposer des solutions**	• Interagir • Parler de ses habitudes culturelles	• Les adjectifs indéfinis *quelques, plusieurs, tout (le)* (2), *chaque* • Le gérondif • La négation (3) : *rien, personne, ni… ni*	• Les équipements et les événements culturels • L'accès à la culture	• Les sons [p] – [b] et [f] – [v]	• L'accès à la culture • Le ministère de la Culture • Le quotidien *Le Monde* • Les musées en France
LEÇON 27 **Donner son avis**	• Présenter le programme d'un événement • Faire une appréciation • Exprimer une contradiction	• La cause (2) • Le but (2) • L'opposition : *mais* (2), *par contre* • La conséquence (2) : *du coup* • La contradiction : *pourtant*	• L'opinion • L'art	• Les sons [t] – [k] et [d] – [g]	• L'impressionnisme • Berthe Morisot • Le musée d'Orsay
LEÇON 28	**Techniques pour…** • réagir sur un réseau social • **la médiation** : comprendre des notes				**Culture(s) vidéo** *Berthe Morisot au musée d'Orsay*

UNITÉ 8 VOYAGEZ

	Savoir-faire / Savoir agir	Grammaire	Vocabulaire	Phonétique	Socioculturel
LEÇON 29 **Faire la promotion d'un voyage**	• Décrire un voyage • Donner son avis sur un voyage • Dire comment on voyage	• La nominalisation • Les pronoms compléments (synthèse)	• La mer et les bateaux • Les voyages (1)	• Les sons [j] et [ʒ]	• Les voyages en cargo
LEÇON 30 **Décrire un projet de voyage**	• Indiquer un programme • Rapporter des paroles	• Le futur (rappel) : – le futur proche – le futur simple • Le discours indirect au présent	• Les voyages (2)		• Le *couchsurfing*
LEÇON 31 **Raconter une expérience de vie à l'étranger**	• Raconter au passé • Parler d'un livre	• Le récit au passé : – l'imparfait – le passé composé – le plus-que-parfait (sensibilisation) • La place des pronoms compléments (rappel)	• L'habitation • Les relations familiales	• Graphie-phonie	• J. M. G. Le Clézio • Le prix Nobel de littérature
LEÇON 32	**Techniques pour…** • faire un carnet de voyage • **la médiation** : commenter des photos				**Culture(s) vidéo** *J'irai dormir chez vous*

Entrez en relation !

VOUS ALLEZ APPRENDRE À :

- vous présenter
- faire connaissance
- faire des prévisions

VOUS ALLEZ UTILISER :

LEÇON 1
- le passé récent
- le présent continu
- le futur proche

LEÇON 2
- la fréquence : *ne… jamais*, *rarement*, *parfois*, *souvent*, *toujours*
- les pronoms relatifs *qui* et *que*
- les trois formes de la question : intonative, avec *est-ce que*, avec inversion
- les mots interrogatifs
- l'adjectif interrogatif *quel(s)* / *quelle(s)*
- *avec* / *sans* + nom/pronom tonique

LEÇON 3
- le futur simple
- le but : *pour* + infinitif
- *à partir de* + moment et *dans* + durée
- *quand* + futur simple

TECHNIQUES POUR…

- participer à une conversation
- la médiation : présenter un fait culturel

CULTURE(S) VIDÉO

01 Les bonnes résolutions

Se présenter

COMPRENDRE

DOC. 1

www.proforma.com

ProForma La formation professionnelle

FORMATION → LOGICIEL Adobe Illustrator

→ Le +
3 participants maximum

→ Public admis
- ✓ Salariés
- ✗ ~~Étudiants~~
- ✗ ~~Chômeurs~~
- ✓ Travailleurs indépendants

Prix
→ 900 €

Lieu
→ Aix-en-Provence

Dates
→ 11, 12 et 13 mars

DOC. 2

www.proforma.com

ProForma La formation professionnelle

FORMATION → LOGICIEL Adobe Illustrator

→ Formation Adobe Illustrator

FORMULAIRE DE PRÉ-INSCRIPTION

☐ M ☑ Mme

Nom	Khellil
Prénom	Lynda
Date de naissance	7 juillet 1992
E-mail	lkhellil@gmail.com
Téléphone	06 86 55 80 02
Adresse postale	22 rue Thubaneau - 13001 Marseille
Situation familiale	☐ célibataire ☐ marié(e) ☑ pacsé(e) ☐ divorcé(e) ☐ séparé(e) ☐ veuf (veuve)
Enfants	2
Profession	graphiste freelance
Vos motivations	Mettre à jour mes compétences sur le logiciel Illustrator. Trouver de nouveaux clients.
Vos centres d'intérêt	Danse, randonnée pédestre, spectacles, expositions.

1 Lisez la page du site (Doc. 1). Entourez la ou les bonne(s) réponse(s).

a. L'organisme Proforma propose une formation en **langue** · **informatique** · **management**.

b. La formation est destinée aux **chômeurs** · **étudiants** · **salariés** · **travailleurs indépendants**.

c. Elle est **gratuite** · **payante**.

d. Elle a lieu à **Paris** · **Aix-en-Provence** · **Marseille**.

e. Elle dure **un jour** · **deux jours** · **trois jours**.

2 À deux Lisez le formulaire de pré-inscription à la formation (Doc. 2). Classez les informations sur Lynda dans les catégories suivantes.

coordonnées · travail · goûts et activités · état civil

Ex. : coordonnées → e-mail : lkhellil@gmail.com

3 Écoutez la conversation (Doc. 3). Répondez.

Qui parle ? Où ? Que font-ils ?

4 À deux Réécoutez (Doc. 3) et relisez le formulaire (Doc. 2).

a. Quelles sont les nouvelles informations sur Lynda ?

Ex. : Elle est franco-algérienne.

b. Notez les informations sur Sébastien (état civil et lieu de vie).

Ex. : nom → Delmas

c. Pourquoi Lynda et Sébastien veulent-ils changer de logement ?

Culture(s)

En France, on donne son **adresse** dans cet ordre :
prénom + nom → Lynda Khellil
numéro + rue → 22 rue Thubaneau
code postal + ville → 13001 Marseille
→ **Et dans votre pays ?**

5 À deux Réécoutez (Doc. 3).

a. **Qui dit quoi ? Associez les phrases suivantes à Lynda, Sébastien ou Boris.**
1. Je vais vous demander de vous présenter. • 2. Je viens d'avoir mon deuxième enfant. • 3. On est en train de chercher un nouvel appartement. • 4. Je viens de me marier. • 5. Je viens de reprendre mon travail. • 6. Nous sommes en train de nous présenter.

b. **Classez les phrases de l'activité 5a dans la bonne catégorie : événement passé • activité présente • événement futur.**

c. **Complétez avec *venir de*, *aller*, *être en train de*.**
1. Le passé récent se forme avec .... au présent + verbe à l'infinitif.
2. Le présent continu se forme avec .... au présent + verbe à l'infinitif.
3. Le futur proche se forme avec .... au présent + verbe à l'infinitif.

6 Regardez la vidéo. Faites comme Lucía.

Bonjour ! Je m'appelle Lucía.
Je suis équatorienne. J'ai 50 ans.
Je suis en train d'apprendre le français parce que j'ai besoin de parler français pour mon travail. Je suis avocate. J'aime la musique classique et je fais du yoga.

02

AGIR

7 Présentez-vous à la classe.

a. Choisissez les informations importantes pour vous présenter. Créez votre carte mentale.

b. **En petit groupe** Comparez vos cartes mentales pour les améliorer.
c. **En groupe** Présentez-vous devant la classe. La classe pose des questions. Échangez.

Créez le groupe de votre classe sur un réseau social.

Grammaire

Le passé récent, le présent continu et le futur proche pour se présenter

• Passé récent
Formation : verbe venir au présent + de + **verbe à l'infinitif**
Je viens de **me marier**.

• Présent continu
Formation : verbe être au présent + en train de + **verbe à l'infinitif**
On est en train de **chercher** un appartement.
Nous sommes en train de **nous présenter**.

• Futur proche
Formation : verbe aller au présent + **verbe à l'infinitif**
Je vais **m'occuper** d'un nouveau projet.

Vocabulaire

L'état civil  003
célibataire • pacsé(e) • marié(e) • séparé(e) • divorcé(e) • veuf / veuve

La famille (1)  004
Le couple : un compagnon / une compagne • un mari / une femme • un(e) conjoint(e)
Les parents : un père • une mère
Les beaux-parents : un beau-père • une belle-mère
Les enfants : un fils • une fille • une belle-fille • un beau-fils (un gendre)

La double nationalité 005
franco-algérien(ne) • hispano-suisse

Le travail (1)  006
un chômeur / une chômeuse • un(e) étudiant(e) • un(e) salarié(e) • un travailleur / une travailleuse indépendant(e)

Les centres d'intérêt  007
la danse • les expositions (f.) • la musique classique • la randonnée pédestre • les spectacles (m.) • le yoga

Phonétique

Le groupe rythmique, le rythme, l'accentuation  008  03
On prononce un groupe de mots comme un seul mot. C'est le groupe rythmique.
Les syllabes s'enchaînent et elles ont la même longueur. La dernière syllabe est plus longue.
Ex. : Bonjour à tous. → 4 syllabes : Bon_jou_rà_tous.

• **Lisez et écoutez. Indiquez le nombre de syllabes et répétez.**
a. J'habite à Marseille. b. Il a six mois. c. Vous habitez à Aix ?

> Entraînez-vous p. 22-23

Faire connaissance

COMPRENDRE

DOC. 1

LE MAG de MONTRÉAL — ACTUALITÉ · ENQUÊTES · MONDE · CULTURE · MODE · RELATIONS

10 questions à poser pour découvrir une personne

On fréquente souvent des gens sans vraiment les connaître. On prend rarement le temps de se parler. On essaie parfois mais c'est toujours difficile de faire le premier pas !
Il n'est jamais trop tard pour découvrir une personne et peut-être devenir ami(e)s : une voisine que vous croisez tous les matins, un voisin qui promène son chien quand vous rentrez du boulot, un copain que vous voyez toujours dans les fêtes, une collègue qui déjeune avec vous...

Voici 10 questions pour bien connaître la personne qui est devant vous.

1. **Tu as une semaine de vacances, tu fais quoi ?**
2. **Quand as-tu été heureux / heureuse pour la dernière fois ?**
3. **Est-ce que tu peux vivre sans ton portable ? Pourquoi ?**
4. **Quelles sont tes principales qualités ? Tu as des défauts ?**
5. **Quel est le dernier livre que tu as lu ?**
6. **Qui est ton artiste préféré(e) ?**
7. **As-tu un lieu préféré dans ta ville ?**
8. **Où préfères-tu vivre : en ville ou à la campagne ? Pourquoi ?**
9. **Tu as combien de vrais amis ?**
10. **Qu'est-ce que tu manges au petit-déjeuner ?**

1 Observez la page du site (Doc. 1).

a. Identifiez le nom du magazine, le titre de la rubrique et le titre de l'article.

b. Cochez (✓) le thème de l'article.

- ☐ Les 10 questions à poser pour trouver un travail.
- ☐ Les 10 questions à poser pour rencontrer une personne.
- ☐ Les 10 questions à poser pour bien connaître son entourage.

2 Lisez l'introduction de l'article (Doc. 1). *Vrai* ou *faux* ? Justifiez.

a. On connaît bien notre entourage.
b. On n'a pas le temps de se parler.
c. C'est facile de parler aux gens.
d. On peut toujours se faire des amis.

3 À deux Relisez l'introduction de l'article (Doc. 1).

a. Relevez les verbes et les expressions des relations sociales.

Ex. : fréquenter

b. Quelles personnes peuvent devenir nos amis ? À quelles occasions peut-on rencontrer ces personnes ?

4 À deux Observez les phrases et soulignez la bonne réponse.

Ex. : Une voisine **que** vous croisez tous les matins.
→ *que* remplace le nom voisine • matin
→ *que* est **sujet** • **complément** du verbe *croiser*

a. Un voisin **qui** promène son chien.
→ *qui* remplace le nom **chien** • **voisin**
→ *qui* est **sujet** • **complément** du verbe *promener*

b. Un copain **que** vous voyez toujours dans les fêtes.
→ *que* remplace le nom **copain** • **fêtes**
→ *que* est **sujet** • **complément** du verbe *voir*

5 **À deux** **Lisez les dix questions (Doc. 1).**

a. **Dites à quel thème correspond chaque question.**

arts et loisirs • habitudes et vie quotidienne • caractère

Ex. : 1. Tu as une semaine de vacances, tu fais quoi ?
→ arts et loisirs

b. **Classez les questions dans les catégories suivantes : question intonative • question avec *est-ce que* • question avec inversion.**

Ex. : question avec *est-ce que* → 3. Est-ce que tu peux vivre sans ton portable ?

6 **En petit groupe** **Répondez personnellement à cinq questions de l'article.** Échangez. Partagez **vos réponses avec la classe.**

DOC. 2 — 009

7 **Écoutez la conversation (Doc. 2). Répondez.**

Qui parle ? De quoi ?

8 **À deux** **Réécoutez (Doc. 2) et relisez (Doc. 1).**

a. **Quels sont les qualités et les défauts cités ?**

b. **Complétez l'échelle des fréquences avec *souvent* • *rarement* • *parfois* • *toujours* • *ne... jamais*.**

....	....	....	....	....
0	-	+	++	+++

9 **En groupe** **Écrivez sur un papier une qualité et un défaut personnels. La classe tire au sort les papiers et devine qui c'est.**

AGIR

10 **Faites connaissance avec les étudiants de la classe.**

a. **En petit groupe** Choisissez des thèmes (arts et loisirs, caractère, habitudes et vie quotidienne...). Préparez cinq nouvelles questions à poser pour connaître quelqu'un.

b. **À deux** Posez vos cinq questions à un(e) étudiant(e) de la classe. Répondez à ses cinq questions.

c. **En petit groupe** Mettez en commun vos réponses. Trouvez les points communs et les différences.

Postez les résultats sur le réseau social de la classe.

Grammaire

▸ *Ne... jamais*, *rarement*, *parfois*, *souvent* et *toujours* pour indiquer la fréquence

Je **ne** pense **jamais** à mes défauts. (**0**)
On prend **rarement** le temps de se parler. (**-**)
On essaie **parfois**. (**+**)
On fréquente **souvent** des gens sans vraiment les connaître. (**++**)
C'est **toujours** difficile de faire le premier pas. (**+++**)

▸ Les pronoms relatifs *qui* et *que* pour caractériser une personne

Qui et **que** remplacent un nom.
Qui est le sujet du verbe.
Le voisin promène son chien. → Un voisin **qui** promène son chien.
Que est le complément d'objet direct (COD) du verbe.
Vous croisez **une voisine**. → Une voisine **que** vous croisez.
! **qu'**+ voyelle : Une voisine **qu'**on croise.

▸ L'interrogation pour poser des questions

• Les trois formes de la question

Question intonative : **Tu as** des défauts ?
Avec *est-ce que* : **Est-ce que tu as** des défauts ?
Avec inversion : **As-tu** des défauts ?

• Les mots interrogatifs *quoi, que, qui, quand, où, combien (de), pourquoi*

Tu fais **quoi** ? / **Qu'**est-ce que tu fais ? / **Que** fais-tu ?
Tu as **combien de** vrais amis ? / **Combien de** vrais amis est-ce que tu as ? / **Combien de** vrais amis as-tu ?

• L'adjectif interrogatif *quel(s)* / *quelle(s)*

Quel livre es-tu en train de lire ?
Quelles sont tes principales qualités ?

▸ *Avec* / *Sans*

+ pronom tonique : **avec** toi / **sans** toi
+ nom : **avec** ton portable / **sans** ton portable
! *sans* + infinitif : **sans connaître** les gens

Vocabulaire

▸ Les relations (1) — 010

un(e) ami(e) • un(e) collègue • un copain / une copine • un voisin / une voisine • l'entourage (m.) • les gens • connaître • croiser • découvrir • déjeuner avec • devenir amis • faire le premier pas • fréquenter • se faire des amis • se parler

▸ Le caractère (1) — 011

timide • une qualité ≠ un défaut • agréable ≠ désagréable • drôle ≠ trop sérieux / sérieuse • généreux / généreuse ≠ égoïste • modeste ≠ prétentieux / prétentieuse • sympa(thique) ≠ pas sympa(thique)

› Entraînez-vous p. 22-23

Faire des prévisions

COMPRENDRE

DOC. 1

www.20minutes.fr

20 minutes

Recherche

Actualité Locales Sport Loisirs Économie Planète T'as vu ? High-tech Podcasts Vidéos

SOCIÉTÉ FAITS DIVERS POLITIQUE MONDE JUSTICE SANTÉ

Taureau (21 avril - 21 mai)
Gémeaux (22 mai – 21 juin)
Cancer (22 juin - 22 juillet)
Lion (23 juillet - 22 août)
Vierge (23 août - 22 septembre)
Balance (23 septembre - 22 octobre)
Scorpion (23 octobre - 22 novembre)
Sagittaire (23 novembre - 21 décembre)
Capricorne (22 décembre - 20 janvier)
Verseau (21 janvier - 19 février)
Poissons (20 février - 20 mars)
Bélier (21 mars – 20 avril)

HOROSCOPE 2021 : Nos prévisions pour l'année prochaine

Publié le 19 décembre 2020 à 10:33

Au revoir 2020 et bonjour aux nouvelles rencontres de 2021 ! 2021 sera l'année idéale pour réaliser des projets. Nous partagerons de bons moments avec notre famille et nos amis. Découvrez les prévisions complètes pour l'année prochaine, signe par signe.

Taureau (21 avril - 21 mai)

AMOUR
Célibataires, 2021 sera l'année pour tomber amoureux. Saturne vous fera le cadeau d'une rencontre et Jupiter vous donnera de la joie et de la tendresse. En couple, votre quotidien dépendra de votre bonne humeur et de votre générosité. D'avril à septembre, vous trouverez des idées pour apporter du romantisme à votre relation.

FAMILLE ET VIE SOCIALE
Les relations amicales seront très importantes pour vous. Vous aurez la possibilité de faire de nouvelles rencontres. Vous recevrez beaucoup d'invitations mais, attention, il faudra bien choisir.

ARGENT
Vous ne serez pas satisfait de votre situation financière. Ce ne sera pas une année idéale pour faire des économies.

TRAVAIL
Le travail sera votre priorité. Vous définirez de nouveaux objectifs et prendrez des décisions importantes. Vous devrez faire attention au stress. En octobre, de nouvelles possibilités de travail se présenteront.

SANTÉ
Vous vous sentirez fatigués. Vous devrez vous détendre et faire attention à votre alimentation. Vous irez mieux en novembre et décembre.

1 **Observez la page du site (Doc. 1). Identifiez :**
a. le nom du journal.
b. la rubrique.
c. le titre de l'article.
d. la date de l'article.

2 **Lisez (Doc. 1).**

a. **Cochez (✓) la bonne réponse. Un horoscope :**
☐ décrit les caractéristiques des signes du zodiaque.
☐ fait des prévisions pour le futur.
☐ raconte l'année passée.

b. **À quoi correspond chaque partie du document ? Reliez.**
1. Prévisions pour un signe du zodiaque. — A
2. Liens pour tous les signes. — B
3. Prévisions générales pour l'année. — C

3 **À deux** **Relisez l'horoscope du Taureau (Doc. 1).**

a. ***Vrai* ou *faux* ? Justifiez.**
1. Les célibataires ont des chances de faire des rencontres.
2. C'est une bonne année pour gagner de l'argent.
3. Ce n'est pas une bonne année pour le travail.
4. La santé est mauvaise à la fin de l'année.
5. Il y a plus de prévisions positives.

b. **Relevez les prévisions positives et observez. On utilise le présent ou le futur ?**
Ex. : 2021 sera l'année pour tomber amoureux.

c. **Reliez.**

1. 2021 sera	a. aller
2. Saturne vous fera	b. définir
3. Jupiter vous donnera	c. donner
4. Vous aurez	d. faire
5. Vous définirez	e. être
6. Vous prendrez	f. se présenter
7. Des possibilités se présenteront	g. prendre
8. Vous irez	h. avoir

d. **Pour quels verbes de l'activité 3c est-ce que la base du futur correspond à l'infinitif ? Pour quels verbes est-ce qu'elle ne correspond pas à l'infinitif ?**

e. **Complétez avec les terminaisons des verbes au futur.**

3e personne du singulier : ....
2e personne du pluriel : ....
3e personne du pluriel : ....

4 **À deux** **Relisez (Doc. 1). Notez les mots et expressions correspondant aux thèmes suivants.**
l'amour • l'argent • la santé • le travail • la vie sociale
Ex. : l'amour → tomber amoureux

5 **En petit groupe** **Regardez la vidéo de Franziska et répondez.**

Moi, je suis Balance.
Je lis parfois mon horoscope, pour m'amuser. Et vous ?

04

DOC. 2 012

6 a. **Écoutez (Doc. 2). Répondez.**
Qui parle ? De quel signe ? Pour quelle période ?
b. **Réécoutez (Doc. 2). Soulignez les thèmes traités.**
la santé • l'argent • le travail • les vacances • la famille • l'amour

7 **À deux** **Réécoutez (Doc. 2).**
a. **Notez les prévisions pour les moments suivants.**
demain • après-demain • à partir de jeudi • dans quelques jours • la semaine prochaine
Ex. : demain → Le soleil brillera pour vous.
b. **Observez la phrase et répondez.**
Vous devrez faire attention quand vous ferez les magasins.
Quelle partie de la phrase donne une information sur le moment ?

8 **À deux** **Reliez.**

a. demain	1. dans trois ou quatre jours
b. après-demain	2. dans sept jours
c. à partir de jeudi	3. jeudi, vendredi, samedi et dimanche
d. dans quelques jours	4. dans un jour
e. la semaine prochaine	5. dans deux jours

9 **En petit groupe** **Comment voyez-vous votre vie dans dix ans ? Échangez.**

AGIR

10 **Faites des prévisions.**
a. **À deux** Choisissez une personne célèbre. Trouvez son signe du zodiaque.
b. Imaginez son horoscope pour l'année prochaine : amour, famille et vie sociale, travail, argent, santé.
c. **En groupe** Présentez l'horoscope de votre célébrité à la classe.

Grammaire

Le futur simple pour faire des prévisions

Formation :
- Pour les verbes en *-er* et *-ir* : infinitif + -ai, -as, -a, -ons, -ez, -ont
Nous partagerons de bons moments.
Vous vous sentirez fatigués.
- Pour les verbes en *-re* : infinitif sans le *e* final + -ai, -as, -a, -ons, -ez, -ont
Vous prendrez des décisions importantes.

Futurs irréguliers :
avoir : j'aurai • être : je serai • faire : je ferai • aller : j'irai • pouvoir : je pourrai • savoir : je saurai • venir : je viendrai • devoir : je devrai • voir : je verrai • falloir : il faudra

***Pour* + infinitif pour exprimer le but**
2021 sera l'année idéale pour **réaliser** des projets.

Les indicateurs de temps pour situer dans le futur
- à partir de + moment (pour indiquer le début d'une action future)
À partir de jeudi, vous dépenserez un peu trop.
- dans + durée
Dans quelques jours, vous ressentirez de la fatigue.

***Quand* + verbe au futur**
Vous devrez faire attention quand vous **ferez** les magasins.

Vocabulaire

Les indicateurs du futur 013
demain • après-demain • la semaine prochaine / le mois prochain / l'année prochaine

Les relations (2) et les sentiments (1) 014
l'amitié (f.) • l'amour (m.) • la joie • une rencontre (sentimentale) • le romantisme • la tendresse • la vie familiale • amical(e) • partager de bons moments • recevoir • tomber amoureux / amoureuse

L'argent 015
financier / financière • faire des économies • gagner / dépenser de l'argent

La santé 016
l'énergie • la fatigue • le stress • être en (pleine) forme • se sentir (bien, mal, fatigué(e))

Phonétique

Les nasales [ɔ̃], [ɛ̃] et [ɑ̃]  017  05

L'air passe par le nez (et par la bouche).
- Le son [ɔ̃] est arrondi : **on** • b**on** • t**om**ber
- Le son [ɛ̃] est souriant : **un** • dem**ain** • bi**en** • s**ym**pa
- Le son [ɑ̃] est ouvert : **an** • l'arg**en**t • nov**em**bre

Écoutez et répétez.
Vingt et un novembre : Scorpion !

Entraînez-vous p. 22-23

Techniques pour...

... participer à une conversation

ÉCOUTER

DOC. 1 018

1 [Découverte] Observez la photo (Doc. 1). À votre avis, où sont-ils ? De quoi parlent-ils ?

2 Écoutez la conversation pendant la soirée (Doc. 1). Cochez (✓) la bonne réponse.

- ☐ a. Trois amis se parlent.
- ☐ b. Une personne entre dans la conversation de deux autres personnes.
- ☐ c. Trois personnes se rencontrent pour la première fois.

3 Reliez.

a. Cécile	1. ne connaît pas Arnaud et Delphine.
b. Éloi	2. est une collègue d'Éloi.
c. Arnaud	3. est une amie de Cécile et d'Arnaud.
d. Delphine	4. connaît Cécile et Delphine.

4 À deux *Vrai* ou *faux* ? Justifiez.

a. La soirée se passe dans une maison.
b. Il y a plus de vingt personnes à la soirée.
c. Ils parlent du lieu.
d. Ils parlent du travail de Cécile.

5 [Analyse] À deux Réécoutez (Doc. 1). Répondez.

a. Comment Éloi entre-t-il en contact avec Delphine et Arnaud ?
b. Quel sujet de conversation introduit-il ?

6 À deux Reliez. (Il y a parfois plusieurs réponses possibles.)

a. J'entre en contact.
b. Je prends la parole.
c. Je n'ai pas compris.
d. J'hésite.
e. Je montre que j'écoute.
f. Je veux mettre fin à la conversation.
g. Je dis que je suis d'accord.
h. J'attire l'attention.
i. Je suis surpris(e).

1. *Moi, je dirais...*
2. *Excusez-moi, on m'appelle.*
3. *Vous êtes de la famille ou des amis de Cécile ?*
4. *C'est vrai ?*
5. *Ah d'accord, je comprends.*
6. *Heu...*
7. *Mais bien sûr !*
8. *Hein ?*
9. *Comment ?*
10. *Au fait, ...*
11. *Ah bon ?*
12. *Dites donc, ...*

PARLER

7 Participez à une conversation.

a. En petit groupe Choisissez un thème de conversation : l'apprentissage du français • l'actualité • les loisirs...

b. Discutez avec vos camarades.

c. Un membre de votre groupe rejoint la conversation d'un autre groupe.

POUR participer à une conversation

- **Entrer en contact**
  Vous êtes de la famille ou des amis de Cécile ?
- **Prendre la parole**
  Moi, je dirais...
- **Attirer l'attention**
  Dites donc / Dis donc, ...
  Au fait, ...
- **Donner des signes d'écoute**
  Ah d'accord, je comprends.
  C'est vrai ?
- **Créer une relation informelle**
  On peut se tutoyer ?
- **Dire qu'on n'a pas compris**
  Comment ?
  Hein ?
- **Signifier l'hésitation**
  Heu...
- **Marquer la surprise**
  Ah bon ?
- **Mettre fin à la conversation**
  Excusez-moi, on m'appelle.

... la médiation : présenter un fait culturel

DOC. 2

Cultures Mag

Le Nouvel An à la française

En France, la soirée du 31 décembre s'appelle « le réveillon du Nouvel An » ou « le réveillon de la Saint-Sylvestre ». Ce soir-là, on fait souvent la fête avec des amis. À 20 heures, on peut regarder les vœux du président de la République à la télévision. À minuit, on se dit « Bonne année ! » et on se fait la bise. Les couples s'embrassent sous le gui ; cela porte bonheur. On regarde parfois le feu d'artifice ou on se rassemble sur une grande avenue ou dans un lieu touristique. On envoie des messages de vœux. Et on boit du champagne !

Meilleurs vœux

8 En petit groupe Lisez l'article (Doc. 2).

a. Avez-vous compris les mêmes choses ? Échangez.
– Expliquez ce que vous avez compris.
– Demandez ou donnez des explications aux membres du groupe.

b. Quelles traditions françaises vous surprennent ? Expliquez.

9 À deux Un(e) de vos ami(e)s est invité(e) à fêter la Saint-Sylvestre chez un(e) Français(e).

a. Décrivez la fête du Nouvel An en France : la bise de minuit, les vœux...

b. Donnez des conseils à votre ami(e).

10 Décrivez les traditions du Nouvel An dans votre culture.

a. Décrivez le déroulement de la fête. Donnez des conseils sur les vêtements, les cadeaux, la politesse.

b. Dites ce qui sera surprenant pour un(e) Français(e).

c. À deux Échangez vos textes. Comparez.

S'entraîner

Leçon 1

Le présent continu

1 Transformez les phrases avec le présent continu.

Ex. : Je travaille. → Je suis en train de travailler.
a. Elle cherche un emploi. → ....
b. Il finit ses études. → ....
c. Nous faisons des études de commerce. → ....
d. Vous suivez cette formation ? → ....
e. Tu t'occupes d'un nouveau projet. → ....
f. Ils apprennent le français. → ....

Le passé récent, le présent continu et le futur proche

2 019 Écoutez. Vous entendez quel temps ? Cochez (✓).

Ex. : Je viens de me pacser.

	Passé récent	Présent continu	Futur proche
Ex.	✓		
a.			
b.			
c.			
d.			
e.			
f.			
g.			

L'état-civil, la famille (1), les centres d'intérêt, le travail (1)

3 À deux Complétez avec les mots proposés.

randonnée pédestre • beaux-parents • célibataire • classique • expositions • travailleuse indépendante • compagnon • danse • yoga • me pacser • fille

Ex. – Tu es sportif ? – Oui, je marche ; je fais de la randonnée pédestre.
a. – Vous sortez beaucoup ?
– Oui, je vais voir beaucoup d'.......... de peinture.
b. – Tu fais quelle activité ?
– Du ....
c. – Vous êtes salariée ?
– Non, je suis ....
d. – Vous êtes mariée ?
– Je suis .... mais je vais ....
e. – Vous travaillez en famille ?
– Oui, je travaille dans l'entreprise de mes ....
f. – Tu aimes la musique ?
– Oui, la musique .... et je fais de la ....
g. Ma .... et son .... sont encore étudiants.

La double nationalité

4 Reliez.

a. française et algérienne
b. italienne et australienne
c. allemande et turque
d. anglaise et belge
e. mexicaine et américaine
f. espagnole et portugaise

1. germano-turque
2. anglo-belge
3. mexico-américaine
4. hispano-portugaise
5. franco-algérienne
6. italo-australienne

Le groupe rythmique, le rythme, l'accentuation

5 a. Entourez les groupes rythmiques. Soulignez la dernière syllabe de chaque groupe.

Bonjour tout le monde. Je m'appelle Pierre. Je cherche un emploi. Je suis franco-polonais et ma compagne est française. On habite à Lyon chez un ami. On est en train de chercher un appartement.

b. 020 Écoutez et répétez.

Leçon 2

Ne... jamais, rarement, parfois, souvent et toujours

6 Mettez les mots dans l'ordre.

Ex. : déjeune • ne • je • jamais • mes collègues • avec
→ Je ne déjeune jamais avec mes collègues.
a. le • toujours • cette • croise • voisine • matin • je
→ ....
b. ne • ils • jamais • disent • bonjour → ....
c. rarement • fais • le premier pas • je → ....
d. chez • dort • elle • des amis • parfois → ....
e. nous • souvent • des copains • sortons • avec
→ ....
f. avec • désagréable • toujours • elle • mes amis • est → ....

Les pronoms relatifs *qui* et *que*

7 Complétez avec *qui* ou *que (qu')*.

Ex. : C'est une voisine que je connais bien.
a. Je te présente un ami .... j'ai rencontré pendant mes études.
b. J'ai invité un couple .... habite près de chez moi.
c. Ce sont des gens .... sont très sympas.
d. Ces copains .... on aime beaucoup sont belges.
e. Vous connaissez la personne .... vit au rez-de-chaussée ?
f. Voici une personne .... elle croise tous les jours.
g. C'est un collègue .... a un très bon poste.

Les trois formes de la question

8 Transformez la question selon l'indication donnée.

Ex. : Avez-vous des amis ? (avec *Est-ce que*)
→ Est-ce que vous avez des amis ?

a. Vous êtes heureux ? (avec inversion)
→ ……

b. Déjeunes-tu avec tes collègues ? (avec *Est-ce que*)
→ ……

c. Vous fréquentez vos voisins ? (avec inversion)
→ ……

d. Ont-ils beaucoup de défauts ? (avec *Est-ce que*)
→ ……

e. Est-ce que c'est facile de faire le premier pas ? (avec intonation) → ……

f. Vous parlez facilement aux gens ? (avec *Est-ce que*)
→ ……

g. Peux-tu vivre sans amis ? (avec intonation)
→ ……

Les mots interrogatifs

9 Complétez avec *quoi*, *que (qu')*, *qui*, *quand*, *où*, *combien (de)*, *pourquoi*.

Ex. : – Pourquoi tu aimes ce livre ?
– Parce qu'il est drôle.

a. – …… es-tu arrivé en France ?
– La semaine dernière.

b. – …… est-ce que tu fais le week-end ? – Du sport.

c. – …… connais-tu ici ? – Mona et Steve.

d. – …… elle ne parle à personne ?
– Parce qu'elle est timide.

e. – Vous faites …… à Bordeaux ?
– Nous étudions le français.

f. – …… chanteurs français connais-tu ?
– Cinq ou six.

g. – …… faites-vous dans la vie ?
– Je travaille dans une banque.

h. – …… est-ce que tu vas en vacances ?
– Au bord de la mer.

i. – Vous êtes …… dans votre famille ? – Six.

L'adjectif interrogatif *quel(s) / quelle(s)*

10 Entourez la bonne réponse.

Ex. : Quel · Quelle · Quels est ta principale qualité ?

a. **Quel · Quelle · Quels** est ton sport préféré ?

b. **Quel · Quelle · Quels** sont vos loisirs ?

c. Tu connais **quel · quels · quelles** pays européens ?

d. **Quel · Quelles · Quels** actrices françaises aimez-vous ?

e. Tu as choisi **quelles · quelle · quel** activité ?

f. **Quel · Quelle · Quels** est le dernier film que tu as vu ?

Leçon 3

Le futur simple

11 Transformez les phrases au futur simple.

Ex. : Je vais réaliser mon projet l'année prochaine.
→ Je réaliserai mon projet l'année prochaine.

a. Tu vas trouver des solutions. → ……

b. Il ne va pas réussir sans vous. → ……

c. Nous allons décider ensemble. → ……

d. Elles vont connaître le bonheur. → ……

e. Vous allez vivre de très beaux moments. → ……

12 Conjuguez les verbes au futur simple.

Ex. : Tu (avoir) auras beaucoup de chance.

a. Vous (être) …… très riche.

b. Il ne (falloir) …… pas hésiter à changer de vie.

c. Vous (faire) …… une rencontre merveilleuse.

d. Vos amis (savoir) …… vous conseiller.

e. Un collègue (devenir) …… votre ami.

f. Tu (voir) …… la vie en rose.

g. Vous (devoir) …… faire des économies.

Les indicateurs de temps

13 Complétez les phrases avec *quand*, *dans*, *à partir de (du)*.

Ex. : Vous n'aurez plus de problèmes d'argent à partir du mois prochain.

a. Restez chez vous …… demain.

b. …… trois jours, vous aurez une surprise.

c. Vous devrez répondre vite …… il vous demandera en mariage.

d. Il deviendra célèbre …… dix ans.

e. …… vous rencontrerez l'homme ou la femme de votre vie, ce sera merveilleux.

f. …… 20 mai, ce sera trop tard pour changer d'avis !

Les nasales [ɔ̃], [ɛ̃] et [ɑ̃]

14 021 Écoutez. Vous entendez [ɔ̃], [ɛ̃] ou [ɑ̃] ? Cochez (✓).

Ex. : l'argent → [ɑ̃]

	Ex.	a.	b.	c.	d.	e.	f.	g.
[ɔ̃] on								
[ɛ̃] un								
[ɑ̃] an	✓							

Faites le point

Expressions utiles

DEMANDER DE SE PRÉSENTER

- Je vais vous demander de vous présenter.
- Vous pouvez vous présenter, s'il vous plaît ?

SE PRÉSENTER ET PARLER DE SOI

Dire son nom
- Je m'appelle Lynda Khellil.
- Moi, c'est Sébastien Delmas.

Dire sa nationalité
- Je suis franco-algérienne.

Dire son âge
- J'ai 50 ans.

Parler de son métier
- Je suis graphiste freelance.
- Je travaille pour des maisons d'édition.
- Je vais m'occuper d'un nouveau projet.

Parler de sa situation familiale
- Je viens de me marier.
- Je suis pacsé(e).
- J'ai deux enfants.

Parler de ses goûts et activités
- Je suis en train d'apprendre le français.
- J'aime la musique et je fais du yoga.

FAIRE CONNAISSANCE AVEC QUELQU'UN

- Tu fais quoi ?
- Qu'est-ce que tu es en train de lire ?
- Quelles sont tes principales qualités ?
- Tu as des défauts ?
- Est-ce que tu peux vivre sans ton portable ?
- Où préfères-tu vivre ?

PARLER DES RELATIONS SOCIALES

- On prend rarement le temps de se parler.
- C'est toujours difficile de faire le premier pas !
- Il n'est jamais trop tard pour devenir ami(e)s.

FAIRE DES PRÉVISIONS

- 2021 sera l'année idéale pour réaliser des projets.
- Nous partagerons de bons moments avec notre famille et nos amis.
- Ce ne sera pas une année idéale pour faire des économies.

SITUER UNE ACTION DANS LE FUTUR

- Dans quelques jours, vous ressentirez de la fatigue.
- À partir de jeudi, vous dépenserez un peu trop.
- Vous devrez faire attention quand vous ferez les magasins.
- Demain, le soleil brillera pour vous.
- Après-demain, les sorties favoriseront les rencontres sentimentales.
- La semaine prochaine, les astres vous protègeront.

Évaluez-vous !

À LA FIN DE L'UNITÉ 1, VOUS SAVEZ...	APPLIQUEZ !
☐ **utiliser le présent continu.**	Qu'est-ce que vous êtes en train de faire ?
☐ **parler de votre situation familiale.**	Complétez la phrase : Je suis ....
☐ **exprimer la fréquence.**	Vous dînez souvent au restaurant ?
☐ **utiliser les pronoms relatifs *qui* et *que*.**	Complétez avec *qui* ou *que*. J'ai une collègue .... est sympa. J'ai un collègue .... je ne connais pas bien.
☐ **faire connaissance avec quelqu'un.**	Posez trois questions pour mieux connaître votre voisin(e).
☐ **faire des prévisions.**	Que ferez-vous l'année prochaine ?
☐ **utiliser les verbes irréguliers au futur.**	Citez trois verbes irréguliers. Utilisez chaque verbe dans une phrase au futur.
☐ **situer une action dans le futur.**	Complétez avec *après-demain* ou *la semaine prochaine*. dans sept jours → .... - dans deux jours → ....

Parlez de vous

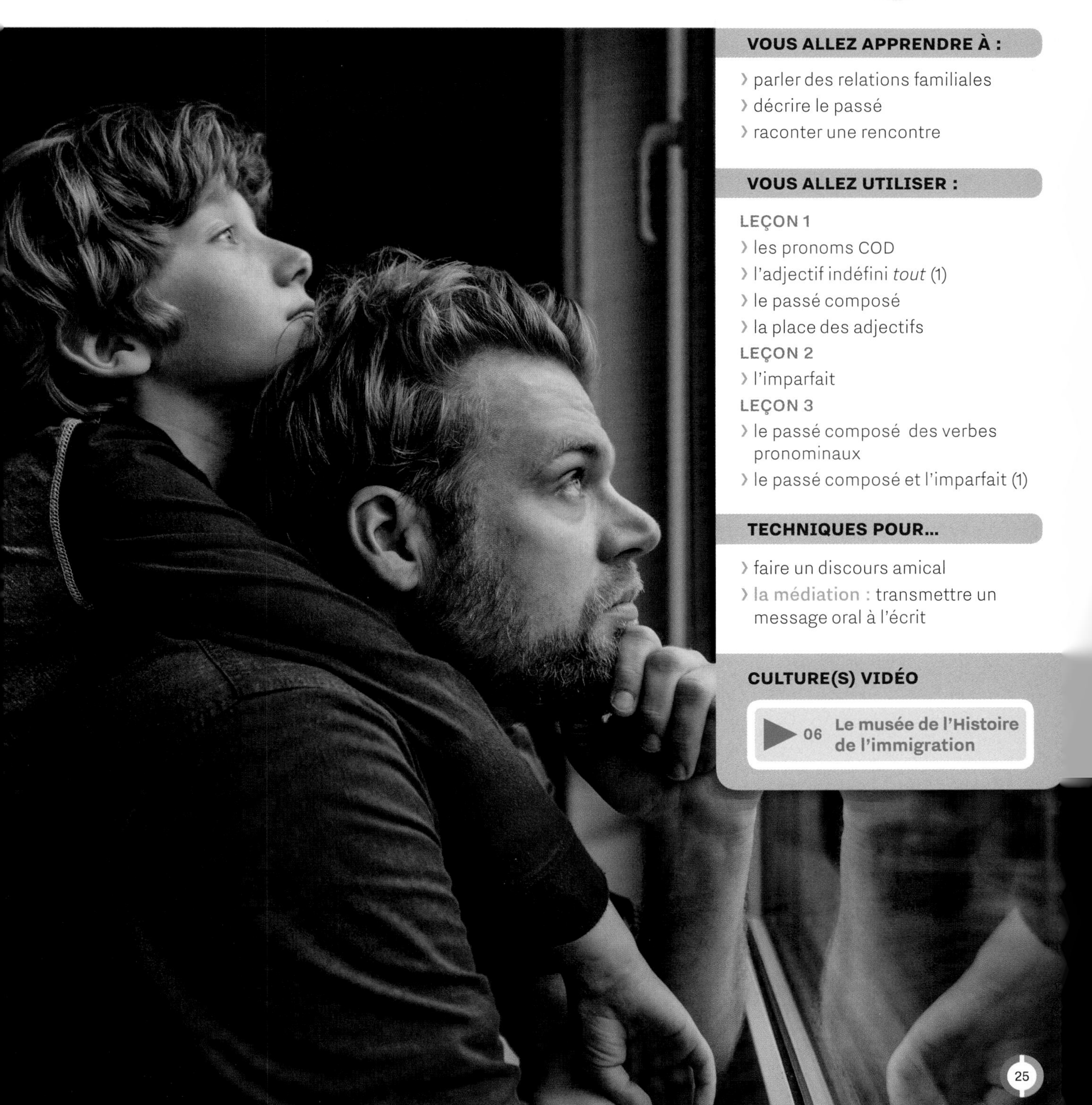

VOUS ALLEZ APPRENDRE À :

- parler des relations familiales
- décrire le passé
- raconter une rencontre

VOUS ALLEZ UTILISER :

LEÇON 1
- les pronoms COD
- l'adjectif indéfini *tout* (1)
- le passé composé
- la place des adjectifs

LEÇON 2
- l'imparfait

LEÇON 3
- le passé composé des verbes pronominaux
- le passé composé et l'imparfait (1)

TECHNIQUES POUR...

- faire un discours amical
- la médiation : transmettre un message oral à l'écrit

CULTURE(S) VIDÉO

06 **Le musée de l'Histoire de l'immigration**

Parler des relations familiales

COMPRENDRE

DOC. 1

francetvinfo.fr

franceinfo: vidéos | radio | journal télévisé | magazines

politique · société · monde · culture · sports · santé · sciences · tech/web · environnement · météo

C'est à vous > Le 19/03 à 17 h > **Les nouvelles familles**

Aujourd'hui, en France, beaucoup de couples se séparent ou divorcent. Résultat : plus d'un enfant sur dix vit dans une famille recomposée, parfois une fratrie recomposée. Ces nouvelles familles, qui sont souvent de grandes familles, on les trouve dans tous les milieux sociaux et dans toutes les régions.

On n'a pas toujours d'affinités avec ses frères et sœurs biologiques. Dans une famille recomposée, c'est pareil : les enfants ont parfois de mauvaises relations. Dans ces nouvelles familles, l'enfant vit avec un de ses parents. Son autre parent, il le voit de temps en temps ou un week-end sur deux. Il n'a pas toujours sa propre chambre ; il la partage avec un demi-frère ou une demi-sœur. Et pour les quasi-frères et les quasi-sœurs, qui n'ont pas les mêmes parents, c'est souvent plus compliqué. Nous avons interviewé les enfants de deux familles recomposées. Ils ont entre 9 et 19 ans. Ils témoignent de leur quotidien. Ils parlent de leurs relations et de leurs difficultés.

1 Observez la page du site (Doc. 1).

a. Identifiez le nom du site, les rubriques sélectionnées et le nom de l'émission.

b. Répondez.

1. Quel est le titre de l'émission du 19 mars ?
2. Quel est son thème ? Faites des hypothèses.

2 Lisez le texte de présentation de l'émission (Doc. 1).

a. Vérifiez vos hypothèses et entourez la bonne réponse.

L'émission va parler **de l'éducation des enfants** · **des relations entre frères et sœurs** · **de la vie d'une famille.**

b. Qui va témoigner ?

3 À deux Relisez (Doc. 1).

a. Reliez.

1. Une famille recomposée
2. Des demi-frères et des demi-sœurs
3. Des quasi-frères et des quasi-sœurs
4. Une fratrie

a. Des frères et des sœurs.
b. Les enfants d'une famille qui n'ont pas de parents en commun.
c. Un couple avec des enfants d'un premier mariage.
d. Des enfants qui ont un seul parent en commun.

b. Répondez.

1. Où trouve-t-on des familles recomposées ?
2. Quels sont leurs problèmes ? Est-ce différent des autres familles ?

c. Observez les adjectifs. Que remarquez-vous ?

une famille **recomposée** · une sœur **biologique** · les **nouvelles** familles · les milieux **sociaux**

d. Trouvez d'autres adjectifs dans le Doc. 1 puis cochez (✓).

Les adjectifs se placent toujours après le nom.
☐ Vrai ☐ Faux

4 En petit groupe En France, plus d'un enfant sur dix vit dans une famille recomposée. Pensez-vous que c'est pareil dans votre pays ? Échangez.

5 À deux a. Observez les phrases. Que remplacent les pronoms *les*, *la* et *le* ?

1. Ces nouvelles familles, on **les** trouve dans tous les milieux sociaux.
2. Il n'a pas toujours sa propre chambre ; il **la** partage avec un demi-frère ou une demi-sœur.
3. Son autre parent, il **le** voit de temps en temps.

b. Reliez.

1. **Le** remplace un nom...
2. **La** remplace un nom...
3. **Les** remplace un nom...

a. féminin singulier.
b. pluriel.
c. masculin singulier.

Culture(s)

En France, à l'occasion d'un mariage ou de la naissance du premier enfant, la mairie donne **un livret de famille**. On inscrit sur ce livret les naissances, les décès, les divorces.

→ **Et dans votre pays, il y a un document équivalent ?**

DOC. 2 — 022 et 023

6 **Écoutez les deux témoignages (Doc. 2). Qui parle ? Pour quoi faire ? Qu'ont-ils en commun ?**

7 **À deux** **Réécoutez le premier témoignage (Doc. 2).**

a. Notez :
1. les prénoms et les âges.
2. les liens familiaux.

b. Est-ce qu'elles ont de bonnes relations ? Justifiez.

8 **À deux** **Réécoutez le deuxième témoignage (Doc. 2).**

a. Cochez (✓) la bonne réponse.
- ☐ Théo présente ses frères et sœurs.
- ☐ Théo raconte la rencontre avec sa nouvelle famille.
- ☐ Théo parle de la relation de sa mère avec son beau-père.

b. Théo a combien de frères et sœurs ? Est-ce qu'ils s'entendent bien ?

c. Relevez les quatre étapes de l'histoire de Théo.
1. Un jour, ma mère est entrée... • 2. ... • 3. ... • 4. ...

d. Les verbes relevés sont à quel temps ? Comment se forme-t-il ?

AGIR

9 **À deux** **Présentez la famille d'une célébrité.**

a. **Choisissez** une célébrité.
b. **Décrivez** sa famille.
c. **Réalisez** l'arbre généalogique de la célébrité. Ajoutez des photos trouvées sur Internet (optionnel).
d. **Décrivez** ou **imaginez** les relations des membres de cette famille.
e. **Présentez** cette famille à la classe.

Postez votre présentation sur le groupe de la classe.

Grammaire

Les pronoms COD (compléments d'objet direct)
Ils se placent avant le verbe.

	1re personne	2e personne	3e personne
singulier	me / m'	te / t'	le / la / l'
pluriel	nous	vous	les

Elle **m'**appelle sa « quasi-sœur ». • Elle **nous** fait rire. • Je **les** vois comme mes sœurs.

L'adjectif indéfini *tout* (1)

	masculin	féminin
singulier	**tout (le)**	toute (la)
pluriel	tous (les)	toutes (les)

Ces nouvelles familles, on les trouve dans **tous les** milieux sociaux et dans **toutes les** régions.

Le passé composé pour raconter des événements passés

• **Formation :**
avoir ou **être** au présent + **participe passé**
J'**ai** **rencontré** ses enfants.
Je **suis** **parti** en vacances avec eux.

• On utilise **être** avec : *naître, mourir, aller, venir, arriver, entrer, sortir, partir, rester, monter, descendre, passer, retourner, tomber...*

• Avec **être**, le participe passé s'accorde avec le sujet : Ma mère **est entrée** dans ma chambre.

Avec **avoir**, le participe passé ne s'accorde pas avec le sujet.

La place des adjectifs
• En général, l'adjectif se place après le nom.
une famille **recomposée**
• Certains adjectifs se placent avant le nom : ***petit(e)***, ***grand(e)***, ***nouveau/nouvelle***, ***beau/belle***, ***même***, ***mauvais(e)***, ***gros(se)***, ***premier/première***, etc.
un **petit** choc • des **grandes** familles

Vocabulaire

La famille (2)  024
une famille recomposée • papa / maman (fam.) • un fils / une fille unique • une fratrie • un (petit) frère / une (grande) sœur • un demi-frère / une demi-sœur • un quasi-frère / une quasi-sœur • un beau-père / une belle-mère

Les relations (3) et les sentiments (2) 025
adorer • aimer (bien) • s'entendre (bien) • avoir des affinités (f.) • se respecter • s'amuser • faire rire • se disputer

La fréquence et les proportions 026
de temps en temps • un week-end sur deux • deux semaines par mois • un (enfant) sur dix (1/10)

Les indicateurs de temps (1) 027
un jour • après • l'année dernière / le mois dernier / la semaine dernière

Entraînez-vous p. 34-35

LEÇON 6 Décrire le passé

COMPRENDRE

1 Observez l'affiche (Doc. 1).

a. Identifiez le nom du musée et sa fonction.

b. Lisez le texte de l'affiche puis cochez (✓).

40 % des Français sont issus de l'immigration.

☐ Vrai ☐ Faux

2 a. Observez la photo d'enfance de Lucilia Campos (Doc. 2). Décrivez la photo.

b. Lisez l'article (Doc. 2). Répondez.

1. Que fait Lucilia ?
2. Qui a pris cette photo ? Quand ? Où ?

TÉMOIGNAGE — *Lola Mag*

La photo d'enfance de Lucilia Campos

Lucilia Campos se souvient de ses parents, immigrés portugais.
C'étaient des gens modestes mais toujours élégants.

C'était au début des années 60. Ma mère travaillait comme employée de maison et mon père était maçon. Sur cette photo, ils posent pour un photographe ambulant qu'il y avait au Sacré-Cœur, à Paris. Il faisait beau. Nous n'avions pas d'appareil photo. Mon père avait 28 ans et ma mère 27. Ils avaient toujours des vêtements élégants. Ils étaient beaux. Mon père était réservé. Ma mère était toujours souriante. Elle était très courageuse, elle avait beaucoup d'énergie. Ils ne parlaient pas encore bien français. Nous allions souvent visiter des monuments le week-end. J'adore cette photo. Moi, j'avais 5 ans ; je n'étais pas avec eux ce jour-là.

17

3 À deux Relisez (Doc. 2).

a. Quelles sont les professions des parents de Lucilia ?

b. Relevez les descriptions :

1. de sa mère.

Ex. : Ma mère était toujours souriante.

2. de son père.
3. des deux.

c. Reliez.

1. modestes	a. chics
2. élégants	b. travailleuse
3. courageuse	c. simples

4 a. À deux Entourez la bonne réponse.

Pour faire des descriptions au passé, on utilise **le passé composé** · **l'imparfait**.

b. Cherchez et soulignez ces verbes dans l'article (Doc. 2).

être · travailler · avoir · faire · parler · aller

c. Barrez la mauvaise réponse.

1. L'imparfait se forme à partir de la première personne du **singulier** · **pluriel** au présent.
2. C'est différent pour le verbe ***avoir*** · ***être***.

d. Reliez les personnes aux terminaisons de l'imparfait.

1. je	a. -aient
2. il	b. -ions
3. ils	c. -ait
4. nous	d. -ais

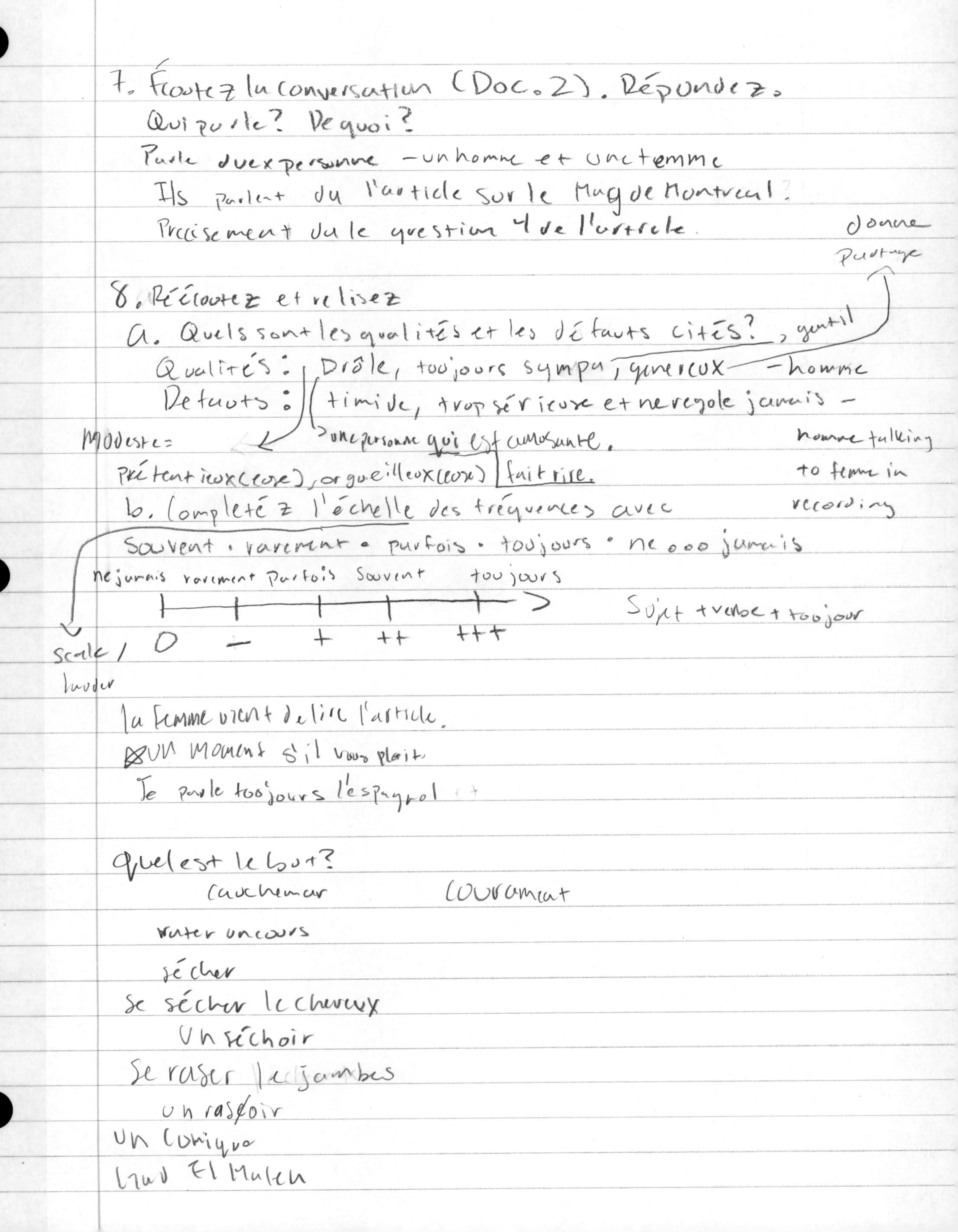

7. Écoutez la conversation (Doc. 2). Répondez.
Qui parle? De quoi?
Parle deux personne - un homme et une femme
Ils parlent du l'article sur le Mag de Montreal?
Precisement du le question 4 de l'article.

8. Réécoutez et relisez
a. Quels sont les qualités et les défauts cités?, gentil
Qualités: Drôle, toujours sympa, genereux - homme
Defauts: timide, trop sérieuse et ne regole jamais -

donne partage

Modeste = une personne qui est amusante.
prétentieux(euse), orgueilleux(euse) | fait rire.

homme talking to femme in recording

b. Completez l'échelle des fréquences avec
souvent • rarement • parfois • toujours • ne ... jamais

ne jamais | rarement | parfois | souvent | toujours
0 | - | + | ++ | +++

Sujet + verbe + toujour

Scale / ladder

la femme vient de lire l'article.
Un moment s'il vous plait.
Je parle toujours l'espagnol et

Quel est le but?
cauchemar   couramment

water uncours

sécher
Se sécher le cheveux
Un séchoir
Se raser le jambes
un rasoir
Un comique
Imad El Muten

rendre visite

5 **En petit groupe** **Regardez la vidéo de Samson et répondez.**

Quand j'étais petit, j'étais très timide. Je ne parlais pas français et j'aimais beaucoup lire. J'habitais près de la mer. Et vous ? ▶ 07

DOC. 3 — 028

6 **Écoutez le témoignage (Doc. 3). Répondez.**

a. **Qui parle ? De quoi ?**

b. ***Vrai*** **ou** ***faux*** **? Justifiez.**

1. Il est né en 1937.
2. Il ne trouvait pas de travail.
3. Il était maçon.
4. Il parlait bien français.
5. Il habitait avec sa femme.
6. Il voyait ses amis le week-end.

7 **À deux** **Réécoutez (Doc. 3). Notez les informations sur la France et la banlieue parisienne de cette époque.**

AGIR

8 **À deux** **Commentez une photo du passé.**

a. Décrivez la photo.
b. Imaginez l'identité et la vie des personnes : leur prénom, leur âge, leur travail, leurs loisirs...
Ex. : C'était dans les années 60, ...

9 **Décrivez la ville de votre enfance.**

a. **En petit groupe** Décrivez la ville de votre enfance quand vous étiez petit(e) et maintenant. Échangez.
b. **En groupe** Partagez vos souvenirs avec la classe.

Grammaire

L'imparfait pour décrire au passé

• On utilise l'imparfait pour décrire : **l'état des choses et des personnes** (l'apparence, la personnalité), **les sentiments**, **les habitudes**.
Ma mère **était** toujours souriante. • Nous n'**avions** pas d'appareil photo. • Il y **avait** beaucoup de travail. • Il n'y **avait** pas la banlieue.

• **Formation :**
Base : 1re personne du pluriel au présent + -ais, -ais, -ait, -ions, -iez, -aient
Nous allons → j'allais, tu allais, il/elle/on allait, nous allions, vous alliez, ils/elles allaient.
❗ être : j'étais, tu étais, il/elle/on était, nous étions, vous étiez, ils/elles étaient

Vocabulaire

Les indicateurs de temps (2) 029
à cette époque-là • au début des années 60 • dans les années 60 • aujourd'hui

Le caractère (2) 030
courageux / courageuse • modeste • réservé(e) • souriant(e)
avoir beaucoup d'énergie

Le travail (2) 031
le chômage • un(e) employé(e) de maison • dur (un travail)
Le bâtiment : un chantier • un maçon • un ouvrier / une ouvrière • construire • en construction

L'immigration 032
un(e) immigré(e) • émigrer / immigrer • s'installer

Les lieux et les transports 033
la banlieue • la campagne • un hypermarché • le RER (Réseau express régional)

La famille (3) 034
Les grands-parents : le grand-père / la grand-mère
Les petits-enfants : le petit-fils / la petite-fille

Phonétique

Les nasales [ɔ̃] et [ɑ̃]

035 ▶ 08

• Le son [ɔ̃] est très arrondi, fermé, tendu.
Il s'écrit **on** (**om** devant *p* ou *b*).
Ex. : le maçon • nous avions • la maison

• Le son [ɑ̃] est ouvert, relâché.
Il s'écrit **en**, **an** (**em**, **am** devant *p* ou *b*).
Ex. : le bâtiment • le chantier • la campagne • l'employé

• **Écoutez. C'est identique (=) ou différent (≠) ?**
Ex. : son [ɔ̃] • cent [ɑ̃] → ≠

› Entraînez-vous p. 34-35

Raconter une rencontre

COMPRENDRE

www.femina.ch

FEMINA F

Abonnements · Magazine numérique · Concours · Voyages lecteurs · Newsletter

SOCIÉTÉ · TEMPS LIBRE · STYLE · FORME · ASTRO · PODCASTS

Saint-Valentin : les récits des rencontres amoureuses de nos lecteurs

Vous avez été très nombreux à nous écrire pour nous raconter le début de votre histoire d'amour, à l'occasion du 14 février.

Par nos lecteurs

Jeux d'enfants

Comment j'ai rencontré mon amoureux ? Tout simplement ! Nous avions 5 ans, il s'appelait Benjamin, c'était le fils des voisins. Il était grand et blond. Nous habitions à Lausanne. Nos parents étaient amis, alors on se voyait après l'école, les week-ends et pendant les vacances. À 10 ans, il a déménagé. J'ai eu le cœur brisé ! Il a grandi loin de moi, il a fait ses études à Montréal, et moi je suis restée à Lausanne. Et puis, dix ans plus tard, nous avons trouvé un travail à Genève… dans la même entreprise ! Quand nous nous sommes revus, c'était dans une réunion de travail ! Nous nous sommes tout de suite reconnus, c'était incroyable ! Nous avons passé la soirée ensemble, nous avons parlé toute la nuit. À partir de ce moment, nous ne nous sommes plus quittés.

Cynthia

Un vrai coup de foudre

C'était en été, un jeudi. Le 22 juillet 2010, en fin de matinée. Il était 11 heures. Le soleil brillait et il faisait chaud. J'étais sur la plage de Lugano, je lisais un journal. J'ai reçu du sable sur le visage. J'ai levé la tête, j'ai vu une femme, je suis tombé amoureux : elle était magnifique. Elle portait un maillot de bain blanc. Elle avait les cheveux courts, bruns. Elle s'est excusée. Elle a couru dans l'eau. J'ai plongé derrière elle. Nous nous sommes baignés. Elle s'appelait Marie… Nous sommes allés boire un verre. Un an après, nous nous sommes mariés !

Loïc

1 Observez le site du magazine (Doc. 1). Répondez.

a. C'est un magazine de quel pays ?

b. Quel est le thème de l'article ?

c. Qui a écrit les témoignages ? À quelle occasion ?

2 Lisez les témoignages (Doc. 1).

a. Pour chaque témoignage, relevez les informations pour :

1. décrire les personnes ;
2. parler des habitudes ;
3. indiquer l'heure, le lieu et la météo.

b. À quel temps sont données ces informations ?

3 À deux Relisez les témoignages (Doc. 1).

a. Associez chaque événement à un couple.

1. Cynthia et Benjamin • 2. Loïc et Marie

a. Ils ont nagé ensemble. • b. Il a changé de ville. • c. Ils ont discuté longtemps. • d. Elle a lancé du sable sur lui. • e. Ils se sont retrouvés au travail. • f. Ils ne se sont plus vus. • g. Ils se sont mariés. • h. Ils ne se sont plus quittés. • i. Il est tombé amoureux.

Ex. : a → 2

b. Pour chaque témoignage, mettez les événements dans l'ordre.

Ex. : Témoignage 1 → b. Il a changé de ville. • f. Ils ne se sont plus vus. • …

c. Pour chaque événement, trouvez la phrase exacte du texte. À quel temps sont les verbes ?

4 À deux Reliez.

a. Pour décrire au passé (temps, lieux, personnes…)	1. on utilise l'imparfait.
b. Pour raconter une action ponctuelle du passé	2. on utilise le passé composé.

5 a. À deux Observez les formes verbales. Trouvez l'infinitif de chaque verbe.

nous nous sommes revus • nous ne nous sommes plus quittés • nous nous sommes baignés • nous nous sommes mariés

b. Entourez la bonne réponse.

1. Le passé composé des verbes pronominaux se forme avec *avoir* • *être* au présent + le participe passé.
2. Le participe passé des verbes pronominaux **s'accorde** • **ne s'accorde pas** avec le sujet.

6 En petit groupe Comment vos parents se sont-ils rencontrés ? Échangez.

DOC. 2 034

7 a. **En petit groupe** **Observez la photo (Doc. 2). C'est qui ? Où ? Quand ? Faites des hypothèses.**

b. Écoutez la conversation (Doc. 2). Vérifiez vos hypothèses.

8 **À deux** **Réécoutez (Doc. 2). Répondez.**

a. ***Vrai* ou *faux* ? Justifiez.**

1. Jeannot et Maguy étaient en vacances au Vietnam.
2. Sur la photo, Maguy était enceinte.
3. Maguy était militaire.
4. Jeannot vivait seul.
5. Il travaillait dans l'import-export.

b. À quel temps sont les verbes ? Pourquoi ?

9 **À deux** **Réécoutez (Doc. 2).**

a. Reliez chaque date à un événement.

1. 1949	a. Naissance de la sœur
2. 1950	b. Arrivée de la mère au Vietnam
3. Juillet 52	c. Retour en France
4. Fin des années 60	d. Rencontre des parents

b. À quel temps sont les verbes ? Pourquoi ?

AGIR

10 **Racontez une rencontre réelle ou imaginaire.**

a. **À deux** Préparez votre récit :
- **Choisissez** le moment et le lieu de la rencontre.
- **Décrivez** les deux personnes qui se rencontrent.
- **Ajoutez** quatre ou cinq actions ponctuelles et chronologiques.

b. Rédigez votre récit.

c. **En petit groupe** Lisez vos textes à voix haute. **Échangez** pour les améliorer.

d. **En groupe** Regroupez vos textes dans un recueil. **Choisissez** un titre pour le recueil de la classe.

Postez votre recueil sur le groupe de la classe.

Grammaire

Le passé composé des verbes pronominaux

Formation : sujet + **pronom** + **être** au présent + **participe passé**

Le participe passé s'accorde avec le sujet.

Ils se **sont** rencontrés en 1950.

Rappel pour les autres verbes

Avec **être**, le participe passé s'accorde avec le sujet.

Elle est arrivée en 1949.

Avec **avoir**, le participe passé ne s'accorde pas avec le sujet.

Nous avons parlé toute la nuit.

Le passé composé et l'imparfait pour faire un récit au passé

• Pour parler d'une action ponctuelle, chronologique, on utilise **le passé composé**.
J'ai reçu du sable sur le visage. J'ai levé la tête, j'ai vu une femme.

• Pour décrire le contexte (moment, personnes, lieux, sentiments, attitude), on utilise **l'imparfait**.
C'était en été. Il était 11 heures. J'étais sur la plage, je lisais. Elle était magnifique. Elle portait un maillot de bain.

Vocabulaire

Les indicateurs de temps (3)  037

après l'école • les week-ends • pendant les vacances • à 10 ans • en fin de matinée • toute la nuit • à partir de ce moment • un jeudi • le 22 juillet 2010 • en (juillet) 52 • en été / au printemps • à la fin des années 60 • un an après / six mois plus tard

La description physique 038

grand(e) • blond(e) • brun(e) • les cheveux courts / longs • enceinte

Les relations (4)  039

un amoureux / une amoureuse
(avoir) un coup de foudre • se voir • se revoir • se reconnaître • se retrouver • passer la soirée • se marier • se quitter

Phonétique

Les sons [ə] et [E] ([e] ou [ɛ])  040  09

• Le son [ə] est arrondi. La langue reste en avant, contre les dents.
Il s'écrit **e**.
Ex. : je [ʒə] • le [lə]

• Le son [E] est souriant. La langue est en avant.
Il s'écrit **ai**, **é**, **è**, **ê**, **es**.
Ex. : j'ai [ʒE] • les [lE]

• **Écoutez. Imparfait ou passé composé ?**
Ex. : j'ai plongé → passé composé

> Entraînez-vous p. 34-35

Techniques pour...

... faire un discours amical

ÉCOUTER

DOC. 1 041

1 [Découverte] Observez la photo (Doc. 1). À votre avis, que fait l'homme à droite de la photo ? À quelle occasion ?

2 Écoutez le discours (Doc. 1). Cochez (✓) la bonne réponse.

- ☐ a. Le marié fait un discours.
- ☐ b. Un ami de la mariée fait un discours.
- ☐ c. Le père de la mariée fait un discours.

3 À deux Réécoutez (Doc. 1). *Vrai* ou *faux* ? Justifiez.

a. La fête de mariage a lieu le soir.
b. Les mariés se sont rencontrés à un cours de peinture.
c. Ils se sont rencontrés en été.
d. Ils ont eu un coup de foudre.
e. Zoé cuisine très bien.

4 À deux Réécoutez (Doc. 1). Associez les caractéristiques suivantes à Zoé ou Basile.

calme • curieux / curieuse • timide • n'aime pas l'école • aime la bagarre • premier / première de la classe • aime le sport

Ex. : calme → Basile

5 042 [Analyse] a. Écoutez les extraits. Reliez.

a. *Je veux vous remercier...*	1. Je commence mon discours.
b. *Je vous félicite...*	2. Je dis qui je suis.
c. *Je vais vous raconter...*	3. Je dis merci.
d. *Je vous souhaite...*	4. Je vais rapporter une histoire.
e. *Je me présente...*	5. J'exprime des souhaits.
f. *Levons nos verres en l'honneur de...*	6. Je finis mon discours.
g. *C'est un honneur de prendre la parole...*	7. Je congratule.
h. *Et pour finir...*	8. Je bois à la santé de quelqu'un.

b. À deux Comparez vos réponses.

POUR faire un discours amical

- **Introduire son discours**
  C'est un honneur de prendre la parole...
  C'est un grand plaisir d'être présent ce soir.
- **Se présenter**
  Je me présente...
- **Remercier**
  Je veux vous remercier...
  Merci aussi de...
- **Introduire une anecdote, une histoire**
  J'aimerais révéler des secrets.
  Je vais vous parler de / raconter...
- **Féliciter**
  Je vous félicite pour...
  Félicitations aussi pour...
- **Formuler des vœux**
  Je vous souhaite...
  Soyez heureux et profitez de...
- **Conclure**
  Et pour finir...
- **Porter un toast**
  Levons nos verres en l'honneur de...
  Vive les mariés !

PARLER

6 Faites un discours pour l'anniversaire ou le mariage d'un(e) ami(e) francophone.

a. **Choisissez un(e) ami(e) réel(le) ou imaginaire.**

b. **Préparez votre discours à l'écrit.**

c. **Prononcez votre discours devant la classe.**

... la médiation : transmettre un message oral à l'écrit

7 Écoutez le message (Doc. 2). Notez les informations principales.

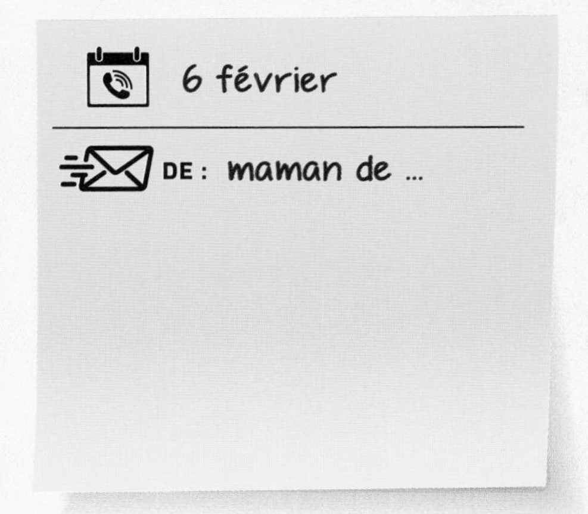

8 À deux Réécoutez (Doc. 2). Comparez et complétez vos notes. Décidez quelles informations transmettre à Karim.

9 Karim est en voyage. Écrivez un e-mail pour lui transmettre les informations.

expéditeur :
destinataire :
objet : message sur répondeur

Bonjour Karim,
La maman de Baptiste a laissé un message.
Le mariage aura lieu…

10 a. En petit groupe Partagez vos e-mails pour les améliorer. Rédigez ensemble un e-mail définitif.

b. En groupe Comparez les e-mails définitifs. Choisissez le plus complet.

S'entraîner

Leçon 5

Les pronoms COD

1 Remplacez l'élément souligné par un pronom COD.

Ex. : Je connais ton ami. → Je le connais.

a. Nous aimons notre nouvelle famille.
→ Nous .... aimons.
b. Elle respecte ses amis. → Elle .... respecte.
c. Je fais rire ma sœur. → Je .... fais rire.
d. Tu vois souvent tes grands-parents ?
→ Tu .... vois souvent ?
e. On adore notre fils. → On .... adore.
f. Il partage ses jouets avec son petit frère.
→ Il .... partage avec son petit frère.

2 Mettez les mots dans l'ordre.

Ex. : Ton beau-père ? (fait • rire • ne • te • il • pas)
→ Il ne te fait pas rire.

a. Notre demi-frère ? (bien • pas • il • nous • ne • connaît) → ....
b. Sa sœur ? (voit • la • une semaine sur deux • elle)
→ ....
c. Mes parents ? (pas toujours • me • ils • ne • comprennent) → ....
d. Votre belle-mère ? (vous • bien • elle • aime)
→ ....
e. Mon mari ? (je • en vacances • ai rencontré • l')
→ ....

L'adjectif indéfini *tout* (1)

3 Reliez.

a. tout
b. toute
c. tous
d. toutes

1. nos amies
2. notre famille
3. le monde
4. mes cousins
5. mon groupe d'amis
6. ma fratrie
7. ses frères
8. leurs copines

Le passé composé

4 Conjuguez au passé composé.

Ex. : Il (rencontrer) a rencontré son beau-père.

a. Mon frère et moi, nous (aller) .... vivre avec notre mère.
b. Sophie (venir) .... habiter avec nous l'année dernière.
c. Elle (ne pas voir) .... sa mère biologique pendant un an.
d. Ils (rester) .... chez leur père.
e. Notre famille recomposée (vivre) .... heureuse dans cette maison.
f. Je (ne pas vouloir) .... rencontrer la nouvelle compagne de mon père.

La place des adjectifs

5 Placez un adjectif avant le nom et un adjectif après le nom.

Ex. : J'ai un petit frère adorable (adorable / petit)

a. C'est une .... famille .... (belle / recomposée)
b. Nous avons de .... relations .... (familiales / mauvaises)
c. J'ai vécu un .... choc .... (gros / sentimental)
d. C'est sa .... rencontre .... (première / amoureuse)
e. Ils sont dans une .... situation .... (compliquée / nouvelle)
f. Nous n'avons pas les .... parents .... (biologiques / mêmes)
g. On commence une .... aventure .... (passionnante / grande)

Les relations (3) et les sentiments (2)

6 Mettez les lettres dans l'ordre.

Ex. : Il (d a o e r) adore sa nouvelle famille.

a. Pour bien vivre ensemble, il faut se (s e c e p e t r r) ....
b. Ils ne sont jamais d'accord. Ils se (s i p d u t n e t) .... souvent.
c. Avec mon frère, nous n'avons pas beaucoup d' (f a f é i n t i s) ....
d. Avec ma demi-sœur, on s'(e t n n d e) .... bien et on s'(a u s m e) .... toujours.
e. J'ai de très bonnes (l e r a i t o s n) .... avec ma belle-mère.

Leçon 6

L'imparfait

7 044 Écoutez et soulignez la forme que vous entendez.

Ex. : Je voyage • voyageais.

a. Nous n'**avons** • **avions** pas d'amis.
b. On **partage** • **partageait** notre chambre.
c. Vous **allez** • **alliez** où en vacances ?
d. Il **joue** • **jouait** dans la rue.
e. Elles **s'amusent** • **s'amusaient** beaucoup.
f. Nous ne **savons** • **savions** pas parler espagnol.
g. Tu **commences** • **commençais** à marcher.

8 Conjuguez les verbes à l'imparfait.

Quand j' (être) étais petite, j'(habiter) .... dans un village de montagne avec mes parents et ma sœur. Nous (vivre) .... dans une grande maison. Mon père et ma mère (être) .... médecins, ils (travailler) .... tous les deux à l'hôpital. J' (aller) .... à l'école du village avec ma sœur. On (commencer) .... à 8 heures et on (manger) .... à la cantine. Mes parents (revenir) .... tard à la maison. Nous (avoir) .... une baby-sitter qui (s'occuper) .... de nous quand nous (rentrer) .... de l'école.

Le caractère et le travail (2)

9 Reliez.

a. Il travaille dans le bâtiment. → 2
b. Il n'a pas de travail.
c. Il n'a pas beaucoup d'argent.
d. Il ne parle pas beaucoup.
e. Il travaille beaucoup.

1. Il est courageux.
2. Il est maçon.
3. Il est modeste.
4. Il est au chômage.
5. Il est réservé.

Les nasales [ɔ̃] et [ɑ̃]

10 045 **a. Écoutez. Vous entendez [ɔ̃] ou [ɑ̃] ? Cochez (✓).**

Ex. : la profession

	Ex.	1.	2.	3.	4.	5.	6.	7.
[ɔ̃]	✓							
[ɑ̃]								

b. Réécoutez et complétez.

Ex. : la profession

1. le bâtim......t
2. l'......ployée
3. nous travaill......
4. le ch......tier
5. l'immigrat......
6. la c......pagne
7. ma c......pagne

Leçon 7

Le passé composé des verbes pronominaux

11 Complétez la forme verbale, comme dans l'exemple.

Ex. : Il s'est marié l'année dernière.

a. Mes parents .... rencontr... en avril.
b. Elle .... sépar... de son compagnon.
c. Simon et moi, nous .... rev... le mois dernier.
d. Anne et Léa, vous .... reconn... tout de suite, après vingt ans ?
e. Laura, pourquoi tu ne .... jamais mari... ?
f. Elles .... retrouv... en hiver.

Le passé composé et l'imparfait

12 À deux Conjuguez les verbes au passé composé ou à l'imparfait.

Je l' (remarquer) ai remarqué tout de suite dans le bus. J'(être) étais assise et je (rêver) .... Il (être) .... debout. Soudain, le bus (s'arrêter) .... et cet homme inconnu (tomber) .... sur moi ! Il (s'excuser) .... J'(avoir) .... un coup de foudre pour sa voix ! J'(sourire) ...., je (se lever) .... et je (descendre) .... du bus. Un mois plus tard, je (aller) .... dans un parc. Il (faire) .... très beau. Je (s'asseoir) .... sur un banc et une personne (s'approcher) .... de moi. C'(être) .... lui ! Il (porter) .... un pantalon clair et une chemise noire. Nous (se reconnaître) .... Nous (passer) .... l'après-midi ensemble !

Les indicateurs de temps (3)

13 Complétez avec les mots de la liste.

~~16 ans~~ • printemps • plus tard • 26 avril • pendant • années 90 • jeudi

J'ai rencontré Olivier à 16 ans, à la fin des ...., chez mes grands-parents. C'était .... les vacances, au .... Je me souviens du jour exact : le ...., un .... ! Nous nous sommes mariés dix ans ....

La description physique

14 Observez les photos. Complétez avec : ***courts • blond • souriant • longs • enceinte • brune.***

a. Il est blond avec les cheveux ....

c. Il n'est pas ....

b. Elle est ....

d. Elle est .... avec les cheveux ....

Les sons [ə] et [E] ([e] ou [ɛ])

15 046 **a. Écoutez et complétez.**

Ex. : Je me suis mariée un lundi.

1. J'... travaill... .
2. J'... l...v... la tête.
3. On ne le r...conn... pas.
4. Ils buv... un café.
5. C'...t... l'été, il f...s... beau.

b. Réécoutez et répétez.

Faites le point

Expressions utiles

DÉCRIRE LA FAMILLE

- Je suis fils unique.
- J'ai un demi-frère et une quasi-sœur.
- Ma mère a eu Sofia avec mon beau-père.
- Émilie, c'est la première fille de mon beau-père.
- C'est notre petite sœur à toutes les deux.

DÉCRIRE LE PASSÉ

Décrire un contexte

- C'était dans les années 60.
- C'était en été, un jeudi.
- Il était 11 heures.
- Le soleil brillait et il faisait chaud.
- Nous avions 5 ans. Nous habitions à Lausanne.

Décrire une personne

- Elle était très courageuse.
- Mon père était réservé.
- Ma mère était enceinte.
- J'avais 26 ans. J'étais maçon.
- Il était grand et blond.
- Elle avait les cheveux courts.
- Elle portait un maillot de bain blanc.

Parler d'une habitude

- On se voyait après l'école.
- Le dimanche matin, on jouait au foot.

CARACTÉRISER UNE RELATION FAMILIALE

- On n'a pas toujours d'affinités.
- Les enfants ont parfois de mauvaises relations.
- Avec Sofia, ma vie est plus riche.
- Je les vois comme mes sœurs.
- On s'entend bien et on se respecte.
- Elle nous fait rire.
- Parfois, on se dispute mais on s'amuse bien aussi.
- Je les aime bien.

RACONTER UNE HISTOIRE D'AMOUR

Parler des sentiments

- Je suis tombé amoureux.
- Ils ont eu un coup de foudre.
- J'ai eu le cœur brisé !

Raconter les événements

- Ils se sont rencontrés dans une soirée.
- Nous nous sommes revus.
- Nous sommes allés boire un verre.
- Nous avons passé la soirée ensemble.
- Nous avons parlé toute la nuit.

Situer dans le temps

- Six mois plus tard, ils se sont mariés.
- Ma sœur est née en juillet 52.

Évaluez-vous !

À LA FIN DE L'UNITÉ 2, VOUS SAVEZ...	APPLIQUEZ !
☐ **utiliser les pronoms COD.**	› Réécrivez les phrases avec des pronoms COD. Je vois ma sœur le dimanche. J'aime beaucoup ma sœur. ....
☐ **parler des relations familiales.**	› Présentez un membre de votre famille. Parlez de votre relation.
☐ **utiliser le passé composé.**	› Qu'avez-vous fait hier ?
☐ **placer les adjectifs.**	› Citez trois adjectifs qui se placent avant le nom.
☐ **décrire le passé.**	› Racontez une habitude de votre enfance. Quand j'étais petit(e), ...
☐ **raconter au passé.**	› Conjuguez le verbe à l'imparfait ou au passé composé. Nous (se rencontrer) .... quand on (avoir) .... 15 ans. On (être) .... au collège.
☐ **situer dans le passé.**	› Complétez la phrase avec un indicateur de temps. .... , Internet n'existait pas.

Préparation au DELF A2

I COMPRÉHENSION DES ÉCRITS

Comprendre une correspondance personnelle simple et brève

Lisez la lettre et cochez (✓) les bonnes réponses.

Chers amis,

Le 14 septembre, nous avons célébré notre mariage et vous étiez là !
Un immense merci à tous de votre présence pour cette journée spéciale.
Nous avons apprécié tous les instants passés en votre compagnie : la cérémonie, le repas, la soirée dansante.
Merci à nos familles pour la vidéo qui raconte nos vies quand nous étions petits : quelle surprise amusante !
Merci pour vos messages d'amitié et vos sourires.
Votre générosité va nous permettre de faire le voyage de nos rêves et d'aller nous reposer sous le soleil des Antilles !
Pour revivre les beaux moments de cette merveilleuse journée, vous pouvez consulter notre album photos sur le site : https://www.monsitephotomariage.com.
Le mot de passe est : KBB 2021.

Encore un grand merci à tous !

Karine et Brice

1. Il s'agit d'une lettre :
   ☐ a. d'invitation. ☐ b. d'information. ☐ c. de remerciement.

2. Qu'ont fait les invités pendant la soirée ?

a. ☐

b. ☐

c. ☐

3. La vidéo surprise raconte quel moment de la vie des mariés ?
   ☐ a. leur enfance ☐ b. leur rencontre ☐ c. leur vie actuelle

4. Les invités ont offert :
   ☐ a. la cérémonie. ☐ b. le voyage de noces. ☐ c. le repas.

5. Pour leur voyage de noces, les mariés vont partir :

a. ☐

b. ☐
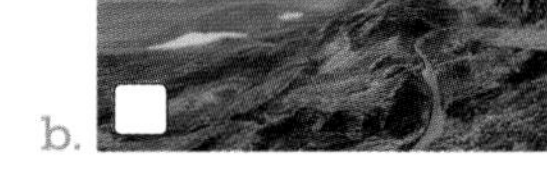

c. ☐

6. Pour voir les photos du mariage, il faut :
   ☐ a. contacter le photographe.
   ☐ b. contacter les mariés.
   ☐ c. consulter un site en ligne.

II COMPRÉHENSION DE L'ORAL

Comprendre l'information essentielle de courts extraits radiophoniques

Lisez les questions. Écoutez le document puis cochez (✓) la bonne réponse.

DOC. 1 047

1. D'où viennent les personnes qui participent à cet événement ?

a. ☐

b. ☐
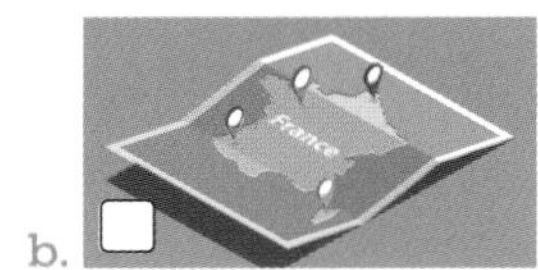

c. ☐

2. Les participants sont :
☐ a. de la même entreprise. ☐ b. de la même famille. ☐ c. de la même ville.

DOC. 2 048

3. La visite au musée Rodin sur le thème de l'amour a lieu :
☐ a. le matin. ☐ b. le soir. ☐ c. toute la journée.

4. À la Saint-Valentin, l'entrée du musée de la Vie romantique est gratuite :
☐ a. pour les couples. ☐ b. pour les femmes. ☐ c. pour tout le monde.

DOC. 3 049

5. Pour aider l'association, on peut :
☐ a. envoyer de l'argent. ☐ b. acheter des objets. ☐ c. proposer des projets.

6. L'association propose des cadeaux pour qui ?

a. ☐ b. ☐ c. ☐

III PRODUCTION ORALE

1. Entretien dirigé

Vous vous présentez. Répondez aux questions.

→ Comment vous appelez-vous ? Quel âge avez-vous ? Où êtes-vous né(e) ?
→ Qu'est-ce que vous étudiez ? / Que faites-vous dans la vie ?
→ Qu'est-ce que vous aimez et n'aimez pas dans vos études / votre travail ?

2. Monologue suivi

Vous vous exprimez sur le sujet suivant.

Le futur
Pensez-vous souvent à votre futur ? Avez-vous des projets ? Comment vous voyez-vous dans dix ou vingt ans ? Expliquez.

IV PRODUCTION ÉCRITE

Décrire un événement ou raconter une expérience personnelle

Vous venez d'emménager dans votre nouveau logement. Vous êtes allé(e) à la fête de l'immeuble. Dans un e-mail à un(e) ami(e) français(e), vous racontez la soirée et parlez de vos nouveaux voisins. (60 mots minimum)

Parlez de votre mode de vie

VOUS ALLEZ APPRENDRE À :

- parler de votre lieu de vie
- comparer des lieux de vie
- décrire une expérience à l'étranger

VOUS ALLEZ UTILISER :

LEÇON 9

- le pronom personnel sujet *on*
- les pronoms relatifs *qui* (2), *que* (2) et *où*

LEÇON 10

- le genre et le pluriel des noms
- les comparatifs
- le superlatif

LEÇON 11

- les prépositions devant les noms de villes, de pays et de continents
- les pronoms *y* et *en*
- les pronoms COI

TECHNIQUES POUR...

- écrire un e-mail amical de remerciement
- **la médiation :** présenter un événement culturel à l'oral

CULTURE(S) VIDÉO

▶ 10 **Ivry, ma ville**

Parler de son lieu de vie

COMPRENDRE

DOC. 1

A

B

1 Observez les photos (Doc. 1).

a. Associez chaque photo à sa légende.

1. Centre commercial en périphérie
2. Commerces fermés en centre-ville

b. En groupe Pourquoi les magasins ont-ils fermé ? Faites des hypothèses.

DOC. 2 050

2 a. Écoutez le reportage radio (Doc. 2). Qui parle ? De quoi ? Où ?

b. Réécoutez (Doc. 2). Où font-ils leurs courses ? Reliez.

1. Personne 1 (Jeanine)
2. Personne 2 (Arnaud)
3. Personne 3 (Inès)

a. au supermarché
b. au marché
c. dans les centres commerciaux

3 a. À deux Réécoutez les témoignages de Jeanine et d'Arnaud (Doc. 2). Quels commerces ont fermé dans le centre-ville ? Est-ce que c'est un problème ?

b. Réécoutez le témoignage d'Inès (Doc. 2). Quels services ou infrastructures ont fermé ? Qu'en pense-t-elle ?

c. Il reste quels commerces et services dans le centre ?

4 À deux Observez la phrase et soulignez la bonne réponse.

Il reste le bar-tabac **où** on peut acheter le journal.

a. Le pronom relatif ***où*** remplace le nom **bar-tabac** • **journal**.

b. Le pronom relatif ***où*** est **sujet** • **complément d'objet direct** • **complément de lieu** du verbe *acheter*.

5 En petit groupe Est-ce que c'est la même situation dans votre pays et dans votre ville ? Échangez.

DOC. 3

euronews.com

Français

euronews.

Europe Monde Business Spor

Accueil > Affaires européennes > Europe > Lutter contre la désertification des centres-villes

LE BUREAU DE BRUXELLES

Lutter contre la désertification des centres-villes

Par **Grégoire Lory**, dernière mise à jour : 03/04/2021

En France, les centres-villes se vident. Les responsables de cette désertification sont les centres commerciaux qui se développent dans la périphérie des villes. Les gens préfèrent faire leurs courses dans un centre commercial où, en plus, le parking est gratuit.

6 Lisez l'article (Doc. 3). Choisissez le bon résumé.

a. Des villes interdisent la construction des centres commerciaux en périphérie.

b. Des villes proposent des solutions pour attirer les gens dans le centre-ville.

7 À deux Relisez (Doc. 3). Répondez.

a. Pourquoi est-ce que les centres-villes se vident ?

b. Quelles sont les solutions présentées ? Classez-les.

1. solutions pour les habitants
2. solutions pour les commerçants

8 À deux Lisez les deux phrases. Répondez.

• **On** peut se rendre dans le centre pour faire ses courses.

• **On** peut se garer dans le centre-ville.

Qui est **on** ?

AGIR

9 Parlez de votre centre-ville et de vos habitudes d'achats.

a. Préparez votre témoignage :

– Faites la liste des commerces et des services qui existent et qui ont fermé dans votre centre-ville.

– Dites où vous faites vos courses et votre shopping. Expliquez pourquoi.

– Faites des propositions pour dynamiser votre centre-ville.

b. **En petit groupe** **Partagez** vos témoignages. **Choisissez** un témoignage pour Euronews.

c. Enregistrez le témoignage et faites-le écouter à la classe. **Échangez**.

Postez les témoignages sur le groupe de la classe.

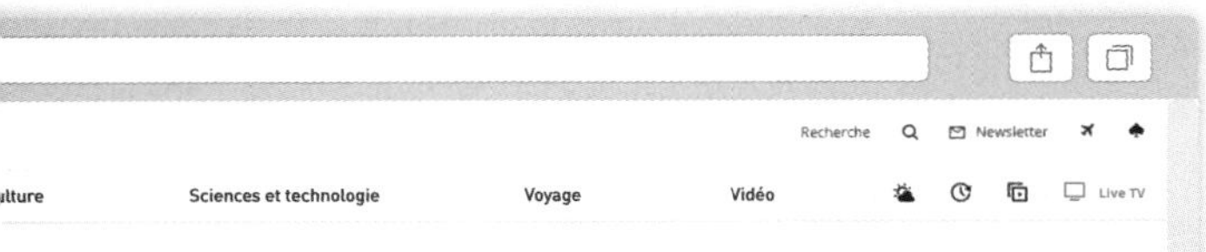

Les municipalités trouvent des solutions pour arrêter ce phénomène et dynamiser leur centre-ville :

▪ À Montargis, par exemple, la mairie propose des bus gratuits. On peut se rendre dans le centre pour faire ses courses ou faire du shopping.

▪ À Montauban, le stationnement est gratuit le samedi. On peut se garer dans le centre-ville pour faire ses achats.

▪ À Noyon, un commerçant peut louer un magasin pendant un an pour un loyer bas.

D'autres solutions existent, comme des animations ou les parkings gratuits 7 jours sur 7.

Grammaire

Le pronom personnel sujet *on*

On = les gens, tout le monde

On se conjugue à la 3e personne du singulier.

On peut se rendre dans le centre. = Tout le monde peut se rendre dans le centre.

! On peut aussi signifier **nous** : On écoute les témoignages de Jeanine, Arnaud et Inès.

Le pronom relatif *où* pour caractériser un lieu

Où remplace un nom complément de lieu.

L'hôpital est devenu un centre médical. Il n'y a pas de maternité dans ce centre médical.

→ L'hôpital est devenu un centre médical où il n'y a pas de maternité.

Rappel

• Le pronom relatif qui remplace un nom sujet.
Je ne peux pas aller dans les centres commerciaux qui sont trop loin !

• Le pronom relatif que remplace un nom COD.
Les centres commerciaux qu'on construit en périphérie sont responsables de cette disparition.

Vocabulaire

La ville (1) 051

le centre-ville • la désertification • la périphérie

Les commerces et les commerçants 052

un loyer • une boutique • un magasin • un marché • un supermarché • un hypermarché • un centre commercial

au bar-tabac / chez le buraliste • à la boucherie / chez le boucher • à la boulangerie / chez le boulanger • à l'épicerie / chez l'épicier • à la poissonnerie / chez le poissonnier • chez le fleuriste

faire les courses • faire des achats • faire du shopping • faire la queue • se faire livrer

Les services 053

un bureau de poste • un centre médical • un commissariat de police • un hôpital • la mairie (le/la maire) = l'hôtel de ville • une maternité • la municipalité • un parking • le stationnement • un bus

Phonétique

Les liaisons 054 11

a. Écoutez. Liaison obligatoire (‿) ou interdite (X) ? Complétez.

Ex. : nous‿accueillons • et X aujourd'hui

1. quatre-vingt-deux ans • 2. On écoute. • 3. Le boulanger est parti. • 4. dans un hôpital • 5. Je fais mes courses au supermarché.

b. Quand la liaison est-elle obligatoire en français ? Quand est-elle interdite ? Faites des hypothèses.

Entraînez-vous p. 48-49

Comparer des lieux de vie

COMPRENDRE

Le Parisien

Lundi 9 mars 2020

Paris perd des habitants : les raisons d'un exode

Paris se vide. Chaque année, la capitale perd 12 000 habitants, qui partent en banlieue ou en province. Un phénomène qui va durer jusqu'en 2025.

Les chiffres

La capitale a perdu 59 648 habitants entre 2011 et 2016. La population est de 2 190 327 habitants en 2020. Dans le même temps, la population augmente en Île-de-France.

La natalité

Les couples font moins d'enfants dans la capitale. Selon les dernières études, nous sommes passés à Paris de 31 940 naissances au début des années 2000 à seulement 28 384 en 2016. Les Parisiennes font moins d'enfants mais elles font aussi des enfants plus tard (33 ans pour le premier enfant). Autre conséquence : des classes et des écoles qui ferment.

L'immobilier trop cher

Le marché de l'immobilier est un problème à Paris. Il y a plus d'acheteurs que de vendeurs. Bilan : les prix et les loyers augmentent ! Ainsi, quand les familles parisiennes ont plus d'un enfant, elles cherchent un logement en banlieue ou en province, pour trouver des surfaces plus grandes.

Les locations touristiques

Les plateformes de locations touristiques (comme Airbnb) compliquent aussi le marché de l'immobilier. Le centre de Paris est un très bon exemple de ce phénomène. La location touristique de courte durée limite plus les possibilités de se loger pour les habitants.

1 **Lisez le titre et le chapeau de l'article (Doc. 1). Faites des hypothèses sur les raisons du départ des Parisiens.**

2 **Lisez l'article (Doc. 1).**

a. **Vérifiez vos hypothèses et citez les trois raisons de la baisse du nombre d'habitants.**

b. **Où vont les habitants qui quittent Paris ?**

3 **À deux** **Relisez (Doc. 1).**

a. **Retrouvez dans l'article les nombres suivants.**

31 940 • 28 384 • 59 648 • 12 000 • 2 190 327

b. **Dites :**

1. à quoi ces nombres correspondent.
2. quelles sont les périodes concernées.

4 **À deux** **a.** **Relisez (Doc. 1). Complétez les phrases avec *plus* ou *plus de (d')*.**

1. Elles cherchent des surfaces .... grandes.
2. Les Parisiennes font des enfants .... tard.
3. Il y a .... acheteurs que de vendeurs.

b. **Complétez avec *nom* ou *adjectif*.**

On utilise *plus* + ... et *plus de* + ...

5 **En petit groupe** **Dans votre ville, le nombre d'habitants augmente ou diminue ? Échangez.**

DOC. 2 055

6 **Écoutez les deux témoignages (Doc. 2).**

a. **Où habitent les personnes interviewées ? Reliez.**

1. Capucine • • à Châtillon
2. Benoît • • à Bordeaux

b. **Situez Châtillon et Bordeaux sur la carte de France à la fin du livre.**

c. **À quelle question répondent Capucine et Benoît ?**

7 À deux **Réécoutez (Doc. 2).**

a. Pourquoi Capucine et Benoît ont-ils quitté Paris ?

b. Comparez les avantages de Paris, Châtillon et Bordeaux pour : les transports • la vie culturelle • le logement • l'environnement.

8 À deux **a. Réécoutez (Doc. 2). De quoi parle-t-on et de quelle ville s'agit-il ? Reliez.**

1. les plus prestigieux	a. la banlieue	A. Paris
2. la plus proche de Paris	b. le métro	B. Châtillon
3. le plus désagréable	c. les vins	C. Bordeaux
4. la plus culturelle du monde	d. la ville	

b. Observez la forme. Puis complétez avec *adjectif* ou *nom*.

la ville la plus culturelle du monde

Structure du superlatif : *le / la / les* + ………… + *le / la / les plus/moins* + …………

9 En petit groupe **Regardez la vidéo d'Asael et répondez.**

Bonjour ! J'habite à Monterrey, au Mexique. J'adore la vie culturelle, les bars, les restaurants. Mais je déteste la circulation ! Et vous, dans votre ville, qu'est-ce que vous aimez ? ▶ 12

Culture(s)

« **Métro, boulot, dodo** » est une expression familière qui désigne la routine quotidienne des Parisiens et des citadins en général (trajet en métro pour aller au travail, journée de travail, retour à la maison et nuit de sommeil).

→ **Et dans votre langue, il y a une expression similaire ?**

AGIR

10 **Décidez du lieu de vie idéal de la classe.**

a. En petit groupe **Choisissez** une ville (une ville de banlieue, une grande ville ou une petite ville de province).

b. **Faites la liste** des avantages de cette ville : transports, vie culturelle, logement, environnement...

c. En groupe Affichez votre liste. Chaque groupe présente sa liste à la classe.

d. **Comparez** les lieux de vie et **partagez** vos préférences.

e. La classe vote pour le lieu de vie idéal.

Grammaire

Le genre et le pluriel des noms

En général :

– les noms qui finissent par -ion, -ie et -té sont **féminins** : **une** location • **la** superficie • **la** natalité

– les noms qui finissent par -ment et -age sont **masculins** : **un** logement • **un** avantage

– au pluriel, on ajoute s : **les** avantages.

❗ Pour les noms qui finissent par -**eu** et -**eau**, on ajoute x : **des** bureaux.

❗ un bus, des bus • un prix, des prix

❗ un journ**al**, des journ**aux**

Les comparatifs pour comparer

• plus (+) / aussi (=) / moins (-) + **adjectif** ou **adverbe** (+ que)

Les Parisiennes font des enfants plus **tard**.

Les transports sont aussi **nombreux** (qu'à Paris).

On paye un loyer moins **cher** pour une superficie plus grande.

❗ ~~plus bon(ne)(s)~~ → **meilleur(e)(s)** : La qualité de l'air est **meilleure**.

❗ ~~plus bien~~ → **mieux** : On vit **mieux** ici.

• plus de/d' (+) / autant de/d' (=) / moins de/d' (-) + **nom** (+ que)

On voulait plus d'**espace**.

On a autant d'**avantages** (qu'à Paris).

Il y a moins de **circulation**.

• **verbe** + plus (+) / autant (=) / moins (-) (+ que)

La location touristique **limite** plus les possibilités de se loger.

Le superlatif pour comparer

le, la, les + **nom** + le, la, les plus (+) / moins (-) + **adjectif** (+ de)

C'est la **ville** la plus **culturelle** (du monde).

❗ le/la/les ~~plus bon(ne)(s)~~ → **le/la/les meilleur(e)(s)**

Vocabulaire

La ville (2)  056

la banlieue, la proche banlieue • une capitale • un habitant / une habitante • le périphérique • la population • la province • la qualité de l'air • la qualité de vie

Les loisirs et services : une école • une expo (exposition) • un musée • un théâtre

Les transports : la circulation • une rue piétonne • le temps de transport • en bus • en métro • à vélo

Le logement (1) 057

une location touristique • le marché de l'immobilier • une superficie • une surface • un acheteur / une acheteuse • un vendeur / une vendeuse • se loger

Les goûts  058

adorer • détester

› Entraînez-vous p. 48-49

Décrire une expérience à l'étranger

COMPRENDRE

www.france-volontaires.org

AVANT le volontariat | PENDANT le volontariat | APRÈS le volontariat | Dans LE MONDE

ACTUALITÉS | NOS ACTIONS | QUI SOMMES-NOUS ?

Chloé au Togo

Après une première expérience de volontariat de solidarité internationale en Côte d'Ivoire, Chloé est maintenant en mission au Togo.

Grand marché de Lomé — Plage de Lomé

Peux-tu te présenter ?

J'ai 26 ans, je viens de la région parisienne et je suis actuellement conseillère urbaniste au Togo.

Pourquoi as-tu choisi de partir en Afrique ?

Je voulais avoir une expérience à l'étranger, connaître de nouvelles cultures. Et j'aime beaucoup l'Afrique : son dynamisme, sa jeunesse, la nature africaine aussi, et les animaux. Au Togo, le climat est tropical. La forêt est magnifique et les plages sont immenses.

Peux-tu nous parler de ta vie au Togo ?

J'aime vivre au Togo, je m'y sens bien. J'habite à Lomé, près du grand marché. Je partage une maison avec une infirmière suisse et un professeur de mathématiques togolais. Nous sommes très contents de notre maison, de notre quartier. Une dame vient tous les matins pour s'occuper de la maison. On lui donne la liste des courses, elle nous prépare à manger et on lui dit quoi faire dans la maison. Je vais au travail à 9 heures. J'y vais à pied parce que c'est pas loin, et je rentre vers 20 heures. Quand mes colocataires arrivent, on dîne et on parle de notre journée. Je leur parle de mes problèmes au travail ; ils m'aident à comprendre, à trouver des solutions.

Le week-end à Lomé est très agréable. Il y a beaucoup de choses à visiter, on sort le soir. On peut aussi aller à la plage. J'y vais souvent le matin. À deux heures de route, on peut faire des randonnées dans la région des plateaux. Avec mes colocataires, on loue une voiture pour y aller le dimanche. On en revient toujours contents.

Un conseil à donner aux futurs volontaires ?

Je ne leur donne pas de conseils, je leur dis seulement : « Profitez de chaque instant ! ».

1 Observez la page du site (Doc. 1). Cochez (✓) la bonne réponse.

C'est le site :
- ☐ d'une université francophone.
- ☐ d'une agence de voyages.
- ☐ d'une association pour le travail volontaire.

2 a. Lisez le témoignage (Doc. 1). Répondez.

1. Qui témoigne ?
2. Dans quel pays est-elle et quelle est sa profession ?
3. Comment se sent-elle dans ce pays ?

b. À deux *Vrai* ou *faux* ? Justifiez.

1. Le climat du Togo est sec.
2. Chloé habite avec deux autres personnes.
3. Elle habite un quartier commerçant.
4. Elle s'occupe des tâches ménagères.
5. Elle va travailler en voiture.
6. Elle travaille le week-end.
7. Ils reviennent heureux le dimanche soir.

3 À deux a. Observez les phrases. Que remplacent *y* et *en* ? Entourez la bonne réponse.

Ex. : Je m'y sens bien.
→ à la plage • au travail • (au Togo)

1. J'**y** vais souvent le matin.
→ à la plage • au travail • au Togo
2. J'**y** vais à pied.
→ à la plage • au travail • au Togo
3. On **en** revient toujours contents.
→ de la plage • de la région des plateaux • du Togo

b. Soulignez la bonne réponse.

Y et *en* se placent **avant** • **après** le verbe.
Y et *en* remplacent **une personne** • **un lieu** • **un moment**.

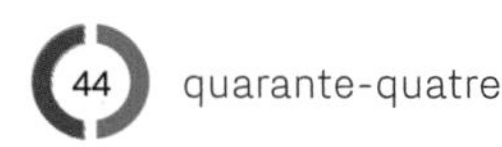

4 a. À deux Relisez (Doc. 1). Répondez.

1. Que fait la dame qui vient le matin ?
2. Que fait Chloé le soir avec ses colocataires ?
3. Que dit Chloé aux futurs volontaires ?

b. Reliez.

1. On **lui** donne la liste des courses.	a. aux futurs volontaires
2. Elle **nous** prépare à manger.	b. à la dame
3. On **lui** dit quoi faire.	c. à Chloé et ses colocataires
4. Je ne **leur** donne pas de conseils.	

c. *Vrai* ou *faux* ?

Lui, *leur* et *nous* remplacent un nom précédé de la préposition *à*.

5 En petit groupe Avez-vous déjà vécu à l'étranger ? Échangez.

6 Écoutez la conversation téléphonique (Doc. 2).

a. Qui parle ? À qui ?

b. Entourez la bonne réponse.

Chloé raconte **un problème professionnel** • **son dernier voyage** • **un événement amusant**.

7 Réécoutez (Doc. 2). Répondez.

a. Avec qui était Chloé ? À qui a-t-elle parlé ?

b. Pourquoi elle n'a pas mangé le plat ? Cochez (✓).

- ☐ 1. Parce que c'était végétarien.
- ☐ 2. Parce que c'était pimenté.
- ☐ 3. Parce que c'était froid.

8 060 À deux Écoutez. Reliez.

a. Oh écoute, je vais te raconter un truc amusant.	1. Demander la suite.
b. Et alors ?	2. Introduire une anecdote.
c. C'est pas vrai ?!	3. Exprimer la surprise.

AGIR

9 Décrivez une expérience à l'étranger.

a. Pensez à l'une de vos expériences à l'étranger ou à l'expérience d'un étranger / d'une étrangère dans votre pays.
b. Décrivez le pays et la ville. Parlez des relations avec les habitants. Décrivez la vie quotidienne.
c. **À deux** **Partagez** et **améliorez** vos témoignages.

10 Racontez une anecdote à l'étranger.

a. **En petit groupe** **Choisissez** une anecdote (un problème de compréhension, un geste mal interprété, une rencontre surprenante...). Présentez-la à la classe.
b. **En groupe** **Choisissez** l'anecdote la plus amusante.

Grammaire

Les prépositions devant les noms de villes, de pays, de continents

- **Villes** : à + ville → J'habite à Lomé.
- **Pays**

le Togo → Elle vit **au** Togo.
la France → Elle vit en France.
les États-Unis → Elle vit aux États-Unis.
❗ à Cuba, à Madagascar, à Malte, à Singapour

- **Continents** : en + continent

Le Togo est en Afrique.

Les pronoms *y* et *en* pour remplacer un lieu

- **Le pronom y**

Il remplace un complément de lieu introduit par une préposition de lieu : **à**, **au**, **en**, **dans**...
Je me sens bien au Togo. → Je m'y sens bien.
Je vais souvent à la plage. → J'y vais souvent.

- **Le pronom en**

Il remplace un complément de lieu introduit par **de**.
On revient toujours contents de cette région.
→ On en revient toujours contents.
Quand je suis sortie du resto, j'avais faim.
→ Quand j'en suis sortie, j'avais faim.

Les pronoms compléments d'objet indirect (COI)

Ils remplacent un nom précédé de la préposition **à**.
Ils répondent à la question **à qui ?**

	1re personne	2e personne	3e personne
singulier	me / m'	te / t'	lui
pluriel	nous	vous	leur

Elle nous prépare à manger et on lui dit quoi faire.
Qu'est-ce que vous me conseillez ?

Vocabulaire

La géographie 

un animal / des animaux • un climat tropical • une forêt • la nature • une plage • une région
Les continents : l'Afrique • l'Amérique • l'Asie • l'Europe • l'Océanie

La cuisine (1) 062

un chef / une cheffe • doux / douce • pimenté(e) • sucré(e)

Les mots familiers 

un resto • un truc

Phonétique

Les nasales [ɛ̃] et [ɑ̃] 

- Le son [ɛ̃] est souriant, tendu, aigu.

Il s'écrit **un**, **in** (**im**) **ien**, **oin**, **ain**, **yn** (**ym**).
Ex. : un • la province • parisien • loin • sympa

- Le son [ɑ̃] est ouvert, relâché, grave.

Il s'écrit **en**, **an** (**em**, **am**).
Ex. : en • le piment • dans • la campagne

- **Écoutez. Vous entendez [ɛ̃] ou [ɑ̃] ?**

Ex. : en France → [ɑ̃]

› Entraînez-vous p. 48-49

Techniques pour...

... écrire un e-mail amical de remerciement

LIRE

DOC. 1

objet : Merci

Chère Valérie, ← A 1

J'espère que tu vas bien. De notre côté, nous avons repris le travail et ce n'est pas facile. ← B ......

Nous avons adoré notre semaine à Lamballe dans ta maison. Nous ne connaissions pas la Bretagne et tu nous as offert l'occasion d'y aller. Nous avons pu découvrir cette belle région. Nous avons beaucoup marché et nous avons très, très bien mangé. Nous avons loué des vélos et nous avons fait des promenades géniales ! ← C ......

Il nous est arrivé un truc amusant. On est allé dans un village assez loin de la maison et on a raté le bus pour rentrer ! On a été obligés de traverser la lande, on a fait tout le chemin à pied. Quelle nature ! C'était magnifique. ← D ......

On te remercie pour ta générosité et ta confiance. C'était très sympa de nous prêter ta jolie maison. ← E ......

Nous t'accueillerons avec plaisir à notre tour. L'Australie, c'est loin mais c'est beau ! Il y a beaucoup de choses à voir et tu es la bienvenue. Viens pour les vacances de Noël, c'est l'été dans l'hémisphère sud ! Noël à la plage, c'est amusant. ← F ......

Nous t'embrassons bien fort. À très bientôt, ← G ......

Shaun et Tony

lalande.jpg

Lamballe.jpg

1 **[Découverte]** **Observez les photos (Doc. 1). Donnez trois mots pour qualifier ces lieux.**

2 **Lisez l'e-mail (Doc. 1). Cochez (✓) la bonne réponse.**

- ☐ a. Shaun et Tony remercient Valérie pour sa visite.
- ☐ b. Shaun et Tony remercient Valérie pour le prêt de sa maison.
- ☐ c. Shaun et Tony remercient Valérie pour son invitation à dîner.

3 **À deux** **Relisez (Doc. 1).** ***Vrai*** **ou** ***faux*** **? Justifiez.**

a. Shaun et Tony habitent en Bretagne.
b. Ils sont restés deux semaines.
c. Ils se sont beaucoup promenés.
d. Ils ont loué une voiture pour visiter.
e. Ils invitent Valérie en Australie.

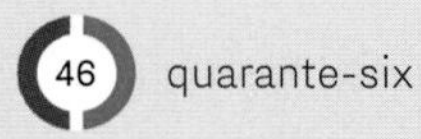

4 [Analyse] Relisez (Doc. 1).

a. À deux Associez les intitulés aux différentes parties du texte.

1. Salutation
2. Rappel des faits (raison des remerciements)
3. Rituel de début d'e-mail
4. Invitation en retour
5. Prise de congé
6. Remerciements
7. Anecdote

b. Relevez les principaux énoncés correspondant à chaque partie.

POUR écrire un e-mail amical de remerciement

- **Saluer**
  Cher / Chère...
- **Respecter le rituel de début d'e-mail : prendre et donner des nouvelles**
  J'espère que tu vas bien.
  De notre côté...
- **Rappeler les faits**
  Nous avons adoré...
  Tu nous as offert l'occasion de...
  Nous avons pu...
- **Raconter une anecdote**
  Il nous est arrivé un truc amusant.
- **Faire une appréciation**
  Quelle nature !
  C'était magnifique.
- **Remercier**
  On te remercie pour...
  C'était très sympa de...
- **Inviter**
  Nous t'accueillerons avec plaisir à notre tour.
  Tu es la bienvenue.
- **Prendre congé**
  Je t'embrasse / Nous t'embrassons (bien fort).
  À (très) bientôt.

5 À deux Écrivez un e-mail de remerciement.

a. Décidez :

1. à qui vous écrivez (ami(e) ou un membre de votre famille). 2. pour quelle raison vous remerciez (soirée, sortie...).

b. Rédigez l'e-mail.

c. Partagez avec les autres groupes pour améliorer vos textes.

... la médiation : présenter un événement culturel à l'oral

DOC. 2 065

6 Écoutez la chronique radiophonique sur le festival des Francofolies (Doc. 2). Notez :

a. le type de festival ;
b. le lieu ;
c. les caractéristiques du programme ;
d. l'année de création du festival ;
e. le prix ;
f. la manière d'acheter des billets.

7 À deux a. Comparez vos notes.

b. Situez le lieu du festival sur la carte de France à la fin du livre.

8 a. Un(e) de vos ami(e)s francophones veut visiter la France. Préparez un message vocal pour lui parler du festival des Francofolies.

b. En petit groupe Partagez vos messages pour les améliorer.

c. En groupe Comparez les messages pour choisir le plus complet.

S'entraîner

Leçon 9

Le pronom personnel sujet *on*

1 ***On* = nous ou *on* = les gens ? Lisez l'article puis répondez.**

Une ville sans voiture ?

La mairie de Primieux vient de prendre une décision surprenante : dans cette ville, à partir de la semaine prochaine, **on** (1) se déplacera en bus gratuitement et **on** (2) devra payer très cher le stationnement.
On (3) a demandé leur avis à deux habitants de Primieux. Magali, 55 ans : « Mon mari et moi, **on** (4) est très contents car **on** (5) n'a pas de voiture et **on** (6) payait très cher pour se déplacer. »
Yanis, 31 ans : « C'est bien mais mes amis et moi, **on** (7) préfère la voiture, **on** (8) est plus libres. Ce n'est pas possible, la mairie ne peut pas interdire la voiture en centre-ville ! »
Pourra-t-**on** (9) encore circuler en voiture à Primieux ?

Le pronom relatif *où*

2 Mettez dans l'ordre.

Ex. : le centre commercial • fais • C'est • où • mes courses • je → C'est le centre commercial où je fais mes courses.

a. est • va • un magasin • La boulangerie • où • on • souvent → ……
b. j'aime • est • où • un lieu • faire du shopping • Le centre-ville → ……
c. une rue • C'est • le stationnement • où • gratuit • est → ……
d. dans une ville • J'habite • où • un grand marché • il y a → ……

Les pronoms relatifs *qui* (2), *que* (2) et *où*

3 Complétez avec *qui*, *que* (*qu'*), *où*.

Ex. : C'est une commerçante que j'aime beaucoup.

a. C'est l'ancien l'hôpital …… a fermé l'année dernière.
b. Le supermarché …… je fais mes courses est très moderne.
c. Le centre commercial …… on a construit est immense.
d. Je ne peux pas aller en périphérie …… il y a l'hypermarché.
e. Voilà la boutique …… elle préfère.
f. C'est une ville …… il y a beaucoup d'animation.
g. Il y a beaucoup de gens …… se font livrer.
h. Le bus …… je prends pour aller au marché est gratuit.

Les commerces et les services

4 À deux Reliez les lieux et les définitions.

a. Ce magasin vend des produits de la mer.
b. C'est un grand supermarché.
c. On achète de la viande dans ce magasin.
d. C'est l'endroit où travaillent les policiers.
e. C'est un bâtiment administratif.
f. C'est un lieu où on va quand on est malade.

1. un hypermarché
2. un commissariat
3. une boucherie
4. un centre médical
5. une mairie
6. une poissonnerie

5 Complétez avec *chez le*, *à la*, *à l'*, *au*.

Pour faire ses achats, il va :

a. …… boulangerie.
b. …… épicerie.
c. …… fleuriste.
d. …… supermarché.
e. …… buraliste.
f. …… marché.
g. …… hypermarché.

Les liaisons

6 a. Indiquez les liaisons obligatoires (‿) et les liaisons interdites (X), comme dans l'exemple.

Ex. : Il y a deux‿hypermarchés X en périphérie.

a. Nous aimons le centre-ville et ses anciennes boutiques.
b. Ils habitent à côté de la poste.
c. Ce commerçant a fermé son magasin hier.
d. J'achète mon pain chez un boulanger amusant.
e. Ce sont les endroits où je fais mes achats.
f. On a construit une maternité et un centre médical.

b. 066 **Écoutez pour vérifier.**

Leçon 10

Les comparatifs

7 Comparez avec les indications données.

Ex. : Ce quartier • Mon ancien quartier (touristique • +) → Ce quartier est plus touristique que mon ancien quartier.

a. À la campagne • En ville (heureux • =) → À la campagne, nous sommes ……
b. Aujourd'hui • Avant (tard • +) → Aujourd'hui, les couples se marient ……
c. Le 20e arrondissement • Le 6e arrondissement (peuplé • +) → Le 20e arrondissement ……
d. La vie ici • La vie là-bas (compliquée • -) → La vie ici est ……
e. À Nantes • À Paris (bonne • +) → À Nantes, la qualité de l'air ……

8 **À deux** **Comparez votre vie entre maintenant et l'année dernière avec *plus*, *moins*, *autant*, *mieux*. Utilisez les verbes indiqués.**

travailler • gagner • manger • dépenser • s'amuser • dormir • voyager

Ex. : Je travaille autant que l'année dernière.

9 **Transformez comme dans l'exemple.**

Ex. : Les transports sont aussi nombreux.
→ Il y a autant de transports.

a. Les rues sont moins bruyantes.
→ Il y a .... bruit dans les rues.
b. Les appartements sont aussi spacieux.
→ Il y a .... espace dans les appartements.
c. La pollution est moins grande.
→ Il y a .... pollution.
d. Les avantages sont plus nombreux.
→ Il y a .... avantages.

Le superlatif

10 **Faites des phrases, comme dans l'exemple.**

Ex. : la ville • (+) peuplée
→ C'est la ville la plus peuplée.

a. les quartiers • (–) agréables
→ Ce sont ....
b. le restaurant • (+) bon
→ C'est ....
c. le moyen de transport • (–) cher
→ C'est ....
d. les vins • (+) bons
→ Ce sont ....
e. la banlieue • (+) proche
→ C'est ....

Le genre des noms

11 **Nom masculin ou féminin ? Écrivez *le* ou *la*.**

Ex. : la population

a. .... santé
b. .... stationnement
c. .... circulation
d. .... maison
e. .... mariage
f. .... logement
g. .... mairie
h. .... témoignage
i. .... vie
j. .... natalité

Leçon 11

Les prépositions devant les noms de villes, de pays, de continents

12 **Complétez avec *à*, *en*, *au*, *aux*.**

Ex. : Il travaille à Berlin.

a. Il va faire un voyage .... Australie.
b. J'ai voyagé .... Europe.
c. Elle a vécu trois ans .... Dakar.
d. Je suis allé .... Malte l'année dernière.
e. Vous êtes né .... Égypte ?
f. Nous partons bientôt .... Portugal.
g. Elle a de la famille .... Philippines.

Les pronoms *y* et *en*

13 **Remplacez par le pronom *y* ou *en*.**

Ex. : Elle va à Berlin. → Elle y va.

a. Nous sortirons de la ville dans 5 minutes. → Nous .... sortirons dans 5 minutes.
b. Vous vivez en France ? → Vous .... vivez ?
c. Ils viennent du Maroc. → Ils .... viennent.
d. Elle n'aime pas vivre dans cette ville. → Elle n'aime pas .... vivre.
e. Vous revenez du marché ? → Vous .... revenez ?
f. Elles retournent bientôt chez elles. → Elles .... retournent bientôt.
g. Je vais souvent à l'étranger. → J' .... vais souvent.

Les pronoms COI

14 **Entourez la bonne réponse.**

Ex. : – Tu écris à tes amis ?
– Oui, je lui • leur écris.

a. – Vous nous parlez ?
– Oui, on **te** • **vous** parle.
b. – Il t'a annoncé la nouvelle ?
– Oui, il **m'** • **nous** a annoncé la nouvelle.
c. – Elle a téléphoné à sa sœur ?
– Non, elle ne **leur** • **lui** a pas téléphoné.

15 **Complétez les réponses avec un pronom COI.**

Ex. : – De quoi tu vas me parler aujourd'hui ?
– Je vais te raconter mon voyage à Moscou.

a. – Quels pays vous nous conseillez ?
– Je .... conseille la Grèce.
b. – En voyage, tu écris à tes amis ?
– Non, je .... envoie des photos.
c. – Marc et toi, vous avez parlé avec le chef du resto ?
– Oui, il .... a expliqué sa recette.
d. – Tu appelles souvent ton fils quand tu es loin ?
– Oui, je .... téléphone tous les jours.
e. – Qu'est-ce qu'il t'a dit ?
– Il .... a dit : « Merci ».

Les nasales [ɛ̃] et [ɑ̃]

16 067 **Écoutez. Dans quel ordre entendez-vous le son [ɛ̃] et le son [ɑ̃] ? Numérotez 1 et 2.**

Ex. : Il rentre demain.

	Ex. :	a.	b.	c.	d.	e.
[ɛ̃] un	2					
[ɑ̃] an	1					

Faites le point

Expressions utiles

PARLER DE SON LIEU DE VIE

- Les commerces du centre-ville ont fermé.
- On peut se garer dans le centre-ville pour faire ses achats.
- Les parkings sont gratuits 7 jours sur 7.
- Je m'y sens bien.
- Il y a beaucoup de choses à visiter.
- On peut aussi aller à la plage.

PARLER DE SON MODE DE VIE ET DE SON QUOTIDIEN

- Je ne conduis pas.
- Je vais au travail à vélo.
- On doit faire la queue.
- C'était « métro, boulot, dodo ».
- On n'avait pas le temps.
- On passait notre temps dans les transports.
- Je partage une maison avec une infirmière suisse.
- Je rentre vers 20 heures.
- Quand mes colocataires arrivent, on dîne et on parle de notre journée.

INDIQUER SES PRÉFÉRENCES ET SES IMPRESSIONS

- Les gens préfèrent faire leurs courses dans un centre commercial.
- J'adorais Paris.
- Je déteste le métro.
- On ne regrette pas.
- Ça m'a embêté.
- Ça ne me dérange pas.
- On en revient toujours contents.

COMPARER

- En proche banlieue, on a autant d'avantages qu'à Paris.
- Les transports sont aussi nombreux.
- On paye un loyer moins cher pour une superficie plus grande.
- Il y a moins de circulation.
- On vit mieux ici.
- C'est la ville la plus culturelle du monde.

DÉCRIRE UN PAYS

- Au Togo, le climat est tropical.
- La forêt est magnifique et les plages sont immenses.
- On peut faire des randonnées dans la région des plateaux.

Évaluez-vous !

À LA FIN DE L'UNITÉ 3, VOUS SAVEZ...	APPLIQUEZ !
☐ **caractériser avec les pronoms relatifs *qui*, *que* et *où*.**	› Complétez avec *qui*, *que* ou *où*. C'est une ville ………… j'adore et ………… est très culturelle mais ………… les commerces ferment.
☐ **comparer.**	› Comparez Marseille et Bordeaux. • Marseille : 860 000 habitants – superficie : 240 km² – température moyenne : 15,5° C – nombre de musées : 26. • Bordeaux : 254 000 habitants – superficie : 49 km² – température moyenne : 13,8° C – nombre de musées : 15.
☐ **parler de votre pays.**	› Vous vivez dans quel pays et sur quel continent ? Quelle est la ville la plus culturelle de votre pays ?
☐ **utiliser les pronoms *y* et *en*.**	› Remplacez les mots en gras. Je viens **de la région parisienne**. → ………… Je vais **en Italie** cet été. → …………
☐ **utiliser les pronoms COI.**	› Complétez avec un pronom COI. C'est l'anniversaire de Tania. On ………… offre quoi ? Steve et Paul sont en retard. On ………… téléphone ?

Envisagez l'avenir

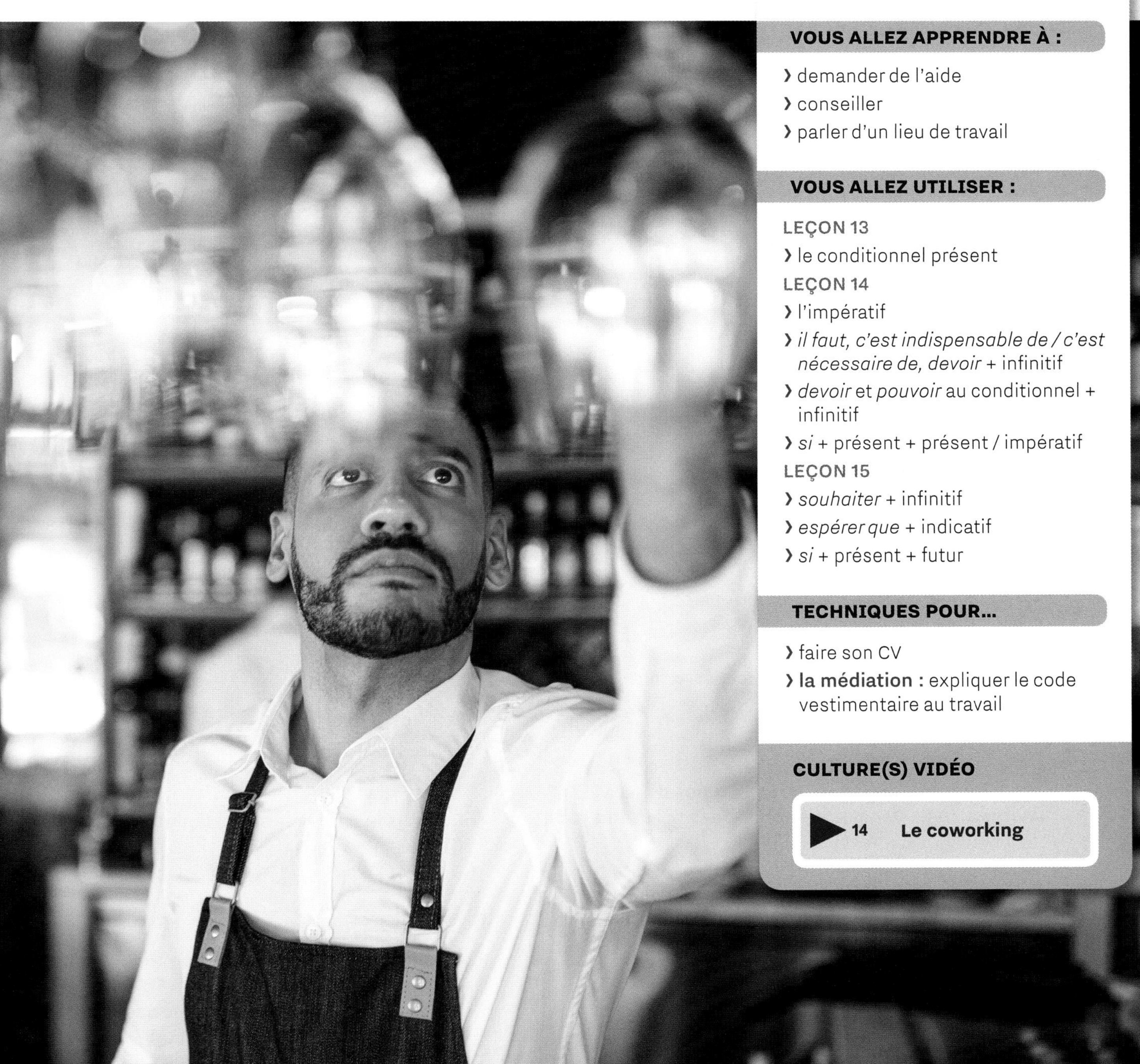

VOUS ALLEZ APPRENDRE À :

- demander de l'aide
- conseiller
- parler d'un lieu de travail

VOUS ALLEZ UTILISER :

LEÇON 13
- le conditionnel présent

LEÇON 14
- l'impératif
- *il faut, c'est indispensable de / c'est nécessaire de, devoir* + infinitif
- *devoir* et *pouvoir* au conditionnel + infinitif
- *si* + présent + présent / impératif

LEÇON 15
- *souhaiter* + infinitif
- *espérer que* + indicatif
- *si* + présent + futur

TECHNIQUES POUR...

- faire son CV
- **la médiation :** expliquer le code vestimentaire au travail

CULTURE(S) VIDÉO

▶ 14 **Le coworking**

Demander de l'aide

COMPRENDRE

DOC. 1

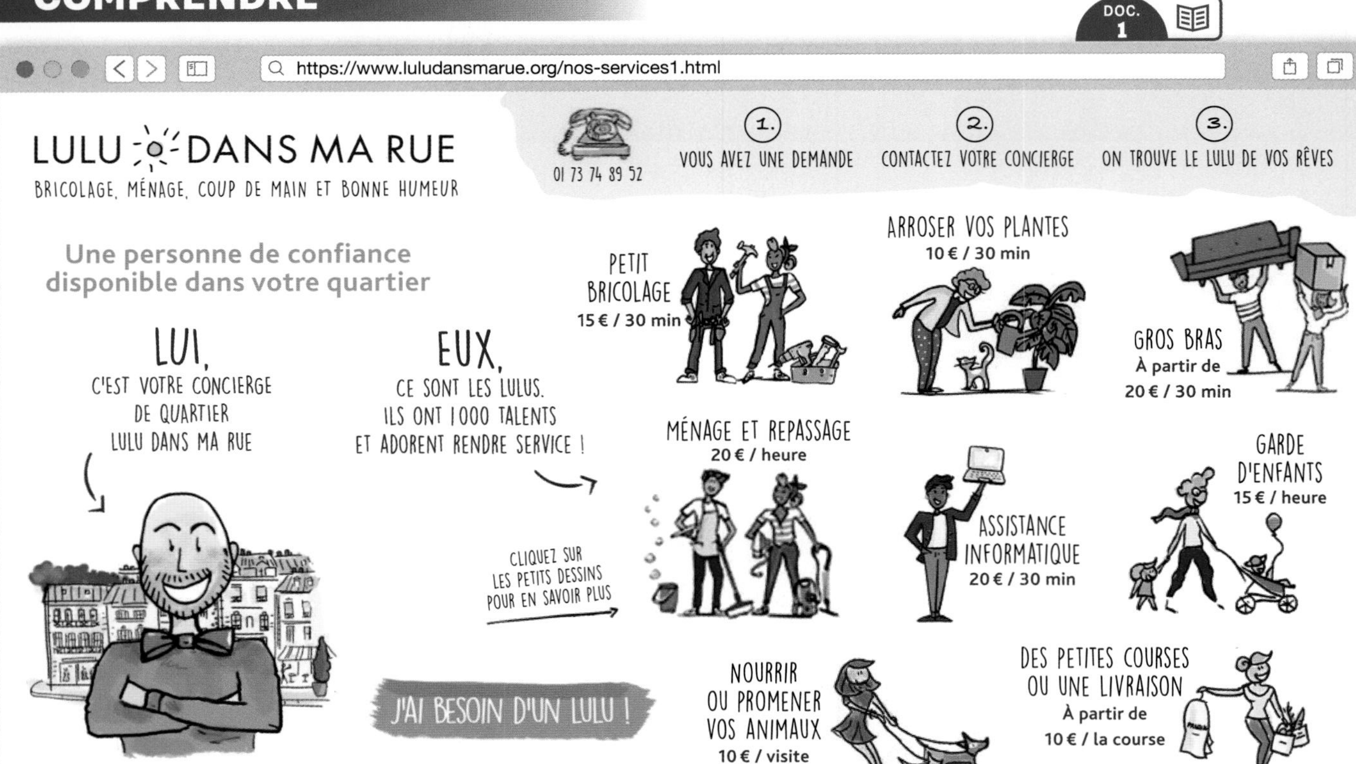

1 **Lisez la page du site (Doc. 1). Répondez.**

a. Comment s'appelle le site ?

b. À quoi sert-il ? Cochez (✓).

☐ 1. à organiser des loisirs dans son quartier
☐ 2. à trouver du travail
☐ 3. à trouver de l'aide dans son quartier

c. Quel est le rôle des Lulus ? Quel est le rôle des concierges ?

2 **À deux** **Relisez (Doc. 1).**

a. *Lulu dans ma rue* propose quels types de services ? Observez les dessins du site puis classez les services.

1. à l'intérieur. **Ex. :** Petit bricolage...
2. à l'extérieur. **Ex. :** Promener vos animaux...
3. à l'intérieur et/ou à l'extérieur. **Ex. :** Garde d'enfants

b. Quels sont les services les mieux payés ?

c. Associez les activités suivantes au service correspondant.

1. réparer un ordinateur
2. acheter de la nourriture
3. déplacer une armoire
4. mettre un tableau au mur

3 **En petit groupe** **Regardez la vidéo de Fernando et répondez.**

Chez moi, je passe l'aspirateur, je cuisine, je fais les courses et je promène le chien. Et vous ? ▶ 15

4 **Écoutez la conversation téléphonique (Doc. 2). Répondez.**

Qui téléphone ? À qui ? Pour quoi faire ?

5 **À deux** **Réécoutez (Doc. 2).**

a. Quels sont les problèmes de Nicole ? Cochez (✓) les bonnes réponses. Justifiez.

☐ 1. Son ordinateur ne fonctionne pas.
☐ 2. Elle ne peut pas faire ses courses.
☐ 3. Elle a beaucoup de livres chez elle.
☐ 4. Son aspirateur est trop lourd.

b. Décidez quels services de *Lulu dans ma rue* proposer à Nicole (Doc. 1).

c. Notez les coordonnées de Nicole.

1. Nom du quartier : ....
2. Adresse : ....
3. Numéro de téléphone : ....

6 a. À deux Associez les questions et les réponses.

1. Qu'est-ce que je peux faire pour vous ?
2. Pourriez-vous trouver une personne pour m'aider ?
3. Quel type d'aide voudriez-vous ?
4. Pourriez-vous me donner votre adresse ?

a. Je souhaiterais mettre une partie de mes livres à la cave.
b. J'habite 25 rue Caulaincourt.
c. Avec plaisir.
d. J'aimerais avoir de l'aide pour faire des petites choses.

b. Observez les phrases de l'activité 6a et soulignez la bonne réponse.

Les souhaits et les demandes polies sont exprimés au **futur • conditionnel**.

7 À deux Observez les phrases. Entourez la bonne réponse.

J'aimerais avoir de l'aide. • Pourriez-vous trouver une personne pour m'aider ?

a. Pour former le conditionnel, on prend la base du **futur • présent**.
b. On ajoute les terminaisons **de l'imparfait • du futur**.

AGIR

8 À deux Demandez de l'aide.

a. Pensez à votre logement. Dites à votre camarade pour quoi vous aimeriez avoir de l'aide.
b. Votre camarade regarde le site de *Lulu dans ma rue* (**Doc. 1**). Il/Elle choisit un ou des service(s) pour vous, le nombre de personnes, le nombre d'heures. Il/Elle calcule le prix. **Échangez**.
c. Inversez les rôles.

9 Proposez votre aide.

a. Listez les choses que vous savez faire.
b. Déterminez vos disponibilités.
c. Inscrivez-vous sur le site pour devenir Lulu. Complétez le formulaire et présentez-vous en quelques lignes.

JE M'INSCRIS
Téléphone
+33
Adresse
Compétences *3 maximum*
☐ Ménage
☐ Petit bricolage
☐ Gros bras
☐ Informatique
☐ Petits coups de main
☐ Travaux

Grammaire

Le conditionnel présent pour faire une demande polie et exprimer un désir

Formation : base du futur + terminaisons de l'imparfait

Je souhaiterais
Tu souhaiterais
Il/Elle/On souhaiterait
Nous souhaiterions
Vous souhaiteriez
Ils/Elles souhaiteraient

J'aimerais avoir de l'aide.
Pourriez-vous trouver une personne pour m'aider ?
Quel type d'aide voudriez-vous ?

Vocabulaire

La politesse 

merci (+) • merci beaucoup (++) • merci mille fois (+++)

Je vous remercie. • Avec plaisir. • Je vous en prie.

Les caractéristiques 

(avoir) un talent • (être) une personne de confiance • gentil(le)

Le logement (2) 

la cave • la chambre • la salle de bains • le salon • une armoire • un tableau • par terre • partout • chez (soi / moi / toi...)

Les tâches ménagères 

arroser les plantes • faire les courses • faire la lessive • faire le ménage • faire la vaisselle • laver (la salle de bains) • passer l'aspirateur • ranger • le repassage / un fer à repasser / une planche à repasser • le petit bricolage • bricoler

Les actions 

garder (des enfants) • nourrir • promener • rendre service • se baisser • se pencher

Phonétique

Les sons [i], [y] et [u]  

• Le son [i] est souriant.
Ex. : merci • Clichy • difficile

• Le son [y] est arrondi, aigu. La langue est en avant.
Ex. : Lulu • bienvenue • la rue

• Le son [u] est arrondi, grave. La langue est en arrière.
Ex. : bonjour • beaucoup • les courses

• **Écoutez et répétez.**

Entraînez-vous p. 60-61

LEÇON 14 Conseiller

COMPRENDRE

DOC. 1

https://www.salondesentrepreneurs.com/fr/

Deux jours pour accélérer vos projets

Salon des Entrepreneurs

Le rendez-vous des créateurs, start-up, indépendants et futurs dirigeants, pour lancer et accélérer son business

PARIS | LYON | MARSEILLE | NANTES

Nantes, 5-6 février 2021 - Cité des Congrès

Découvrez notre sélection de conférences, débats, exposants et animations pour concrétiser votre projet.

Conférences, débats et ateliers

Mercredi 5 février

Jeudi 6 février

9 h 30	Trouver les bonnes sources d'information pour votre étude de marché : où et comment ? Conférence | 1 h 30 | Salle 252
	Envie d'entreprendre au féminin : tout savoir ! Conférence | 1 h 30 | Salle 143
11 h 30	10 étapes pour entreprendre : pourquoi il faut procéder dans l'ordre Atelier | 45 min | Salle Tabarly
	Création d'un site de e-commerce : aspects marketing, juridiques, fiscaux et comptables Conférence | 1 h 30 | Salle Jules Verne
	Ils se sont lancés ! Témoignages et expériences de créateurs accompagnés ! Conférence | 1 h 30 | Salle 143
14 h 00	Créateurs : comment trouver les bons financements ? Conférence | 1 h 30 | Salle 242
	Je veux devenir micro-entrepreneur, quelles formalités dois-je accomplir ? Atelier | 30 min | Salle Atlantique

1 Observez la page du site (Doc. 1). Cochez (✓) la bonne réponse.

☐ a. C'est le site d'une école de commerce.
☐ b. C'est le site d'un salon professionnel.
☐ c. C'est un site pour trouver du travail.

2 Lisez (Doc. 1). Répondez.

a. À qui s'adresse le salon ?
b. Quel est le but du salon ?
c. Que propose le salon ?

3 À deux Lisez le programme du salon de Nantes (Doc. 1).

a. Identifiez la date et le lieu.

b. Lisez les citations suivantes. Trouvez une conférence pour chaque besoin.

1. « Pour créer ma micro-entreprise, qu'est-ce que je dois faire sur le plan administratif ? »
2. « Comment trouver de l'argent pour créer mon entreprise ? »
3. « Pour mon projet, je dois connaître les besoins des consommateurs. »
4. « Je veux créer mon entreprise, mais je ne sais pas m'organiser ! »
5. « J'aimerais échanger avec des créateurs d'entreprise. »
6. « Je veux vendre mon produit sur Internet. »

4 En petit groupe Citez une entreprise ou une start-up que vous trouvez originale. Expliquez pourquoi.

DOC. 2 075

5 Écoutez la conversation (Doc. 2).

a. De quoi parlent Lou et Samba ?

b. Choisissez un adjectif pour qualifier Lou et un adjectif pour qualifier Samba.

stressé(e) • égoïste • sympathique • sûr de lui / sûre d'elle • triste

c. Répondez.

1. Samba veut créer quel type d'entreprise ?
2. Sait-il comment créer une entreprise ?
3. Que demande-t-il à Lou ?

6 a. **À deux** **Réécoutez (Doc. 2). Qu'est-ce que Samba peut faire ou doit faire selon Lou...**

1. pour la création de son entreprise ?

Ex. : Si tu veux créer ton entreprise, choisis d'abord un produit ou un service.

2. pour la visite du salon ?

Ex. : La semaine prochaine, il y a un salon pour les futurs entrepreneurs, tu dois absolument y aller.

b. Classez les phrases de l'activité 6a.

Conseil • Obligation

c. Associez ces structures aux phrases de l'activité 6a.

1. **devoir** au conditionnel + infinitif
2. **devoir** à l'indicatif + infinitif
3. **c'est nécessaire/indispensable de** + infinitif
4. **il faut** + infinitif
5. **si** + présent + impératif

7 a. **À deux** **Réécoutez (Doc. 2). Qu'est-ce que Lou propose de faire avec Samba ? Relevez les phrases.**

b. Observez les phrases relevées et complétez les structures.

1. **si** + ... + ...
2. **pouvoir** au .... + infinitif

8 **À deux** **Relisez (Doc. 1). Quelles conférences et ateliers Samba devrait-il suivre ? Choisissez. Précisez l'heure, l'intitulé et le lieu.**

Culture(s)

Pôle emploi est le service public de l'emploi en France. Son rôle est de soutenir financièrement les demandeurs d'emploi et de les aider à retrouver un travail. Pôle emploi aide aussi les entreprises à trouver des salariés.

→ **Et dans votre pays, il y a un organisme comme Pôle emploi ?**

AGIR

9 **Donnez des conseils pour l'apprentissage du français.**

a. **À deux** **Préparez** des conseils sur les points suivants :

– Où et comment apprendre ? Dans une école, chez soi, en ligne...

– Avec quel matériel ? Un livre, des supports numériques, des vidéos...

– Comment pratiquer la conversation ? Avec un(e) francophone, un(e) étudiant(e) de la classe...

Ajoutez d'autres conseils si vous le souhaitez.

b. **Décidez** quelles actions sont indispensables.

c. **Présentez** vos conseils à la classe.

d. **En groupe** **Choisissez** cinq conseils.

Grammaire

L'impératif pour dire de faire quelque chose

Formation : verbe au présent sans le pronom personnel sujet

Allons sur le site Entrepreneurs.com.

(!) L'impératif existe seulement à la 2e personne du singulier et aux 1re et 2e personnes du pluriel.

(!) Pour les verbes en *–er*, pas de *s* à la 2e personne du singulier : Écoute !

Pour exprimer une obligation

• **il faut / c'est indispensable de / c'est nécessaire de** + **infinitif**

Mais il faut bien les **choisir**.

C'est indispensable de **faire** une étude de marché.

C'est nécessaire d'**avoir** une idée un peu originale.

• **devoir** au présent de l'indicatif + **infinitif**

Il y a un salon, tu dois absolument y **aller**.

Pour conseiller et proposer

• **devoir / pouvoir au conditionnel** + **infinitif**

Tu devrais **assister** à des conférences.

On pourrait y **aller** ensemble.

• **si** + **présent** + **présent / impératif**

Si tu veux, je t'aide.

Si tu veux, on regarde ensemble.

Si tu veux créer ton entreprise, choisis un produit.

(!) On peut aussi utiliser le verbe *conseiller* (**à** une personne / **de** faire) :

Tu **me** conseilles **d'**aller à quelles conférences ?

Vocabulaire

Le travail (3) 076

le business = les affaires

un conseiller / une conseillère Pôle emploi

L'entreprise  077

un créateur / une créatrice (d'entreprise) • un(e) dirigeant(e) • un (micro) entrepreneur / un(e) (micro) entrepreneuse • un domaine • l'e-commerce • une étude de marché • un financement • le marketing • une start-up • entreprendre

L'information et la formation (1)  078

une animation • un atelier • une conférence • un débat • une étape • un(e) exposant(e) • un salon • une source d'information

Les projets  079

concrétiser • lancer (son affaire)

> Entraînez-vous > p. 60-61

Parler d'un lieu de travail

COMPRENDRE

DOC. 1

L'ESPACE

- L'espace est proche des commerces, restaurants et transports (métro lignes 2 et 4, tramway T station « Tourcoing centre »).
- Nous proposons des postes de travail en bureaux fermés et en open space.
- Dans une ambiance chaleureuse et studieuse, profitez d'un espace refait à neuf, design et très lumineux, avec :
  - mobilier et rangements à disposition
  - cuisine équipée
  - salle de réunion de 15 personnes
  - espace détente

  Équipement informatique :
  - Internet avec fibre optique professionnelle
  - imprimante (avec scanner) mutualisée

ACCÈS
24 h/24
7 j/7

VENEZ VISITER ET NOUS RENCONTRER !
Contact : Thomas Voland
+ 06 67 02 14 89

À QUELLE HEURE VENIR ?

Lundi 9 h-18 h
Mardi 9 h-18 h
Mercredi 9 h-18 h
Jeudi 9 h-18 h
Vendredi 9 h-18 h
Samedi Fermé
Dimanche Fermé

1 Observez la page du site (Doc. 1). Répondez.

a. Que propose ce site ? Où ? Situez la ville sur la carte de France à la fin du livre.

b. Que faut-il faire pour visiter ? Quels sont les horaires de visite ?

2 À deux Lisez (Doc. 1). *Vrai* ou *faux* ? Justifiez.

a. On peut venir à l'espace en métro.
b. Il y a seulement des bureaux fermés.
c. Il y a trois salles de réunion.
d. On peut partager une imprimante et un scanner.
e. On peut manger et se détendre.
f. Il y a des endroits pour ranger ses affaires.

3 En petit groupe Bureau privé ou open space ? Chez vous ou à la bibliothèque ? Où préférez-vous travailler ou étudier ? Pourquoi ? Discutez.

4 Écoutez le dialogue (Doc. 2). Qui parle ? De quoi ?

5 À deux Réécoutez (Doc. 2). Répondez.

a. Pourquoi Chafia a-t-elle besoin d'un espace de coworking ?

b. Son entreprise est dans quel domaine ?

c. Est-ce qu'elle va recruter des employés ? Justifiez.

6 a. À deux Lisez les phrases. Reliez.

1. J'espère que mon activité va vite se développer.
2. Je souhaite trouver un collaborateur rapidement.

a. Exprime un espoir
b. Exprime un souhait

b. Complétez avec *espérer*, *souhaiter*, *infinitif*, *indicatif*.

1. Pour exprimer un souhait, on utilise le verbe .... + ...
2. Pour exprimer un espoir, on utilise le verbe .... + *que* + sujet + verbe à l' ....

Coworking 5 j/7 j 289 € / HT mois
Poste de travail non dédié • Mobilier/fauteuil • Casier/caisson en option
Accès 9h/18h • Accès lundi au vendredi
~~Forfait impressions/copies~~ • Wifi
~~Remise prix salle de réunion~~ • Accès cuisine

Coworking Full 24 h/7 j 389 € / HT mois
Poste de travail dédié • Mobilier/fauteuil • Casier/caisson
Accès 24h/24
Forfait impressions/copies • Wifi
Remise prix salle de réunion • Accès cuisine

Bureau privatif 450 € / HT mois
Prix par personne (pour un bureau de 2)
Poste de travail dédié • Mobilier/fauteuil • Casier/caisson en option
Accès 24 h/24 • Accès gratuit aux « box meeting »
Forfait impressions/copies • Wifi
Remise prix salle de réunion • Accès cuisine

7 **À deux** **Réécoutez (Doc. 2) et lisez (Doc. 3). Quelle est la meilleure formule de coworking pour Chafia ? Justifiez.**

8 **À deux** **a. Observez l'hypothèse suivante et notez le temps des verbes.**
Si je **prends** la formule à 289 euros, j'**aurai** un poste de travail dédié ?
b. Complétez avec *présent* ou *futur*.
Pour formuler une hypothèse sur le futur, on utilise :
Si + verbe au ...., verbe au ....

AGIR

9 **Exprimez-vous sur l'apprentissage du français.**
a. **En petit groupe** Dites quels sont vos souhaits et vos espoirs avec l'apprentissage du français.
Ex. : J'espère que je pourrai communiquer en français !
b. **Classez** vos réponses : loisir, travail, vie privée.
c. **En groupe** **Partagez** vos réponses. **Mettez en commun** et présentez les motivations de la classe pour apprendre le français.

10 **Imaginez votre espace de travail (ou d'étude) idéal.**
a. **En petit groupe** **Décidez** d'un lieu. Privé, public, ouvert, fermé...?
b. **Décrivez** l'espace de travail, le mobilier, le matériel. Illustrez avec des photos d'exemples (optionnel).
c. **En groupe** **Comparez** vos espaces. Quel espace préférez-vous ? Pourquoi ?

Postez vos propositions sur le groupe de la classe.

Grammaire

- ***Souhaiter* + infinitif pour exprimer un souhait**
  Je souhaite **organiser** des réunions.
  ! On peut aussi utiliser vouloir, aimer ou souhaiter au conditionnel + **infinitif.**
  Je voudrais **parler** à Thomas Voland.
  J'aimerais / Je souhaiterais **avoir** accès à l'espace.
- ***Espérer que* + indicatif pour exprimer un espoir**
  J'espère que mon activité **va** vite **se développer**.
  ! L'indicatif = présent, futur, futur proche, passé composé ou imparfait.
- ***Si* + présent + futur pour faire une hypothèse sur le futur**
  Si vous ne voulez pas de bureau privatif, la formule à 450 € par mois ne vous intéressera pas.
  Si je prends la formule à 289 €, j'aurai un poste de travail dédié ?

Vocabulaire

- **Le travail (4)** 081
  un secteur d'activité
  L'espace de travail : un bureau fermé (privatif) • un bureau partagé (en open space) • un poste de travail dédié, non dédié • une cuisine équipée • un espace de coworking • un espace détente • une salle de réunion • design • lumineux
  Le mobilier : un fauteuil • les rangements : un casier, un caisson
  L'équipement informatique : une imprimante • la fibre optique • un scanner • une visioconférence • le wifi
- **La tarification** 082
  un accès gratuit • un forfait • une remise • en option

Phonétique

- **Les sons [s], [z], [ʃ] et [ʒ]** 083 17
  • Le son [s] est souriant, la langue est en bas. Il est sourd, tendu.
  Ex. : se • espérer • un caisson • un accès • une option
  • Le son [z] est souriant, la langue est en bas. Il est sonore, relâché.
  Ex. : une entreprise • deux heures • nous avons
  • Le son [ʃ] est arrondi, la langue est en haut. Il est sourd, tendu.
  Ex. : chez • chercher
  • Le son [ʒ] est arrondi, la langue est en haut. Il est sonore, relâché.
  Ex. : je • partager
- **Écoutez. Vous entendez [s] - [z] - [ʃ] ou [ʒ] ?**
  Ex. : un espace de coworking → [s]

Entraînez-vous p. 60-61

Techniques pour…

… faire son CV

LIRE

Élise Pagnol

ASSISTANTE MANAGER HÔTELLERIE

3 → ……………

Je suis assistante manager à l'hôtel Bristol. J'ai une grande expérience des relations publiques et de l'hôtellerie. Je souhaite avoir plus de responsabilités et diriger une grande équipe.

4 → ……………

- **Assistante manager**
  Hôtel *Le Bristol* (Paris) de 2015 à aujourd'hui
  – Participation à la gestion financière
  – Développement de l'image de l'hôtel
- **Chef de réception**
  Hôtel *Napoléon* (Paris) de 2011 à 2015
  – Organisation du travail de l'équipe
  – Gestion du planning de réservations
  – Accueil
- **Responsable de la communication**
  Hôtel *Villa Magna*, Madrid, de 2008 à 2011
  – Création et diffusion des communiqués de presse
  – Participation à des salons

1 → ……………

Célibataire
36 ans

5 → ……………

- Management d'équipe
  Gestion financière
  Capacité à s'exprimer en public
- Langues : français (langue maternelle), anglais (C1), espagnol (C1/C2)
- Pack Office : Word, PowerPoint, Excel

2 → ……………

33 rue Diderot
92130 Issy-les-Moulineaux

Tél. : 07 64 32 56 18
elipag@gmail.com

6 → ……………

- Licence de management hôtelier, École internationale d'hôtellerie et de management, Genève, 2004-2007
- Baccalauréat série L, mention Bien, 2003

7 → ……………

- Improvisation théâtrale
- Cuisine et histoire de la cuisine

1 [Découverte] Observez le CV d'Élise Pagnol (Doc. 1). Identifiez :

a. son âge.
b. sa situation familiale.
c. son adresse.
d. son secteur professionnel et son poste actuel.

2 À deux Lisez (Doc. 1). Répondez.

a. Élise Pagnol a quels diplômes ?
b. Quand a-t-elle commencé à travailler au Bristol ?
c. Quel est son objectif ?

3 [Analyse] Relisez (Doc. 1).

a. Complétez le CV avec les titres de rubrique suivants.

– Formation
– Expériences professionnelles
– Présentation
– Centres d'intérêt
– Coordonnées
– Informations personnelles
– Compétences

b. À deux Cochez (✔) les bonnes réponses. Justifiez.

Élise Pagnol sait :

- ☐ 1. gérer un budget.
- ☐ 2. communiquer avec les journalistes.
- ☐ 3. parler chinois.
- ☐ 4. parler devant un groupe de personnes.
- ☐ 5. utiliser Photoshop.

c. Observez les premiers mots des listes des parties 4, 5, 6 et 7 du CV. Que remarquez-vous ?

Ex. : Participation à la gestion financière

POUR faire son CV

- **Organiser les informations par rubriques**
  - Coordonnées
  - Informations personnelles
  - Présentation
  - Formation
  - Expériences professionnelles
  - Compétences
  - Centres d'intérêt
- **Dans le texte de présentation :**
  - Donner sa fonction actuelle
    Je suis assistante manager à l'hôtel Bristol.
  - Mettre en valeur ses compétences
    J'ai une grande expérience des relations publiques.
  - Exposer son projet professionnel
    Je souhaite avoir plus de responsabilités et diriger une grande équipe.
- **Lister les postes et les diplômes du plus récent au plus ancien**
  Hôtel Le Bristol *de 2015 à aujourd'hui*
  Hôtel Napoléon *de 2011 à 2015*
  Hôtel Villa Magna, *Madrid, de 2008 à 2011*
- **Détailler les tâches et missions effectuées**
  Organisation du travail de l'équipe

❗ Votre CV doit tenir de préférence sur une seule page.

❗ Ne pas mettre d'article aux premiers mots des listes :
- *Organisation*
- *Gestion*
- *Accueil*

ÉCRIRE

4 Faites votre CV.

a. Choisissez vos expériences et vos compétences les plus importantes.

b. Rédigez les différentes rubriques de votre CV. Ajoutez une photo si vous le souhaitez.

... la médiation : expliquer le code vestimentaire au travail

DOC. 2

Carrière Mag

Les règles pour s'habiller à la française au travail

Messieurs, si vous travaillez dans la finance, le conseil ou l'immobilier, ayez un look classique (gris et bleu marine, costume, cravate).
Mesdames, vous avez plus de choix. Mais attention à la forme, à la longueur, à la couleur ! Vos vêtements doivent correspondre à votre fonction.
Dans les milieux créatifs, les start-up, la communication, vous pouvez porter plus de couleurs et des vêtements plus... cool. La cravate n'est pas obligatoire.
De manière générale : pas de chemises à manches courtes, pas de sandales, pas de bermudas l'été ! Soyez décontractés mais toujours chics. Mesdames, si vous portez une robe très élégante, vos chaussures doivent être très simples. Gardez les talons pour les tailleurs par exemple.

DOC. 3

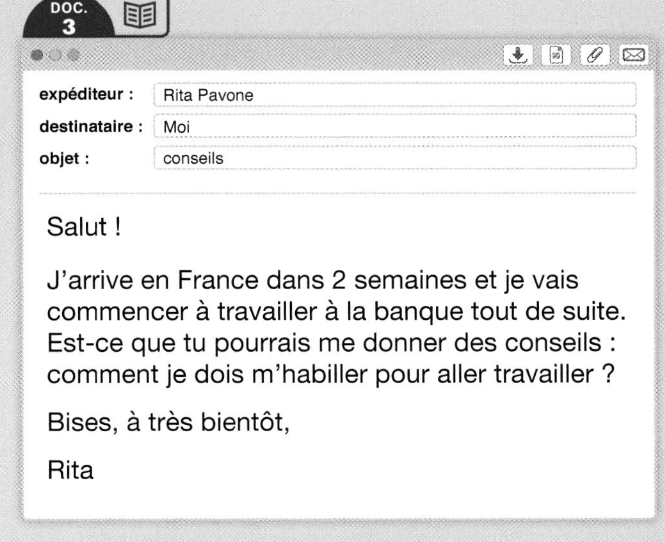

expéditeur : Rita Pavone
destinataire : Moi
objet : conseils

Salut !

J'arrive en France dans 2 semaines et je vais commencer à travailler à la banque tout de suite. Est-ce que tu pourrais me donner des conseils : comment je dois m'habiller pour aller travailler ?

Bises, à très bientôt,

Rita

5 À deux a. Lisez l'article et l'e-mail de votre amie Rita (Doc. 2 et 3). Décidez quelles informations donner à Rita.

b. Écrivez un e-mail pour lui répondre.

Leçon 13

Le conditionnel présent

1 Retrouvez les formes du conditionnel. Ajoutez le pronom sujet.

Ex. : aimer : i a r m i e a s → j'/tu aimerais
a. pouvoir : r o p u r i e t a n → ....
b. vouloir : d o v i u r a t → ....
c. souhaiter : t s o a n u i e r i h o s → ....
d. aimer : m a e i r z e i → ....

2 084 Écoutez. Entendez-vous le conditionnel ? Cochez (✔).

Ex. : Il aimerait être là.

	Ex. :	a.	b.	c.	d.	e.	f.	g.	h.	i.
Conditionnel	✔									

3 Transformez les phrases avec le conditionnel.

Ex. : Pouvez-vous me rendre service ?
→ **Pourriez**-vous me rendre service ?
a. Nous voulons de l'aide.
→ Nous .... de l'aide.
b. Je souhaite ranger mon appartement.
→ Je .... ranger mon appartement.
c. Ils veulent faire des tâches ménagères pour vous.
→ Ils .... faire des tâches ménagères pour vous.
d. Tu peux faire mes courses ?
→ Tu .... faire mes courses ?
e. On souhaite vous parler.
→ On .... vous parler.
f. Peuvent-elles faire du petit bricolage ?
→ ....-elles faire du petit bricolage ?

Les tâches ménagères

4 Associez les définitions et les mots.

Ex. : a → 5
a. Nettoyer la maison
b. Mettre de l'eau sur les plantes
c. Aller dans les magasins pour acheter de la nourriture
d. Laver les assiettes, les verres, les couteaux
e. Faire des petits travaux dans la maison
f. Laver le linge sale et repasser
g. Mettre de l'ordre dans une pièce
h. Aspirer la poussière

1. Faire les courses
2. Bricoler
3. Ranger
4. Passer l'aspirateur
5. Faire le ménage
6. Arroser
7. Faire la lessive et le repassage
8. Faire la vaisselle

Les sons [i], [y] et [u]

5 085 Écoutez. Dans quel ordre entendez-vous le son [i], le son [y] et le son [u] ? Notez 1, 2 et 3.

Ex. : Merci beaucoup Lulu !

	[i] (il)	[y] (tu)	[u] (nous)
Ex. :	1	3	2
a.			
b.			
c.			
d.			

Leçon 14

L'impératif

6 Complétez les phrases. Mettez le verbe souligné à l'impératif.

Ex. : Tu veux venir avec moi ? Alors, **viens** avec moi !
a. – On va chercher des idées dans ce salon ? – Oui, ... chercher des idées !
b. Tu ne m'écoutes pas. S'il te plaît, ... mes conseils !
c. Vous voulez créer votre entreprise ? Eh bien, ... votre entreprise !
d. – On choisit ensemble ? – D'accord, ... ensemble !
e. – Tu veux vendre tes produits ? – Eh bien, ... sur Internet !

Exprimer une obligation / Conseiller et proposer

7 086 Écoutez. Les phrases expriment une obligation, un conseil ou une proposition ? Cochez (✔).

Ex. : Il faut très bien connaître les produits.

	obligation	conseil	proposition
Ex. :	✔		
a.			
b.			
c.			
d.			
e.			
f.			
g.			
h.			

Si + présent + présent / impératif

8 Complétez les phrases avec le présent ou l'impératif.

Ex. : Si tu (avoir) **as** le temps, on (aller) **va** ensemble au salon.

a. Si vous (créer) .... une entreprise, (choisir) .... bien votre secteur.

b. Si on (vouloir) .... devenir entrepreneur, on (devoir) .... trouver de l'argent.

c. Si tu (commencer) .... à réaliser ton projet, (suivre) .... bien les conseils des experts.

d. Si vous (entrer) .... dans le monde des affaires, (faire) .... attention !

e. Si vous (souhaiter) .... aller au salon, je vous (accompagner) ....

L'entreprise, la formation (1) et les projets

9 Entourez le mot qui convient.

Ex. : Je cherche du travail. Je vais consulter mon **conseiller** / **dirigeant** Pôle emploi.

a. J'ai créé mon **entreprise** • **marketing** de réparation de vélos.

b. Il a exposé ses produits dans un **financement** • **salon** international.

c. Réussir à **concrétiser** • **conseiller** un projet demande beaucoup d'énergie.

d. Dans quel **domaine** • **débat** voulez-vous travailler ?

e. Pour vendre en ligne, il faut créer un site de **e-commerce** • **start up**.

f. On ne peut pas lancer un produit sans faire avant une **information** • **étude de marché** sérieuse.

Leçon 15

Souhaiter + infinitif / *Espérer que* + indicatif

10 À deux Transformez, comme dans les exemples.

Ex. : Je souhaite trouver un emploi.
→ **J'espère que je vais trouver** un emploi.
J'espère que je vais réussir.
→ **Je souhaite réussir.**

a. Je souhaite changer de locaux bientôt.
→ J'.. de locaux bientôt.

b. J'espère que je vais travailler dans un open space.
→ Je .... dans un open space.

c. J'espère que je vais obtenir un bon poste.
→ Je .... un bon poste.

d. Je souhaite pouvoir concrétiser mon projet le mois prochain.
→ J'.. mon projet le mois prochain.

Si + présent + futur

11 Conjuguez les verbes au présent ou au futur simple.

Ex. : Si tu (vouloir) **veux** louer un espace, je t' (indiquer) **indiquerai** un spécialiste.

a. Si vous (acheter) .... plusieurs articles, vous (avoir) .... une remise.

b. Si vous (choisir) .... cette formule, vous (disposer) .... d'un bureau dédié.

c. Nous (faire) .... un espace détente à côté de la salle de réunion s'il y (avoir) .... assez de place.

d. Si vous (être) .... disponible demain, nous (pouvoir) .... visiter les locaux.

e. On (communiquer) .... en visioconférence si l'équipement informatique le (permettre) ....

f. Je (louer) .... des bureaux si mon activité (se développer) ....

Le travail (4)

12 Barrez l'intrus.

Ex. : un fauteuil • un casier • ~~une salle de réunion~~

a. une cuisine équipée • une imprimante • un scanner

b. une remise • un espace • un forfait

c. un poste de travail dédié • un bureau fermé • un open space

d. un scanner • une réunion • une visioconférence

e. un espace détente • un bureau partagé • un espace de coworking

f. le wifi • le fauteuil • la fibre optique

Les sons [s], [z], [ʃ] et [ʒ]

13 087 Écoutez. Quels sont les deux sons que vous entendez dans chaque phrase ? Cochez (✓).

Ex. : Je voudrais visiter le bureau.

	[s] (se)	[z] (rose)	[ʃ] (chez)	[ʒ] (je)
Ex. :		✓		✓
a.				
b.				
c.				
d.				
e.				

Retrouvez les activités avec sur inspire2.parcoursdigital.fr et plus de 150 activités inédites.

Faites le point

Expressions utiles

ACCEPTER

- Avec plaisir.
- Je vous en prie.
- Parfait.
- Bonne idée !
- Oui, je veux bien.

COMMUNIQUER AU TÉLÉPHONE

- Nous prenons votre appel dès que possible.
- Allô, bonjour.
- Je voudrais parler à Thomas Voland, s'il vous plaît.
- C'est moi ! Qu'est-ce que je peux faire pour vous ?
- Bonjour, Chafia Bellabas à l'appareil.

DEMANDER DE L'AIDE

- Tu peux m'aider ?
- Tu me conseilles d'aller à quelle conférence ?
- Pourriez-vous trouver une personne pour m'aider ?

CONSEILLER ET FAIRE UNE SUGGESTION

- Si tu veux créer ton entreprise, choisis d'abord un produit.
- Tu devrais assister à des conférences.
- Si tu veux, je t'aide.
- Allons sur le site Entrepreneurs.com.
- On pourrait y aller ensemble.

PARLER D'UN LIEU DE TRAVAIL

- L'espace est proche des commerces.
- Nous proposons des postes de travail en bureaux fermés.
- Mobilier et rangements à disposition.
- Accès vingt-quatre heures sur vingt-quatre (24 h/24), sept jours sur sept (7 j/7)
- Je cherche un espace partagé.
- Vous avez besoin d'un bureau privatif ?

EXPRIMER UN SOUHAIT

- J'aimerais avoir de l'aide.
- Je souhaiterais mettre une partie de mes livres à la cave.
- Je voudrais faire de la vente en ligne.
- Je souhaite trouver un collaborateur rapidement.

EXPRIMER UN ESPOIR

- Des personnes gentilles et sérieuses, j'espère !
- J'espère que mon activité va vite se développer.
- J'espère que nos locaux vous plairont !

EXPRIMER UNE OBLIGATION

- C'est nécessaire d'avoir une idée un peu originale.
- Tu dois absolument aller à ce salon.
- Il faut bien choisir les conférences.

Évaluez-vous !

À LA FIN DE L'UNITÉ 4, VOUS SAVEZ…	APPLIQUEZ !
☐ **conjuguer au conditionnel présent.**	› Donnez la règle de formation du conditionnel présent.
☐ **demander de l'aide.**	› Vous ne savez pas utiliser Photoshop. Demandez de l'aide à un(e) camarade.
☐ **exprimer une obligation.**	› Qu'est-ce qui est nécessaire pour créer une entreprise ?
☐ **conseiller.**	› Conseillez un Français qui veut s'installer dans votre ville : où se loger, comment trouver un travail, où sortir…
☐ **faire une suggestion.**	› Complétez. Si tu ……………, viens avec moi. Si tu aimes la France, …………… .
☐ **exprimer un souhait.**	› Que souhaitez-vous faire cette année ?
☐ **exprimer un espoir.**	› Conjuguez le verbe. J'espère que tu (parler) …………… bien français dans un an !
☐ **faire une hypothèse sur le futur.**	› Complétez librement. Si je visite la France un jour, je …………… .

Préparation au DELF A2

I COMPRÉHENSION DES ÉCRITS

Lire pour s'orienter

Vous allez organiser une visite de Toulouse pour vos amis. Vous consultez une brochure touristique qui présente des lieux toulousains à visiter.

LE 50CINQ DOC. 1
Situé dans une ancienne zone industrielle, dans le quartier de Montaudran, cet espace est dédié au street art et aux cultures urbaines.

LES SERRES MUNICIPALES DOC. 2
On y cultive 400 000 plantes pour la décoration de la ville. Elles abritent aussi le conservatoire de la Violette, la fleur symbole de Toulouse.

LE CANAL DU MIDI DOC. 3
À pied ou à vélo, profitez de la nature et des allées de platanes au bord des eaux calmes du canal.

LE JARDIN JAPONAIS DOC. 4
Une invitation au repos et à la méditation. Vous y retrouverez les éléments les plus caractéristiques de ce type de jardins.

LA PRAIRIE DES FILTRES DOC. 5
Une immense ludothèque en plein air avec des jeux de société disponibles pour tous.
Accès gratuit.

LA CITÉ DE L'ESPACE DOC. 6
Centre consacré à l'espace et à la conquête spatiale. Vous y trouverez des expositions interactives, des animations et aussi un planétarium.

Quel lieu va intéresser vos amis ? Associez chaque document à la personne correspondante. Attention : il y a 8 personnes mais seulement 6 documents. Cochez (✓) une seule case pour chaque document.

Personnes	Doc. 1	Doc. 2	Doc. 3	Doc. 4	Doc. 5	Doc. 6
a. Céline adore les jeux.	☐	☐	☐	☐	☐	☐
b. Thomas est passionné d'architecture.	☐	☐	☐	☐	☐	☐
c. Guillaume étudie la biologie et les plantes.	☐	☐	☐	☐	☐	☐
d. Ludovic s'intéresse à la recherche spatiale.	☐	☐	☐	☐	☐	☐
e. Yohan adore le Japon et la culture zen.	☐	☐	☐	☐	☐	☐
f. Nina aime les graffitis et les peintures murales.	☐	☐	☐	☐	☐	☐
g. Élodie prend des cours de japonais.	☐	☐	☐	☐	☐	☐
h. Léna est sportive et adore faire du vélo.	☐	☐	☐	☐	☐	☐

II COMPRÉHENSION DE L'ORAL

Comprendre des annonces publiques et des instructions orales

Lisez la question. Écoutez deux fois le document puis cochez (✓) la bonne réponse.

DOC. 1 088

1. Où peut-on entendre cette annonce ?
☐ a dans une gare ☐ b. dans un hypermarché ☐ c. dans une exposition

DOC. 2 089

2. Comment peut-on circuler dans le centre-ville aujourd'hui ?
☐ a en voiture ☐ b. en bus ☐ c. à pied

DOC. 3 090

3. Que doit faire Maxime aujourd'hui ?
☐ a ranger le bureau ☐ b. participer à une réunion ☐ c. préparer des documents

DOC. 4 091

4. Où peut-on parler avec des professionnels du bricolage ?

a. 

b. 

c. 

DOC. 5 092

5. Quel service trouve-t-on sur le parking ?

a. 

b. 

c. 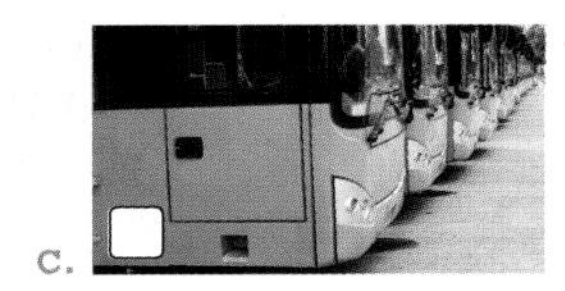

DOC. 6 093

6. Vous assistez au congrès. Où allez-vous le matin ?

a. 

b. 

c. 

III PRODUCTION ORALE

Exercice en interaction

Lisez le sujet ci-contre. Simulez le dialogue à deux pour répondre à la situation proposée.

Recherche de logement
Vous partez travailler en France. Vous cherchez un logement dans la ville où se trouve votre entreprise. Vous interrogez votre collègue sur les commerces, les services et les transports pour savoir quel quartier choisir.
L'examinateur joue le rôle de votre collègue.

Préparation :

1. Dites si vous venez seul(e) ou avec votre famille.
2. Donnez vos préférences sur le type de logement : ....
3. Préparez les questions que vous poserez à votre collègue (sur les commerces, les services, les transports).

....

IV PRODUCTION ÉCRITE

Interagir à l'écrit

Vous habitez dans une ville française. Vous avez reçu cet e-mail de votre amie Pauline, qui habite dans votre quartier.

Salut,
Vendredi prochain, avec l'association « J'aime mon quartier », j'organise un débat pour parler des problèmes de notre quartier et proposer des services pour ses habitants. Tu veux bien participer ? Si tu es d'accord, envoie-moi déjà une ou deux propositions importantes pour toi. À vendredi, j'espère !
Bises
Pauline

Vous répondez à Pauline et acceptez son invitation. Vous lui demandez des précisions sur le lieu et l'heure de la rencontre. Vous lui faites part de vos idées et suggestions pour le quartier. (60 mots minimum)

Partagez

VOUS ALLEZ APPRENDRE À :

- écrire une biographie
- raconter une expérience exceptionnelle
- décrire un projet de vie

VOUS ALLEZ UTILISER :

LEÇON 17

- le passé composé et l'imparfait (2)
- *il y a* et *depuis*
- *pendant*, *de... à*, *en* + durée

LEÇON 18

- les adverbes en *-ment* (1)
- les adverbes d'intensité *très*, *trop*, *beaucoup*
- les exclamations : *quel... !* ; *comme... !* ; *qu'est-ce que... !*

LEÇON 19

- *trop de* + nom
- l'antériorité et la postériorité : *avant de* + infinitif ; *avant* et *après* + nom
- les adverbes en *-ment* (2)
- la négation (2) : *ne plus* et *ne pas encore*

TECHNIQUES POUR...

- écrire un poème
- la médiation : réagir à un texte littéraire, créatif ou poétique

CULTURE(S) VIDÉO

18 La reconversion pour tous

LEÇON 17 Écrire une biographie

COMPRENDRE

DOC. 1 094

1 Observez la photo (Doc. 1). C'est qui ? Où ? Quand ? Faites des hypothèses.

2 Écoutez l'animateur du *Club Sport Europe 1* (Doc. 1). Répondez.

a. Qui est l'athlète invitée ? Vérifiez vos hypothèses de l'activité 1.

b. De quoi va-t-elle parler ?

c. En quelle année a lieu l'émission ?

3 À deux Réécoutez (Doc. 1).

a. Associez.

1. Il y a trois ans
2. Depuis 2018
3. En 2016
4. En trois ans

a. Elle a eu la médaille d'or du 400 mètres et du saut en longueur.
b. Elle a fait beaucoup pour le handisport.
c. Elle a pris sa retraite sportive.
d. Elle est présidente du comité paralympique français.

b. Complétez avec *en* (x 2), *depuis*, *il y a*.

1. Pour situer un événement dans le passé, on utilise .... + durée ou .... + année. Le verbe est au passé composé.
2. Pour indiquer la durée nécessaire pour faire quelque chose, on utilise .... + durée. Le verbe est au passé composé.
3. Pour indiquer le début d'un événement qui continue dans le présent, on utilise .... + année. Le verbe est au présent.

4 En petit groupe Quelles disciplines sportives connaissez-vous ou pratiquez-vous ? Connaissez-vous des disciplines paralympiques ? Échangez.

DOC. 2

Jeux paralympiques   Tokyo 2021   Paris 2024

Comité paralympique, l'équipe

Marie-Amélie Le Fur
Présidente

ENFANCE ET ADOLESCENCE

Marie-Amélie Le Fur est née le 26 septembre 1988 à Vendôme (Loir-et-Cher). Elle pratique l'athlétisme depuis l'âge de 6 ans.
Elle voulait devenir pompière professionnelle mais, le 31 mars 2004, elle a eu un grave accident de scooter. Elle avait 16 ans. Les chirurgiens ont dû amputer[1] sa jambe gauche, sous le genou. Quatre mois plus tard, elle a recommencé à courir ! Sa famille et ses amis lui ont permis de reprendre goût à la vie. Elle a pu se fixer de nouveaux objectifs.
Un an après son accident, elle a participé à sa première compétition handisport.

CARRIÈRE SPORTIVE

Pendant treize ans, de 2006 à 2018, Marie-Amélie a gagné de nombreuses compétitions sportives internationales : Championnats d'Europe et du monde paralympiques, Jeux paralympiques d'été... Son palmarès est impressionnant. Aux Jeux paralympiques de Londres, en 2012, elle a gagné trois médailles : la médaille d'or du 100 mètres, la médaille d'argent du 200 mètres et la médaille de bronze du saut en longueur. Aux Paralympiades de Rio en 2016, elle a gagné les médailles d'or du 400 mètres et du saut en longueur et la médaille de bronze du 200 mètres.
Elle a aussi été championne d'Europe et championne du monde paralympique. Son dernier titre date de 2018 : elle est devenue championne d'Europe du saut en longueur à Berlin et a battu le record du monde avec un saut de 6 mètres 01.

RECONVERSION PROFESSIONNELLE

Après ce dernier titre, elle a arrêté la compétition de haut niveau. Depuis 2018, elle organise des journées de sensibilisation en milieu scolaire sur le thème du sport et du handicap. Elle intervient aussi dans des entreprises pour des conférences, des conseils et des expertises. Elle parraine[2] plusieurs associations et elle est présidente du comité paralympique et sportif français.

1 amputer : couper ; 2 parrainer : soutenir

5 Lisez la page du site (Doc. 2). Répondez.

a. De quel site s'agit-il ?

b. De qui parle le texte ? Quels types d'informations donne-t-il ?

c. Comment s'appelle ce type de texte ? Entourez la bonne réponse.
une interview • un roman • une biographie

6 À deux Relisez (Doc. 2). Relevez les informations déjà données dans le Doc. 1.
Ex. : Depuis 2018, Marie-Amélie Le Fur est présidente du comité paralympique et sportif français.

7 À deux Relisez (Doc. 2).

a. Associez chaque date à un fait marquant de la vie de Marie-Amélie Le Fur.
septembre 1988 • mars 2004 • juillet 2004 • 2005 • 2006-2018 • 2012 • 2016 • 2018 • depuis 2018
Ex. : septembre 1988 → Elle est née à Vendôme.

b. À quels temps sont conjugués les verbes ? Pourquoi ?

c. Relevez les informations sur Marie-Amélie Le Fur quand elle a eu son accident de scooter.

d. À quel temps sont ces informations ? Pourquoi ?

Culture(s)

Le top 10 des sports en nombre de licenciés (membres d'une fédération) en France : football, tennis, équitation, judo-jujitsu, basket, handball, rugby, golf, canoë-kayak, voile.
→ **Et dans votre pays ?**

AGIR

8 À deux Écrivez la biographie d'un sportif ou d'une sportive.

a. Choisissez un ou une sportif/sportive. Faites des recherches. Décidez des moments importants de sa vie personnelle et sportive.
b. Rédigez la biographie de votre sportif ou sportive.
c. **En petit groupe** Partagez vos biographies. Échangez pour les améliorer.
d. **En groupe** Regroupez vos textes dans un recueil biographique. Décidez d'un titre pour le recueil de la classe.

 Postez votre recueil sur le groupe de la classe.

Grammaire

Le passé composé et l'imparfait pour faire un récit au passé (2)

• Pour parler d'un événement ponctuel, chronologique, on utilise **le passé composé**.
Le 31 mars 2004, elle **a eu** un grave accident de scooter.

• Pour décrire une situation, les circonstances ou le contexte des événements, on utilise **l'imparfait**.
Elle **voulait** devenir pompière professionnelle.
Elle **avait** 16 ans.

***Il y a* et *depuis* pour situer dans le temps**

• **il y a** + **durée** pour situer un événement dans le passé. Le verbe est au passé composé.
Vous avez arrêté la compétition sportive **il y a trois ans**.

• **depuis** + **durée** ou **moment** pour indiquer le début d'un événement qui continue dans le présent. Le verbe est au présent.
Elle pratique l'athlétisme **depuis l'âge de 6 ans**.
Elle est aussi, **depuis 2018**, la présidente du comité paralympique et sportif français.

***Pendant*, *de... à...* et *en* pour indiquer une durée**

• **pendant** + **durée** / **de** + **moment** + **à** + **moment**
Pendant treize ans, **de 2006 à 2018**, Marie-Amélie a gagné de nombreuses compétitions sportives internationales.

• **en** + **durée** pour indiquer la durée nécessaire pour accomplir quelque chose.
En trois ans, vous avez fait beaucoup pour le sport et le handicap.

Vocabulaire

Le sport et le handisport 095

Les disciplines : l'athlétisme • le 100 mètres (200 m, 400 m, 800 m...) • le saut (en longueur, en hauteur, à la perche, le triple saut)
Les compétitions : les Jeux olympiques (les olympiades) • les Jeux paralympiques (les paralympiades) • les Championnats (d'Europe, du monde)
Les titres et les médailles : un palmarès • un champion / une championne olympique, paralympique, d'Europe, du monde • une médaille d'or, d'argent, de bronze • un record d'Europe, du monde
Le milieu sportif : un(e) athlète • une carrière (sportive) • le comité olympique, paralympique • une conférence • un conseil • un(e) président(e) • le sport de haut niveau

L'engagement associatif 
une association • une expertise • une sensibilisation • parrainer

> Entraînez-vous > p. 74-75

Raconter une expérience exceptionnelle

COMPRENDRE

http://www.greetsparis.com/fr/27-le-chateau-de-versailles-comme-vous-ne-lavez-jamais-vu.html

UNE EXPÉRIENCE UNIQUE

UN VOYAGE ALLER-RETOUR PAS COMME LES AUTRES

Laissez-vous entraîner dans une aventure sensationnelle : montez à bord d'un hélicoptère H–135 privatisé pour vous. Survolez l'ouest de Paris, Versailles et ses alentours, puis atterrissez à l'aérodrome le plus proche du château. Après cette expérience mémorable, vous retournerez à Paris en hélicoptère.

UN DÉJEUNER À LA FRANÇAISE

Après cette aventure aérienne de toute beauté, prenez place à une table du restaurant *Ore* du chef Alain Ducasse, situé dans le château, et dégustez un menu français. Arrivez par la cour du Prince, profitez de l'accueil chaleureux et de la vue unique sur le château. Savourez de belles assiettes gourmandes.

UNE VISITE PRIVÉE DU CHÂTEAU DE VERSAILLES...

Plongez dans l'histoire ! Avec cette visite privative et très privilégiée (inaccessible au grand public), entrez dans la vie de sa majesté le roi de France, visitez ses chambres et ses appartements. Découvrez les lieux secrets du château de Versailles et du Trianon avec votre conférencier personnel.

CLIN D'ŒIL GREETS : Il y a mille façons de découvrir un monument ! Aujourd'hui, nous vous proposons un point de vue exceptionnel (Versailles vu du ciel), une visite unique et un déjeuner à la française. Une superbe opportunité, un cadeau à offrir à un être cher.

DÉTAILS : *Ce programme se déroule sur une demi-journée - Âge minimum requis : 10 ans - Le programme est disponible sur demande et sous réserve de disponibilité.*

DEMANDE DE RAPPEL OU Renseignez votre adresse e-mail OK

1 Observez le site (Doc. 1). Soulignez la bonne réponse.

a. Greetsparis.com est un site de **services** • **rencontres**.

b. Il propose **une** • **deux** • **trois** étape(s) dans cette formule.

c. Il propose une visite **en groupe** • **privée** du château de Versailles.

2 Lisez (Doc. 1).

a. Pour chaque étape, identifiez l'activité principale.

b. Expliquez le titre.

3 À deux Relisez (Doc. 1). *Vrai* ou *faux* ? Justifiez.

a. Il y a un guide pour la visite du château.

b. On peut visiter des pièces qui sont fermées au public.

c. L'hélicoptère atterrit dans les jardins du château.

d. Le restaurant est dans le château.

e. L'expérience dure une journée.

4 À deux Relisez (Doc. 1). Notez les mots et expressions qui montrent le caractère exceptionnel de cette visite.

Ex. : unique

5 En petit groupe Aimeriez-vous faire cette visite du château de Versailles ? Pourquoi ? Quels autres monuments français aimeriez-vous visiter ? Échangez.

6 a. Écoutez la conversation (Doc. 2). Qui parle ? De quoi ?

b. Est-ce que l'amie d'Hugo est enthousiaste ? Justifiez.

7 À deux Réécoutez (Doc. 2).

a. À quel moment de la visite correspondent ces précisions ? Associez.

1. Il a expliqué clairement. • 2. Il marchait trop rapidement. • 3. Il vient rarement. • 4. Il a survolé tranquillement le château. • 5. Il parlait lentement. • 6. On nous a accueillis chaleureusement. • 7. On le suivait difficilement.

a. le vol • b. le déjeuner • c. la visite du château

b. Dites si ces précisions sont positives ou négatives.

8 À deux a. Reliez l'adverbe à l'adjectif correspondant.

clairement •	• direct(e)
directement •	• chaleureux(euse)
lentement •	• clair(e)
chaleureusement •	• lent(e)

b. Entourez la bonne réponse.

On forme l'adverbe avec l'adjectif **masculin** • **féminin** + *-ment*.

c. Observez les phrases de l'activité 7a et soulignez la bonne réponse.

L'adverbe se place **avant** • **après** le verbe.

9 À deux Observez les phrases. Dites si *très*, *trop* et *beaucoup* modifient un adjectif, un adverbe ou un verbe.

Ça s'est **très** bien passé. • C'était **très** bon. • On a **beaucoup** marché. • Il marchait **trop** rapidement.

Culture(s)

Alain Ducasse, né en 1956, est un chef cuisinier français. Il a eu trois étoiles au guide Michelin pour trois restaurants différents.

→ **Quels autres chefs de cuisine française connaissez-vous ?**

AGIR

10 Racontez une expérience exceptionnelle (réelle ou imaginaire).

a. **En petit groupe** Échangez. Racontez votre expérience (visite culturelle, voyage, rencontre…). Sélectionnez la plus exceptionnelle.

b. **En groupe** Partagez. Racontez l'expérience choisie à la classe. Justifiez votre choix.

11 À deux Proposez une expérience exceptionnelle.

a. Choisissez une expérience de l'activité 10b.

b. Créez votre page Internet Greets[lieu de votre choix].com pour proposer cette expérience. Partagez avec la classe.

Postez vos propositions sur le groupe de la classe.

Grammaire

Les adverbes en *-ment* pour exprimer la manière (1)

Ils se forment avec **l'adjectif féminin** + -ment.
En général, ils se placent après le verbe.
Il parlait **lentement**. Il est rentré **directement**.
! Tu dois **absolument** / **vraiment** offrir cette visite à Philippe.

Les adverbes *très*, *trop* et *beaucoup* pour exprimer l'intensité

• Très modifie un adjectif ou un adverbe.
C'était très **bon**. Ça s'est très **bien** passé.

• Trop modifie un adjectif, un adverbe ou un verbe.
C'est trop **rapide**. Il marchait trop **rapidement**.
Il **marche** trop.

• Beaucoup modifie un verbe.
On **a** beaucoup **marché**.
! Au passé composé, **beaucoup** et **trop** se placent entre *être* ou *avoir* et le participe passé.

Les exclamations pour montrer l'enthousiasme

• quel(le)(s) + nom + !
Quelle chance !

• comme / qu'est-ce que + phrase + !
Comme c'est beau ! Qu'est-ce que c'est beau !

Vocabulaire

Le transport aérien 098

un aérodrome • un aller-retour • un hélicoptère • aérien(ne) • vu(e) du ciel • atterrir • monter à bord • survoler

Le château (de Versailles) 099

les appartements privés • les chambres • la cour • les lieux secrets • sa majesté • le roi

La cuisine (2) 100

un accueil • un déjeuner • une étoile • un menu • une table • déguster • savourer

L'exception 101

chaleureux / chaleureuse • exceptionnel(le) • inoubliable • mémorable • privilégié(e) • sensationnel(le) • superbe • unique • de toute beauté • pas comme les autres

Phonétique

Les sons /E/, /Œ/ et /O/ 102 19

• Le son /E/ ([e] et [ɛ]) est souriant.
Ex. : majesté • déjeuner • chef • jamais
• Le son /Œ/ ([ə], [ø] et [œ]) est arrondi, aigu.
Ex. : menu • lieu • chaleureux • accueil
• Le son /O/ ([o] et [ɔ]) est arrondi, grave.
Ex. : beau • autre • aérodrome • bord

• **Écoutez. Vous entendez /E/, /Œ/ ou /O/ ?**
Ex. : un appartement → /Œ/

> Entraînez-vous p. 74-75

Décrire un projet de vie

COMPRENDRE

DOC. 1 103

1 Observez (Doc. 1). Répondez.

a. Qu'est-ce que c'est ?
b. Quel est le nom de la radio et de l'émission ?
c. Qui va-t-on écouter ? De quoi va-t-il parler ?

2 Écoutez (Doc. 1). Cochez (✓) la bonne réponse. Justifiez.

☐ a. Un célèbre animateur quitte la télévision pour faire des conférences.
☐ b. Un célèbre animateur prépare une émission sur la méditation au travail.
☐ c. Un célèbre animateur quitte la télévision pour devenir professeur de méditation.

3 À deux Réécoutez (Doc. 1). Répondez.

a. Quel était le premier métier de Frédéric Lopez ?
b. Pourquoi quitte-t-il la télévision ?
c. Pendant combien de temps a-t-il fait de la télévision ?
d. Qu'est-ce qui l'a aidé à être moins stressé ?
e. Quelle est la réaction de sa famille ?
f. Quand son fils a-t-il commencé à détester son travail ?

4 À deux Réécoutez (Doc. 1). Mettez dans l'ordre les étapes du projet de Frédéric Lopez.

a. aller à l'université d'Oxford
b. assister à une conférence
c. aller à l'université de Strasbourg
d. ouvrir un centre de méditation
e. suivre un stage

5 À deux Lisez les phrases. Associez.

avant / après + nom • ***avant de*** + infinitif
a. Avant la méditation, j'étais très stressé.
b. Avant de devenir professeur, je dois me former.
c. Après cette formation, je suivrai un stage.
d. Après la publication de certaines photos de lui dans la presse, il a détesté mon travail.

6 En petit groupe Regardez la vidéo d'Akram et répondez.

Ce soir, avant de rentrer chez moi, je passerai au supermarché et, après le dîner, je regarderai peut-être un film. Mais avant de dormir, je lis toujours. Et vous ? 20

DOC. 2

1 Au quotidien, vous vous ennuyez :
a. un peu. ★
b. jamais. ●
c. beaucoup. ◆

2 Sortir du lit le matin, c'est :
a. facile. ★
b. un plaisir. ●
c. je ne me lève pas. ◆

3 La nuit, vous êtes :
a. agité(e). ◆
b. tranquille. ●
c. ça dépend. ★

4 Êtes-vous stressé(e) ?
a. Jamais. ●
b. Par moments. ★
c. Fréquemment. ◆

5 Votre métier, c'est :
a. une passion. ●
b. comme ci, comme ça. ◆
c. un choix. ★

6 Vous trouvez votre activité :
a. répétitive. ◆
b. utile. ★
c. créative. ●

Comptez le nombre de symboles ●, ★, ◆ et lisez les résultats.

DOC. 3

Résultats du test

Vous avez une majorité de ●
Le changement ? Pour le moment, non merci ! Vous n'êtes pas encore fatigué(e) de vos activités. Votre travail est un vrai plaisir.

Vous avez une majorité de ★
Vous devriez changer deux ou trois choses : un nouveau poste, un déménagement, un nouveau mode de vie... Mais cela suffira-t-il ?

Vous avez une majorité de ◆
Trop de problèmes, trop de frustrations, trop d'insatisfactions, vous en avez assez. Vous ne pouvez plus supporter votre routine. La solution : tout quitter pour changer de vie !

7 Observez la page du site (Doc. 2). Répondez.

a. À qui s'adresse le site ?
b. Que propose cette page ? Quel est l'objectif ?

8 À deux Lisez (Doc. 2 et 3).

a. Relevez :
1. les expressions qui signifient *pas trop mal* et *parfois oui, parfois non*.
2. les termes liés aux sentiments et sensations.

b. Identifiez les mots inconnus et proposez des explications. Échangez.

9 a. Faites le test (Doc. 2).

b. Comptez le nombre de symboles ●, ★, ◆ et lisez les résultats du test (Doc. 3).

c. À deux Comparez vos résultats. Pensez-vous que ça vous correspond ? Échangez.

d. Reliez chaque résultat du test à la décision correspondante. Justifiez.

1. ● a. Je garde mon travail.
2. ★ b. Je trouve un nouveau travail.
3. ◆ c. J'améliore mes activités professionnelles.

AGIR

10 Décrivez un projet de vie (réel ou imaginaire).

a. Décrivez par écrit votre projet, étape par étape.
b. **À deux** Comparez vos projets et améliorez vos textes.
c. **En groupe** Présentez et expliquez vos projets à la classe. Échangez.

Grammaire

▸ *Trop de* + nom pour exprimer une quantité excessive
Trop de problèmes, trop de frustrations, trop d'insatisfactions.

▸ *Avant*, *avant de* et *après* pour indiquer l'antériorité et la postériorité
• avant + **nom**
Avant **la méditation**, j'étais très stressé.
• avant de + **infinitif**
Avant de **devenir** professeur, je dois me former.
• après + **nom**
Après **cette formation**, je suivrai un stage.

▸ Les adverbes en *-ment* pour exprimer la manière (2)
• Adjectif en -ent → adverbe en -emment
fréquent → fréquemment
! lent → lentement
• Adjectif en -ant → adverbe en -amment
constant → constamment

▸ La négation (2)
• ne... plus
Je n'ai plus l'énergie.
≠ J'ai **toujours** / **encore** l'énergie.
Vous ne pouvez plus supporter votre routine.
≠ Vous pouvez **toujours** / **encore** supporter votre routine.
• ne... pas encore
Vous n'êtes pas encore fatigué(e) de vos activités.
≠ Vous êtes **déjà** fatigué(e) de vos activités.

Vocabulaire

▸ Les marqueurs temporels  104
d'abord • ensuite • puis • enfin

▸ Les sentiments (3) et les sensations 105
la frustration • l'insatisfaction (f.) • le plaisir • agité(e) • répétitif(ve) • stressé(e) • s'ennuyer

▸ Les médias (1) 106
un animateur / une animatrice • la presse • un(e) reporter • célèbre • présenter (une émission)

▸ Les expressions  107
ça dépend • comme ci, comme ça

▸ La formation (2) 108
un centre • une conférence • un cours • la pratique • (suivre) un stage • assister à • se former

Phonétique

▸ Le son [r]  109  21
Le son [r] est très léger, il sonne dans la gorge.
Ex. : un cours • former • un centre • arrête

• **Écoutez. Est-ce que vous entendez [r] ?**
Ex. : Arrêtez ! → oui

> Entraînez-vous p. 74-75

Techniques pour…

… écrire un poème

LIRE

LIBERTÉ

Prenez du soleil
Dans le creux des mains,
Un peu de soleil
Et partez au loin !

Partez dans le vent,
Suivez votre rêve ;
Partez à l'instant,
La jeunesse est brève !

Il est[1] des chemins
Inconnus des hommes,
Il est des chemins
Si aériens !

Ne regrettez pas
Ce que vous quittez.
Regardez, là-bas,
L'horizon briller.

Loin, toujours plus loin,
Partez en chantant !
Le monde appartient
À ceux qui n'ont rien.

43

[1] il est : il y a

Maurice Carême, dans *La Lanterne magique*,
© Fondation Maurice Carême, 1947.

1 **[Découverte]** **Observez le poème (Doc. 1). Identifiez :**
- le titre du poème ;
- le nom de l'auteur ;
- le titre du recueil ;
- le nombre de strophes (= parties) ;
- le nombre de vers (= lignes) par strophe.

2 **À deux** **Lisez (Doc. 1). Choisissez une photo pour illustrer le poème. Justifiez votre choix.**

1

2

3

3 **[Analyse]** **À deux** **Relisez (Doc. 1). Associez chaque interprétation à la strophe correspondante.**
a. Il y a des projets originaux à réaliser.
b. Il ne faut pas être triste de partir.
c. Il faut partir quand on est jeune.
d. Il faut voyager loin.
e. Il faut changer de vie avec joie.

4 110 **À deux** **Écoutez et relisez (Doc. 1).**

a. **Dans ce poème, il y a cinq syllabes par vers. *Vrai* ou *faux* ? Vérifiez.**
Ex. : Pre / nez / du / so / leil

b. **Notez les mots qui riment.**
Ex. : mains / loin

5 **Complétez avec les mots du poème.**
– La nature : soleil…
– Les voyages : partez…

6 **À deux** **Complétez le poème avec les mots de la liste. Faites des rimes.**

chanson • artistique • heureux • musique • nuit • sons • bruit • yeux

RÊVE

Parfois dans la .... ,
J'entends une .... ,
C'est un joyeux .... ,
Doux et ....

Quand je ferme les .... ,
C'est comme une .... ,
Dans un monde .... ,
Plein de jolis ....

POUR écrire un poème

- **Choisir un thème**
  Nouvelle vie
- **Choisir un titre**
  Liberté
- **Décider du nombre de strophes, de vers et de syllabes par vers**
  5 strophes, 4 vers par strophe, 5 syllabes par vers

  Partez dans le vent,
  1 2 3 4 5
  Suivez votre rêve ;
  1 2 3 4 5
  Partez à l'instant,
  1 2 3 4 5
  La jeunesse est brève !
  1 2 3 4 5
- **Trouver des mots qui riment**
  vent • *l'instant*

ÉCRIRE

7 **En petit groupe** **Écrivez un poème de quatre vers.**

a. Choisissez **un thème.**
b. **Listez le vocabulaire nécessaire pour ce thème.**
c. Décidez **du nombre de syllabes par vers.**
d. **Rédigez le poème. Faites des rimes.** Choisissez **un titre.**

8 **Lisez votre poème à la classe.**

... la médiation : réagir à un texte littéraire, créatif ou poétique

DOC. 2

9 **Lisez les commentaires sur le forum (Doc. 2).**

a. **De quoi parlent-ils ?**
b. **Notez les expressions :**
1. pour donner un avis positif.
2. pour donner un avis négatif.

10 **Relisez *Liberté* de Maurice Carême (Doc. 1).**

a. **Écrivez une appréciation de ce poème pour le site Poesies.net.**
b. **En petit groupe** Partagez **vos commentaires.**

S'entraîner

Leçon 17

Le passé composé et l'imparfait (2)

1 Conjuguez les verbes au passé composé ou à l'imparfait.

Quand elle (être) était jeune, Claire (rêver) .... de faire de la boxe. Elle (commencer) .... la boxe à 15 ans. Les entraînements (être) .... très difficiles mais elle (décider) .... de continuer. Elle (vouloir) .... devenir championne olympique. Elle (avoir) .... 18 ans quand elle (gagner) .... son premier combat. Elle (pratiquer) .... la boxe jusqu'à l'âge de 30 ans.

Il y a et *depuis*

2 Complétez avec *il y a* ou *depuis*.

Ex. : Il a été champion d'Europe il y a cinq ans.

a. Elle ne fait plus de compétition .... son accident.
b. Cette compétition existe .... dix ans.
c. Ils ont gagné le titre olympique .... un mois.
d. Il fait du saut à la perche .... son enfance.
e. Il a perdu son titre .... une semaine.
f. Elle a battu le record du monde .... deux ans.

Pendant et *en*

3 Entourez le mot qui convient.

Ex. : Elle a été sportive de haut niveau (pendant) • en dix ans.

a. Il court le 100 mètres **pendant** • **en** moins de dix secondes.
b. Ils ont créé leur équipe **pendant** • **en** un mois.
c. **Pendant** • **En** toute sa carrière, elle a gardé le même entraîneur.
d. J'ai beaucoup progressé **pendant** • **en** mon stage de préparation.
e. On a organisé cet événement sportif **pendant** • **en** trois semaines.

Le sport et le handisport

4 Associez les disciplines de l'athlétisme aux photos correspondantes.

a. le saut à la perche
b. le saut en hauteur
c. le saut en longueur
d. le 100 mètres

1. ....

2. ....

3. ....

4. ....

Leçon 18

Les adverbes en *-ment* (1)

5 Transformez, comme dans l'exemple.

Ex. : L'accueil du guide a été agréable pour les visiteurs.
→ Le guide a accueilli les visiteurs agréablement.

a. Sa façon de parler était naturelle.
→ Il parlait ....
b. Ses explications étaient très claires.
→ Il expliquait très ....
c. Ses réponses étaient parfois trop longues.
→ Il répondait parfois trop ....
d. Il était très sérieux.
→ Il se comportait très ....
e. Les visiteurs ont été très attentifs aux informations.
→ Les visiteurs ont écouté très .... les informations.

Les adverbes *très*, *trop* et *beaucoup*

6 Soulignez l'adverbe qui convient.

Ex. : Ce vol en hélicoptère était beaucoup • très impressionnant.

a. Pendant la visite, il faisait **trop** • **beaucoup** chaud.
b. Cette aventure m'a **beaucoup** • **très** plu.
c. Au restaurant, nous avons **très** • **beaucoup** bien mangé.
d. Le tour du château était **beaucoup** • **trop** fatigant.
e. J'aime **très** • **beaucoup** cette formule.
f. Ces visites en groupes me fatiguent **trop** • **très**.

7 Mettez les mots dans l'ordre.

Ex. : trop • en hélicoptère • était • Le voyage • court.
→ Le voyage en hélicoptère était trop court.

a. beaux. • Les appartements • très • du roi • sont
→ ....
b. a • On • bien • très • au restaurant *Ore*. • mangé → ....
c. longtemps • La visite • trop • dure. → ....
d. Le conférencier • trop • parle • vite. → ....
e. marché. • Nous • beaucoup • avons → ....
f. les visiteurs. • impressionne • Ce château • beaucoup → ....

Les exclamations

8 Entourez la forme qui convient.

Ex. : (Quel) • Comme endroit incroyable !

a. **Comme** • **Quelle** la visite est intéressante !
b. **Qu'est-ce que** • **Quelle** c'est bon !
c. **Quelle** • **Comme** belle vue !
d. **Qu'est-ce que** • **Quels** les jardins sont beaux !

e. Quel • Qu'est-ce que c'est original !
f. Comme • Quel c'est magique !
g. Quels • Qu'est-ce que paysages superbes !

L'exception

9 Mettez les lettres dans l'ordre.

Ex. : Mon voyage a été x e e t i o c e n p n l
→ exceptionnel !
a. C'est une région s p e r u e b → .... !
b. J'ai visité un château u q u i e n → .... !
c. C'est une expérience m o r b a l é m e → .... !
d. J'ai été un visiteur r i l i p é g i v é → .... !

Les sons /E/, /Œ/ et /O/

10 a. Comment se prononcent les lettres en gras ? Barrez l'intrus.

Ex. : un métier • ~~un lieu~~ • sa majesté
a. un m**e**nu • un acc**ueil** • d**î**ner
b. sup**e**rbe • privil**é**gié • b**eau**
c. un hélicopt**è**re • à b**o**rd • un surv**o**l
d. b**eau**coup • tr**o**p • tr**è**s
e. lent**e**ment • un m**e**nu • une **é**toile
f. un chât**eau** • un apparte**m**ent • un cad**eau**

b. 111 **Écoutez pour vérifier.**

Leçon 19

Trop de + nom

11 Complétez avec *trop de* ou *trop d'*.

Je veux changer de vie car, dans ma vie actuelle, il y a trop de problèmes, ... fatigue nerveuse, ... frustrations, ... activités que je n'aime pas, ... idées que je ne partage pas et .... ennui. Bref, ... choses qui ne me plaisent pas !

Avant, avant de et *après*

12 Transformez avec *avant* ou *après*, comme dans l'exemple.

Ex. : D'abord, il va faire sa formation et, ensuite, il changera de profession. → Il changera de profession après sa formation.
a. Il a eu un accident. Puis il a arrêté de travailler.
→ Il a arrêté de travailler .... son accident.
b. Je vais faire une conférence. Je suis très stressé.
→ .... ma conférence, je suis très stressé.
c. Elle a été malade. Ensuite, elle avait moins d'énergie.
→ Elle avait plus d'énergie .... sa maladie.
d. Il va faire un stage et puis il trouvera un travail.
→ Il trouvera un travail .... son stage.

13 Complétez avec *avant* ou *avant de/d'*.

Ex. : Je vais réfléchir avant de changer de travail.
a. .... ce cours, je ne savais pas parler en public.
b. Je m'ennuyais .... décider de partir.
c. On a dû se former .... devenir enseignants.
d. .... aller à l'entretien, j'ai dû me préparer.
e. J'étais très nerveux .... ce stage de méditation.

Les adverbes en *-ment* (2)

14 Trouvez l'adjectif ou l'adverbe.

Adjectif	Adverbe
Ex. : fréquent	fréquemment
a.	bruyamment
b. intelligent	....
c.	prudemment
d. récent	....
e. courant	....
f.	patiemment

La négation (2) : *ne... plus* et *ne... pas encore*

15 À deux Complétez avec *ne (n')... plus* ou *ne (n')... pas encore*.

Ex. : – Vous êtes toujours satisfait de votre situation ?
– Non, je ne suis plus satisfait.
a. – Il a déjà fait son stage ?
– Non, il .... l'a .... fait.
b. – Elle suit toujours les cours d'anglais ?
– Non, elle .... les suit ....
c. – Vous travaillez encore à la télé ?
– Non, je .... y travaille ....
d. – Elles ont déjà commencé le cours de méditation ?
– Non, elles .... l'ont .... commencé.
e. – Il présente toujours l'émission ?
– Non, il .... la présente ....

Le son [r]

16 112 **Écoutez. Combien de fois entendez-vous [r] ? Notez 1 ou 2.**

Ex. : Il voudrait changer de travail.

Ex. :	a.	b.	c.	d.	e.	f.	g.	h.
2								

Parcours digital — Retrouvez les activités avec sur inspire2.parcoursdigital.fr et plus de 150 activités inédites.

Faites le point

Expressions utiles

DONNER DES INFORMATIONS BIOGRAPHIQUES

- Elle est née le 26 septembre 1988.
- Elle a eu un grave accident de scooter. Elle avait 16 ans.
- Elle a aussi été championne d'Europe.
- Elle a arrêté la compétition de haut niveau.

EXPRIMER LE MOMENT ET LA DURÉE

- Elle est présidente depuis 2018.
- Elle a été championne olympique en 2016.
- Vous avez arrêté la compétition sportive il y a trois ans.
- Quatre mois plus tard, elle a recommencé à courir.
- Un an après son accident, elle a participé à une compétition.
- En trois ans, vous avez fait beaucoup pour le sport et le handicap.
- Pendant treize ans, de 2006 à 2018, Marie-Amélie a gagné de nombreuses compétitions sportives.

MONTRER LE CARACTÈRE EXCEPTIONNEL D'UN ÉVÉNEMENT

- Laissez-vous entraîner dans une aventure sensationnelle.
- Après cette expérience mémorable, vous retournerez à Paris en hélicoptère.
- Comme c'est beau !
- Qu'est-ce que c'est beau !
- Quelle chance !
- C'était une journée inoubliable.

EXPRIMER LA MANIÈRE ET L'INTENSITÉ

- Ça s'est très bien passé.
- Il marchait trop rapidement.
- On nous a accueillis chaleureusement.
- On a beaucoup marché.

DÉCRIRE UN PROJET

- Avant de devenir professeur, je dois me former.
- D'abord, je vais aller à l'université de Strasbourg.
- Après cette formation, je suivrai un stage.
- Ensuite, j'irai à l'université d'Oxford.
- Avant de poursuivre ma formation, je vais assister à une conférence internationale.
- Enfin, j'ouvrirai un centre de méditation.

EXPRIMER L'INSATISFACTION

- Je n'ai plus l'énergie.
- Vous en avez assez. / J'en ai assez.
- Vous ne pouvez plus supporter votre routine.

Évaluez-vous !

À LA FIN DE L'UNITÉ 5, VOUS SAVEZ...	APPLIQUEZ !
☐ **donner des informations biographiques.**	Conjuguez à l'imparfait ou au passé composé. Tony Parker (arrêter) .... sa carrière de joueur professionnel de basket en 2019 ; il (avoir) .... 37 ans.
☐ **exprimer le moment et la durée.**	Complétez avec *il y a* ou *depuis*. J'apprends le français .... deux ans. J'ai visité la France .... deux ans.
☐ **exprimer la manière.**	Transformez les adjectifs en adverbes. lent • tranquille • malheureux • élégant
☐ **utiliser *très*, *trop de* et *beaucoup*.**	Complétez avec *très*, *trop de* ou *beaucoup*. Je travaille .... • J'ai .... bien compris ! • Je regarde .... films.
☐ **indiquer l'antériorité et la postériorité.**	Soulignez la bonne réponse. **Avant / Après** les études à l'université, on va au lycée. **Avant / Après** mes études, je commencerai à travailler.
☐ **utiliser le contraire de *toujours*.**	Complétez la réponse. – Il est toujours journaliste ? – Non, il .... journaliste.
☐ **utiliser la négation *ne... pas encore*.**	Parlez-vous français couramment ?

Engagez-vous

VOUS ALLEZ APPRENDRE À :

- vous engager
- caractériser des produits
- parler de votre consommation

VOUS ALLEZ UTILISER :

LEÇON 21

- la cause : *à cause de*, *grâce à* + nom/pronom ; *parce que / comme* + phrase
- la conséquence : *donc*, *alors*, *c'est pourquoi*

LEÇON 22

- les adjectifs possessifs (*mon*, *ma*...) et les pronoms possessifs (*le mien*, *la mienne*...)
- le pronom interrogatif *lequel*
- les pronoms démonstratifs (*celui-ci*, *celle-là*...)

LEÇON 23

- l'expression de la quantité
- le pronom *en*
- *ne... que*

TECHNIQUES POUR...

- rédiger une lettre de demande de rendez-vous
- la médiation : expliquer un mot ou une expression

CULTURE(S) VIDÉO

22 **Interview de Yann Arthus-Bertrand**

LEÇON 21 S'engager

COMPRENDRE

Dans le monde entier, des jeunes s'engagent pour le climat.

LE COMBAT DES JEUNES CONTRE LE CHANGEMENT CLIMATIQUE

Publié le 10 mars 2020

La jeunesse nous montre l'exemple. Dans le monde entier, les jeunes organisent des actions pour sensibiliser les dirigeants aux problèmes environnementaux : grève du vendredi, manifestations, ramassage de déchets, participation à des conférences nationales ou internationales.
Sur tous les continents, ces jeunes s'engagent individuellement ou dans des associations. Nous connaissons les plus célèbres : Greta Thunberg en Suède, Leah Namugerwa en Ouganda, Ralyn Satidtanasarn en Thaïlande, Catarina Lorenzo au Brésil, Inga Zasowska en Pologne.

En France, à Grenoble, Robin Jullian fait tous les vendredis la grève scolaire pour le climat. Il est membre de l'organisation « Youth for climate France » (Les jeunes pour le climat France). Nous avons interrogé des jeunes de cette organisation et des personnes qui soutiennent le mouvement mondial « Fridays for future » (Les vendredis pour l'avenir) pour connaître leurs motivations. Pourquoi se sont-ils engagés dans la défense de notre planète ?

Cliquez ici pour écouter les témoignages ►

1 Observez l'article du site Éthic'Infos (Doc. 1). Qui sont les personnes sur les photos ? Faites des hypothèses.

2 Lisez l'article (Doc. 1).

a. Vérifiez vos hypothèses de l'activité 1.

b. *Vrai* ou *faux* ? Justifiez.

1. L'article parle de l'engagement des jeunes pour le climat.
2. Les dirigeants veulent sensibiliser les jeunes aux problèmes environnementaux.
3. Des jeunes participent au mouvement partout dans le monde.
4. Le/La journaliste a interrogé des femmes et des hommes politiques.

c. À deux Associez les actions pour le climat aux photos de l'article.

- grève scolaire
- ramassage des déchets
- manifestation
- participation à des conférences

3 En petit groupe Connaissez-vous des associations et/ou des jeunes qui s'engagent pour le climat ? Connaissez-vous d'autres combats écologiques ? D'autres types d'actions ? Échangez.

4 Écoutez les trois témoignages (Doc. 2). Associez chaque jeune (Matthieu, Kim et Adam) :

a. à son association.

1.

2.

3.

b. à l'origine de son engagement.

1. les catastrophes naturelles
2. le réchauffement climatique
3. la pollution

c. à son action.

1. la grève du lycée
2. les manifestations
3. le ramassage des déchets

5 **À deux** **Réécoutez Kim et Adam (Doc. 2).**

a. Cochez (✓) les catastrophes naturelles citées.

1. ☐ une inondation

2. ☐ un ouragan

3. ☐ un tremblement de terre

4. ☐ un incendie de forêt

b. Relevez les lieux de ramassage des déchets.

6 **À deux** **Réécoutez Matthieu et Adam (Doc. 2). Répondez.**

a. Quel est le résultat de la fonte du glacier ? Ce résultat est-il positif ou négatif ?

b. Comment Matthieu a-t-il connu son association ? Relevez la phrase et repérez le mot qui introduit la cause.

c. Selon Adam, pourquoi faut-il montrer l'exemple ?

7 **À deux** **Trouvez la cause et la conséquence dans les phrases. Quels mots introduisent la conséquence ?**

a. J'habite à la montagne donc je vois les dégâts du réchauffement climatique.
b. On voit tous les jours à la télé des inondations… Alors, je me suis dit : « Tu dois agir ».
c. Je me suis dit : « Tu dois faire quelque chose », c'est pourquoi j'ai rejoint Youth for climate France !

AGIR

8 **Engagez-vous.**

a. **En petit groupe** Choisissez une cause d'engagement.
b. Décidez des actions à mener.
c. Créez une association pour défendre votre cause : inventez un nom, un logo, un slogan (**ex. :** « Je ramasse 1 Déchet Par Jour »).
d. Enregistrez un témoignage sur votre engagement.
e. **En groupe** Écoutez et comparez les témoignages.

Postez vos témoignages sur le groupe de la classe.

Grammaire

La cause

• **à cause de** + **nom/pronom** pour exprimer une cause qui a un résultat négatif
La station d'été a fermé en 2005 **à cause de la fonte** du glacier.

• **grâce à** + **nom/pronom** pour exprimer une cause qui a un résultat positif
Grâce à une amie, j'ai connu Fridays for future.

! à cause ~~de le~~ → du / grâce ~~à le~~ → au

Rappel : on peut exprimer la cause avec **parce que** + **phrase**.
On agit **parce qu'on se sent concernés** !

! Si la cause est dans la première partie de la phrase, on utilise **comme** + **phrase**.
Comme nos dirigeants ne font rien, il faut montrer l'exemple !

La conséquence : ***donc, alors, c'est pourquoi***
J'habite à la montagne **donc** je vois les dégâts du réchauffement climatique.
Alors je me suis dit : « Tu dois faire quelque chose ; tu dois agir », **c'est pourquoi** j'ai rejoint Youth for climate !

Vocabulaire

L'engagement  116
une action • une association • un combat • la défense • une grève • une manifestation • une motivation • un mouvement • une organisation • agir • défendre • être membre de • faire grève • lutter • manifester • s'engager • sensibiliser • se sentir concerné(e) • soutenir

L'environnement 117
le climat • un déchet • la fonte (des glaces) • un glacier • la planète • la pollution • un problème environnemental • le réchauffement climatique

Les catastrophes naturelles  118
un incendie de forêt • une inondation • un ouragan • un tremblement de terre

Phonétique

Les enchaînements  119  23

• On prononce la consonne avec la voyelle qui suit.
Ex. : Je fais la grève_avec_eux → [gr ɛ-va-vɛ-kø].
• On ne s'arrête pas entre deux voyelles prononcées.
Ex. : La station_a fermé → [sta sjɔ̃ a].

• **Écoutez et répétez. Enchaînez les mots.**
a. Il_y a trente_ans. [il ja tr ɑ̃ tɑ̃]
b. J'_habite_à la montagne. [ʒa bi ta la mɔ̃ ta ɲ]
c. grâce_à_une_amie [gr a sa y na mi]

› Entraînez-vous p. 86-87

Caractériser des produits

COMPRENDRE

Végétariens* et véganes**, bienvenue à Lille !

Restaurants, épiceries, boutiques... Découvrez Lille et ses commerces de produits végétariens et véganes (alimentation, cosmétiques, vêtements et accessoires), respectueux des animaux et de la planète.

Découvrez aussi les associations, les cours de cuisine... et + de 100 adresses ! Pour plus d'informations, rendez-vous sur www.lillenvert.fr

LILL'ENVERT

Association Lill'envert.
Ma vie est 100 % naturelle. Et la vôtre ?

Avec le soutien de la mairie de Lille

* Végétariens : pas de viande, pas de poisson ** Véganes : pas de produits d'origine animale

1 Observez le prospectus (Doc. 1).

a. Identifiez :

1. le titre et le thème.
2. les logos.
3. le slogan.
4. l'adresse Internet.

b. Qui a créé ce prospectus ? À votre avis, pour qui ?

2 Lisez (Doc. 1).

a. Quel est l'objectif du prospectus ? Cochez (✓) les bonnes réponses.

- ☐ 1. proposer un itinéraire touristique à Lille
- ☐ 2. décrire l'offre végétarienne et végane à Lille
- ☐ 3. présenter des produits véganes
- ☐ 4. décrire les produits fabriqués à Lille

b. Répondez.

1. Où peut-on trouver des produits végétariens et véganes à Lille ?
2. Quel type de produits végétariens et véganes trouve-t-on ?

3 À deux Observez la photo et lisez les bulles (Doc. 1).

a. Décrivez la photo.

b. De quoi parlent-ils ? À qui s'adressent-ils ?

c. Entourez la bonne réponse.

1. Ils donnent des conseils sur les matières.
2. Ils comparent les matières des produits.
3. Ils disent pourquoi ils sont véganes.

d. Classez les matières citées dans la catégorie correspondante.

non-biodégradable • origine animale • origine végétale

4 À deux Observez les phrases et répondez.

a. Qui possède quoi ? Reliez.

1. **Votre chemise** est en soie ?
2. **La mienne** est en fibres de soja.

a. la femme sur la photo
b. le lecteur du prospectus

b. Que remplace le pronom *la mienne* ?

c. Que remplacent les pronoms suivants sur le prospectus ?

1. **Les nôtres** sont en caoutchouc sauvage.
2. **Les miens** sont en bois.
3. Et **la vôtre** ?

5 Associez trois logos du prospectus aux formules suivantes.

a. sans produits chimiques • b. sans tests sur les animaux • c. sans ingrédients d'origine animale

Culture(s)

Lille (235 000 habitants) est la 10e ville de France. C'est la capitale des Hauts-de-France, région du nord de la France. Elle se trouve à proximité de la frontière belge.

6 **En petit groupe** **Regardez la vidéo de David et répondez.**

Aujourd'hui, je porte un pantalon en jean écologique, une chemise en coton et des tennis. Et vous ? ▶ 24

DOC. 2 🎧 120

7 Écoutez la conversation (Doc. 2).

a. Cochez (✓) la bonne réponse.

☐ Ils font les courses pour la semaine.
☐ Ils découvrent des produits véganes.
☐ Ils répondent à une interview.

b. *Vrai* ou *faux* ? Justifiez.

1. Ils comparent les produits véganes aux produits traditionnels.
2. Le sac est en cuir végétal.
3. Thomas trouve que les gants sont moches.
4. Laura achète une protection solaire.
5. Ils achètent des chaussures.

8 **À deux** **Réécoutez (Doc. 2).**

a. Reliez.

1. Regarde ces gants.
2. Elle sent bon, cette crème.
3. Regarde ce sac.
4. Ça m'intéresse, les chaussures véganes.

a. **Lesquelles** tu aimes ?
b. **Lesquels** ?
c. **Lequel** ?
d. **Laquelle** ?

b. Observez. Complétez les autres questions.

Lequel ? = **Quel** sac ? • Laquelle ? = ... ? • Lesquels ? = ... ? • Lesquelles tu aimes ? = ... ?

c. Lisez les phrases. De quel produit s'agit-il ?

1. **Celui-là**, le grand pour mettre l'ordinateur.
2. **Ceux-là**, en noir.
3. **Celle-ci** a une protection solaire !
4. **Celles-là** sont bien.

AGIR

9 **Caractérisez des produits.**

a. **En petit groupe** Sélectionnez des produits écologiques (une brosse à dents, un produit ménager, un vêtement...).
b. **À deux** Choisissez deux produits.
c. Créez un prospectus pour présenter les produits : précisez la matière, comparez avec les produits similaires non-écologiques, donnez un titre, illustrez...
d. **En groupe** Distribuez vos prospectus à la classe pour présenter vos produits. Dites pourquoi vous aimez ces produits.

Grammaire

Les adjectifs et pronoms possessifs

	singulier	pluriel
mon, ma, mes	le mien, la mienne	les miens, les miennes
ton, ta, tes	le tien, la tienne	les tiens, les tiennes
son, sa, ses	le sien, la sienne	les siens, les siennes
notre, nos	le nôtre, la nôtre	les nôtres
votre, vos	le vôtre, la vôtre	les vôtres
leur, leurs	le leur, la leur	les leurs

La mienne est en fibres de soja.
Les miens sont en bois.
Les nôtres sont en caoutchouc sauvage.
Ma vie est 100 % naturelle. Et la vôtre ?

Le pronom interrogatif *lequel*

	masculin	féminin
singulier	lequel	laquelle
pluriel	lesquels	lesquelles

Les pronoms démonstratifs

Ils remplacent un nom qui désigne un objet ou une personne qu'on montre.

	masculin	féminin
singulier	celui-ci / celui-là	celle-ci / celle-là
pluriel	ceux-ci / ceux-là	celles-ci / celles-là

Vocabulaire

Les régimes alimentaires et les modes de vie 

bio (biologique) • écologique • végane • végétarien(ne)

Les matières (1) 

le bois • le caoutchouc • le coton • le cuir • la fibre de soja • la laine • le plastique • en laine, en cuir... • biodégradable

Les vêtements et les accessoires 🎧 123

des chaussures (f.) • une chemise • des gants (m.) • des tennis (f.)

Les produits de toilette 

une crème hydratante • du dentifrice

Les appréciations 🎧 125

pas mal (fam.) • moche (fam.)

> Entraînez-vous p. 86-87

Parler de sa consommation

COMPRENDRE

DOC. 1

1 → # La vente en vrac séduit les consommateurs

2 → Une étude de l'institut d'analyses Nielsen montre que plus d'un consommateur sur trois achète des produits en vrac. Une nouvelle habitude pour éviter l'utilisation des emballages. Les Français de moins de 35 ans sont les premiers amateurs de ce système de vente. Par Jean Blaquière

3 → 

4 → Les contenants représentent 50 % en volume et 30 % en poids des déchets ménagers. On ne devrait mettre dans nos poubelles que des produits biodégradables. Grâce à l'achat en vrac, il n'est plus nécessaire d'utiliser des sacs en plastique, des boîtes en carton ou en aluminium.

5 → **Les marchandises en vrac**

Pourcentage de personnes qui déclarent acheter en vrac : 37 %

Quels produits achetez-vous en vrac (à part les fruits et les légumes frais) ?

%	Produit
58 %	Amandes, noisettes
47 %	Fruits secs
32 %	Légumineuses (lentilles, pois chiches, etc.)
28 %	Céréales (type flocons d'avoine, muesli)
24 %	Céréales à cuire (couscous)
24 %	Pâtes
23 %	Riz
10 %	Sucre
10 %	Farine
6 %	Liquide vaisselle

6 → **Les magasins s'adaptent au vrac**

La consommation en vrac ne concerne pas que les produits bio. Et le succès des épiceries 100 % vrac grandit. La chaîne *Day by day*, qui a ouvert en 2013, est un bon exemple. Dans les magasins *Day by day*, il n'y a que des produits sans emballage (700 produits disponibles). On peut y trouver du café, des boissons, des pâtes, de la lessive, des cosmétiques et des produits ménagers ou encore des croquettes pour chiens et chats. Il y a déjà 48 magasins *Day by day* en France. Le « zéro déchet », c'est sûrement pour bientôt !

1 a. Observez l'article du *Figaro* (Doc. 1). Identifiez la rubrique.

b. Légendez les parties de l'article (1 à 6).

une illustration • le chapeau • l'intertitre • un sondage • le titre • le texte

2 Lisez l'article (Doc. 1).

a. Quel est le thème ?

b. Soulignez la bonne réponse.

En vrac signifie que les produits :

sont écologiques • **sont bons pour la santé** • **ne sont pas dans des paquets**.

3 a. À deux Relisez la partie 5 (Doc. 1). Quelle proportion de Français achète en vrac ?

b. Quel est le produit le plus acheté en vrac ? Quel est le produit le moins acheté en vrac ?

c. Quels produits du sondage peut-on mettre dans ces contenants ?

1. un pot

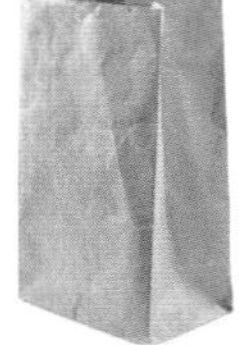

2. un sac

3. un flacon

4 À deux Relisez le dernier paragraphe (Doc. 1).

a. Répondez.

1. Quelle est la particularité des magasins *Day by day* ?
2. Les produits sont-ils toujours bio ? Justifiez.
3. Quels types de produits peut-on acheter chez *Day by day* ?
4. Quel est l'avantage de cette manière de consommer ?

b. Observez la phrase. Puis entourez la bonne réponse.

On peut y trouver **du** café, **des** pâtes, **de la** lessive.

On utilise ***du***, ***de la***, ***des*** pour exprimer une quantité **déterminée** • **indéterminée**.

c. Cochez (✓) la bonne réponse.

« Il **n'**y a **que** des produits sans emballage. » signifie :

☐ Il y a aussi des produits sans emballage.

☐ Il y a seulement des produits sans emballage.

5 **En petit groupe** **Regardez la vidéo d'Anastasia et répondez.**

Moi, je fais les courses dans un grand supermarché. Je prends des fruits bio s'ils ne sont pas trop chers. J'achète aussi des choses en vrac. Et vous ?

25

DOC. 2 126

6 **Écoutez le reportage radio (Doc. 2). Répondez.**

a. La journaliste interviewe qui ? Pourquoi ?

b. Où sont-ils ?

7 **À deux** **Réécoutez (Doc. 2).**

a. Pourquoi Quentin achète-t-il en vrac ? Cochez (✓) les bonnes réponses.

- ☐ Parce que c'est bon pour la planète.
- ☐ Parce que c'est près de chez lui.
- ☐ Parce qu'il ne jette rien à la poubelle.
- ☐ Parce qu'il y a les marques qu'il aime.
- ☐ Parce que cela coûte moins cher.

b. Complétez la liste des courses de Quentin.

1. .... : 250 ml
2. farine de riz : ....
3. céréales : ....
4. .... : 200 gr

8 **À deux** **a. Réécoutez (Doc. 2). Reliez.**

1. De la farine.	a. J'**en** mets dans ce pot.
2. Des céréales.	b. J'**en** utilise souvent.
3. Du beurre de cacahuètes.	c. J'**en** achète tout le temps.

b. Dans chaque phrase, que remplace *en* ?

c. *Vrai* ou *faux* ?

Le pronom ***en*** remplace des noms précédés des articles partitifs ***du***, ***de la***, ***des***.

d. Classez les expressions de quantité dans les catégories suivantes : quantité déterminée ou avec une précision • quantité zéro • quantité indéterminée (sans précision).

une poignée d'amandes • 1 kilo de riz • des céréales • de la farine • 50 grammes de chocolat • beaucoup de choix • pas de plastique • un petit peu de café • plein d'emballages

Ex. : une poignée d'amandes → quantité déterminée

AGIR

9 **Parlez de votre consommation.**

a. Faites la liste des aliments que vous achetez en une semaine. Précisez les quantités et les prix.

b. Calculez en pourcentages l'argent dépensé pour chaque aliment.

c. Représentez vos dépenses sous la forme d'un graphique.

Ex. :  25 % Pâtes

d. **En petit groupe** **Partagez** vos graphiques et **comparez.**

Grammaire

L'expression de la quantité

• **Les articles partitifs** pour indiquer une quantité indéterminée

masculin	féminin	pluriel
du café	de la lessive	des pâtes

! **de l'** + voyelle : **de l'**ail

• **Les quantités précises** : beaucoup de, un peu de, trois, 1 gramme de, 1 kilo de, une poignée de...
un (petit) peu de café • **50 grammes de** chocolat

Le pronom *en*

• Il remplace un nom précédé de l'article partitif **du**, **de la** ou **des**.
Je mets **du beurre de cacahuètes** dans ce pot.
→ J'**en** mets dans ce pot.
J'achète tout le temps **des céréales**.
→ J'**en** achète tout le temps.

• Le pronom **en** peut être suivi d'une quantité précise.
Je vais prendre 250 millilitres **de lessive**.
→ Je vais **en** prendre 250 millilitres.
Il me faut 300 grammes **de farine**.
→ Il m'**en** faut 300 grammes.

***Ne... que* pour exprimer la restriction**

Dans les magasins *Day by day*, il **n'**y a **que** des produits sans emballage.

Vocabulaire

Les achats et l'alimentation 

un consommateur / une consommatrice • un emballage • la lessive • la vente
le beurre de cacahuètes • le blé • une boisson • le café • les céréales • le chocolat • les croquettes • la farine • les fruits secs • les lentilles • le maïs • les pois chiches

Les quantités et les contenants 128

un gramme • un kilo • un millilitre • le poids / peser • le volume • un petit peu de • une poignée de • beaucoup de • plein de (fam.)
une boîte • un flacon • un paquet • un pot • une poubelle • un sac

L'écologie 

écolo (fam.) • en vrac • (ne pas) gaspiller / le gaspillage • réutiliser / réutilisable • se servir

Les matières (2) 

l'aluminium • le carton • le plastique

Phonétique

Les sons [p] et [b]  

• Le son [p] : un **p**ot • un **p**aquet
• Le son [b] : une **b**oîte • le **b**eurre

• **Écoutez. C'est identique (=) ou différent (≠) ?**
Ex. : les pois • les bois → ≠

Entraînez-vous p. 86-87

Techniques pour...

... rédiger une lettre de demande de rendez-vous

LIRE

DOC. 1

1 → Marie LAHORE
16 rue Victor Hugo
65000 TARBES
07 58 57 56 00
m.lahore@club-internet.fr

2 → Day by day Pau
Madame, Monsieur la/le gérant(e)
14 cours Bosquet
64000 PAU

3 → Tarbes, le 23 janvier 2021

4 → Objet : demande de rendez-vous

5 → Madame, Monsieur,

6 → J'apprécie la démarche écologique de la chaîne Day by day et je souhaiterais ouvrir un magasin Day by day à Tarbes, la ville où j'habite.

7 → Avant de déposer ma candidature sur le site, à l'adresse https://daybyday-shop.com/devenir-franchise/, je voudrais avoir des informations pratiques. C'est pourquoi j'aimerais vous rencontrer pour échanger avec vous. Votre expérience m'aidera à prendre ma décision.

8 → Est-ce que je pourrais vous joindre par téléphone pour connaître vos disponibilités pour un rendez-vous ? De mon côté, je suis disponible tous les jours sur mon portable entre 10 heures et 20 heures.

a 9 → Je vous remercie d'avance pour votre réponse et vous prie de recevoir, Madame, Monsieur, mes salutations distinguées.

10 → M. Lahore

Marie Lahore

1 [Découverte] Observez la lettre (Doc. 1). Répondez.

a. Qui écrit ? Où habite-t-elle ?

b. À qui écrit-elle ? À quelle adresse ?

c. Dans quel but écrit-elle ?

2 Lisez la lettre (Doc. 1). Soulignez la bonne réponse. Justifiez.

C'est une lettre **amicale** · **formelle**.

3 À deux Relisez la lettre (Doc. 1). Répondez.

a. Pourquoi et où Marie veut-elle ouvrir un magasin *Day by day* ?

b. Pourquoi veut-elle rencontrer le ou la gérant(e) du magasin de Pau ?

c. Quelles sont ses disponibilités ?

4 À deux [Analyse] Relisez la lettre (Doc. 1). Associez les intitulés aux différentes parties de la lettre.

a. Formule finale de politesse
b. Signature de la personne qui envoie la lettre
c. Disponibilités et mode de contact
d. Ville et date de l'envoi de la lettre
e. Identité et coordonnées de la personne qui envoie la lettre
f. Identité et coordonnées de la société / personne qui reçoit la lettre
g. Demande de rendez-vous
h. But de la lettre
i. Phrase d'introduction
j. Formule pour commencer

POUR rédiger une lettre de demande de rendez-vous

- **Prénom, nom et coordonnées de l'expéditeur / expéditrice**
  En haut, à gauche
- **Nom, fonction, adresse du/de la destinataire**
  En haut, à droite
- **Ville et date de l'expédition**
  sous le/la destinataire
  Tarbes, le 23 janvier 2021
- **Objet de la lettre**
  Objet : demande de rendez-vous
- **Formule d'appel**
  Madame,
  Monsieur,
  Madame, Monsieur,
- **Introduction**
  J'apprécie...
  Je souhaiterais...
- **Formulation de la demande**
  Avant..., je voudrais avoir des informations...
  C'est pourquoi, j'aimerais vous rencontrer pour échanger avec vous.
- **Disponibilités et mode de contact**
  Est-ce que je pourrais vous joindre par téléphone pour connaître vos disponibilités pour un rendez-vous ?
  Je suis disponible tous les jours sur mon portable entre...
- **Formule finale de politesse**
  Je vous remercie d'avance pour votre réponse et vous prie de recevoir, Madame, Monsieur, mes salutations distinguées.
  Je vous prie de croire, Madame, Monsieur, à l'assurance de ma considération distinguée.
- **Signature**
  En bas de la lettre

ÉCRIRE

5 Écrivez une lettre de demande de rendez-vous.

a. **Choisissez votre destinataire. Décidez de la raison de votre demande.**

b. **Rédigez votre lettre.**

... la médiation : expliquer un mot ou une expression

DOC. 2

1 des croquettes →

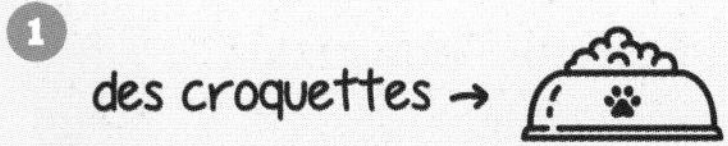

2 un végétalien → C'est une personne qui mange seulement des produits d'origine végétale.

3 l'engagement → = la participation

4

5 les fibres de soja → soy fiber en anglais

6 gaspiller → ≠ économiser

7 biodégradable → Le papier est biodégradable. Le plastique, non.

6 Lisez les explications des sept mots (Doc. 2). Associez chaque explication à la technique utilisée.

a. la traduction
b. une image (dessin, photo...)
c. un synonyme
d. un contraire
e. le mime
f. un exemple
g. une définition

Ex. : 1 → b

7 À deux Choisissez une technique pour expliquer les mots ou expressions suivants. (Variez les techniques !)

la fonte des glaces • les inondations • le recyclage • le caoutchouc • les pois chiches • une poignée • une crème hydratante • sensibiliser

8 En groupe Partagez vos techniques. Pour chaque expression, décidez laquelle est la plus efficace.

Leçon 21

La cause

1 Complétez avec *à cause de* ou *grâce à*. Faites les modifications nécessaires.

Ex. : Les habitants sont partis à cause du ~~le~~ tremblement de terre.

a. La forêt a disparu .... un incendie.
b. Le climat change .... la pollution.
c. La situation environnementale s'améliore .... l'engagement des jeunes.
d. Les plages sont plus propres .... le ramassage des déchets.
e. Les océans sont pollués .... les comportements irresponsables.
f. Les glaciers fondent .... le réchauffement climatique.
g. La lutte contre les catastrophes naturelles est plus efficace .... les actions des associations.

2 À deux Soulignez la cause et faites une phrase avec les indications données.

Ex. : Il a beaucoup plu. Il y a eu une grande inondation. (parce que) → Il y a eu une grande inondation parce qu'il a beaucoup plu.

a. La fonte des glaces augmente. Les ours blancs disparaissent. (comme)
→ ....
b. On utilise moins les sacs en plastique. Ils détruisent la nature. (parce que)
→ ....
c. L'ouragan a détruit le village. Il a été très puissant. (comme)
→ ....
d. On a arrêté la circulation. Il y a eu un tremblement de terre. (parce que)
→ ....

La conséquence

3 Mettez les mots dans l'ordre.

Ex. : lutter / je me suis engagée / contre la pollution, / Il faut / alors / → Il faut lutter contre la pollution, alors je me suis engagée.

a. est / donc / en danger / agir / La planète / on doit
→ ....
b. c'est pourquoi / être utile, / j'ai rejoint / Je voulais / cette organisation
→ ....
c. concernés / on agit / On se sent / alors
→ ....
d. de défendre / Il est urgent / me mobilise / je / la planète / c'est pourquoi
→ ....

L'engagement

4 Complétez avec les mots proposés.

~~s'engagent~~ • lutter • combat • membres • agissent • sensibilisent • défense • manifestations • problèmes environnementaux

Les seniors aussi s'engagent **!**

Le .... pour la .... de la planète regroupe des personnes de tous les âges. En effet, à côté des jeunes, les moins jeunes .... aussi pour .... contre les .... : ils deviennent .... d'associations, ils participent aux .... et ils .... leurs petits-enfants à cette cause.

Les enchaînements

5 a. Indiquez les enchaînements.

Ex. : Il faut réagir_et_agir contre ce problème_environnemental !

a. L'association organise une action pour sauver la planète en danger !
b. Sauvons la Terre grâce à un combat efficace !
c. Écoute cette organisation ! Manifeste avec elle !
d. On se mobilise et on lutte ensemble !

b. 132 **Écoutez et répétez.**

Leçon 22

Les pronoms possessifs

6 Transformez avec un pronom possessif.

Ex. : C'est ma veste. → C'est la mienne.

a. Ce sont ses vêtements. → Ce sont ....
b. Ce sont nos chaussures. → Ce sont ....
c. C'est leur magasin végane. → C'est ....
d. C'est votre sac. → C'est ....
e. Ce sont leurs pulls. → Ce sont ....
f. C'est ta chemise. → C'est ....

Le pronom interrogatif *lequel*

7 Complétez avec *lequel*, *laquelle*, *lesquels*, *lesquelles*.

Ex. : – Regarde les chaussures, là-bas !
– Lesquelles ?

a. – Tu aimes cette chemise ? – .... ?
b. – Ces jouets sont en quelle matière ?
– .... ?
c. – Ce sac est très grand ! – .... ?
d. – Tu as vu les gants sur la table ? – .... ?
e. – Ces tennis blanches, là, elles sont véganes ?
– .... ?

Les pronoms démonstratifs

8 Entourez la bonne forme.

Ex. : – Tu préfères quelle crème ? – Celle-ci • Celui-ci.

a. Tu aimes quelle matière ? – **Celle-là** • **Celles-là**.

b. Tu achètes quels produits de toilette ? – **Celui-ci** • **Ceux-ci**.

c. Tu prends quel dentifrice ? – **Celle-là** • **Celui-là**.

d. Tu choisis quels vêtements ? – **Celles-là** • **Ceux-là**.

e. Laquelle est ta brosse à dents ? – **Celle-ci** • **Celui-ci**.

f. Tu vas dans quelles boutiques ? – **Celles-là** • **Celui-là**.

Les matières

9 *Vrai* ou *faux* ? Cochez (✓).

Ex. : Le plastique est une matière naturelle. ☐ V ☑ F

a. La laine est une matière chaude. ☐ V ☐ F

b. Utiliser du cuir végétal n'est pas respectueux des animaux. ☐ V ☐ F

c. Dans un magasin végane, on peut acheter des objets en bois. ☐ V ☐ F

d. Les végétariens peuvent porter de la soie. ☐ V ☐ F

e. La fibre de soja est un produit d'origine animale. ☐ V ☐ F

f. Le coton est biodégradable. ☐ V ☐ F

Leçon 23

L'expression de la quantité

10 Complétez avec un article partitif.

Dans ce magasin bio, on peut trouver des pâtes, ... farine, ... céréales, ... chocolat, ... légumes secs, ... beurre, ... huile, ... viande, ... lait et même .... lessive.

11 Transformez avec les éléments donnés.

Ex. : Je vais acheter du sucre. (1 kilo)
→ Je vais acheter 1 kilo de sucre.

a. Il me faut du sel. (un peu)
→ Il me faut ....

b. Je voudrais des croquettes pour chiens. (un paquet)
→ Je voudrais .... pour chiens.

c. Je vais prendre de la confiture. (un pot)
→ Je vais prendre ....

d. Donnez-moi des pois chiches, s'il vous plaît. (500 grammes)
→ Donnez-moi ...., s'il vous plaît.

e. Vous pouvez acheter du jus de pomme ? (un demi-litre)
→ Vous pouvez acheter .... ?

Le pronom *en*

12 Transformez avec le pronom *en*.

Ex. : Je mets de l'huile dans la bouteille réutilisable.
→ J'en mets dans la bouteille réutilisable.

a. Il faut 1 kilo de farine.
→ ....

b. On prend du café.
→ ....

c. Tu achètes 250 grammes de beurre ?
→ ....

d. On jette beaucoup d'emballages.
→ ....

e. Il y a des produits naturels.
→ ....

f. Je n'utilise pas de plastique.
→ ....

Ne... que

13 Transformez avec *ne... que*.

Ex. : Je mange seulement des produits bio.
→ Je ne mange que des produits bio.

a. J'achète seulement des produits en vrac.
→ ....

b. Il y a seulement des aliments bio.
→ ....

c. Elle utilise seulement des sacs en tissu.
→ ....

d. On prend seulement les quantités nécessaires.
→ ....

L'écologie

14 Cochez (✓) les comportements qui sont écologiques.

Ex. : ☑ Il n'utilise pas beaucoup de plastique.

a. ☐ Elle achète souvent en vrac.

b. ☐ Il ne gaspille pas.

c. ☐ On réutilise les sacs.

d. ☐ Elle préfère les produits avec emballage.

e. ☐ Elle achète trop et jette.

f. ☐ Ils préfèrent les produits biodégradables.

Les sons [p] et [b]

15 133 **Écoutez. Entourez le mot que vous entendez.**

Ex. : le pas • le bas

a. le pain • le bain

b. les poissons • les boissons

c. le pompon • le bonbon

d. des broches • des proches

Faites le point

Expressions utiles

EXPLIQUER

- Comme nos dirigeants ne font rien, il faut montrer l'exemple.
- On agit parce qu'on se sent concernés.
- La station d'été a fermé en 2005 à cause de la fonte du glacier.
- Grâce à une amie, j'ai connu Fridays for future.
- J'habite à la montagne donc je vois les dégâts du réchauffement climatique.
- Alors je me suis dit : « Tu dois faire quelque chose ».
- C'est pourquoi j'ai rejoint Youth for climate France !

PARLER DE L'ENGAGEMENT

- Les jeunes organisent des actions pour sensibiliser les dirigeants aux problèmes environnementaux.
- Ils s'engagent individuellement ou dans des associations.
- Il est membre de l'organisation Youth for climate France.
- Tous les vendredis, ils font la grève du lycée.
- On fait des actions, on manifeste, on agit !
- On doit lutter contre la pollution.
- Tout le monde est concerné.

CARACTÉRISER DES PRODUITS

- Vos tennis sont en plastique ?
- Ça ressemble vraiment à du cuir animal.
- Elle sent bon, cette crème. Elle est sans parabène.
- Celle-ci a une protection solaire.
- Elles ne sont pas très élégantes mais elles sont confortables.

FAIRE LES COURSES

- Vous allez acheter de la lessive ?
- Aujourd'hui, je vais en prendre 250 millilitres.
- Vous prenez une bouteille réutilisable et vous la remplissez.
- J'achète un kilo de riz et un petit peu de café.
- J'en mets dans ce pot, puis je vais le peser.

PARLER DE SA CONSOMMATION

- Quels sont les avantages des produits en vrac ?
- Quentin n'achète qu'en vrac.
- Comme vous ne payez pas les emballages, ça coûte moins cher et c'est plus écolo.
- Je ne gaspille pas.

Évaluez-vous !

À LA FIN DE L'UNITÉ 6, VOUS SAVEZ...	APPLIQUEZ !
☐ **expliquer.**	› Complétez avec *comme* ou *c'est pourquoi*. .... le climat est en danger, on doit agir ! Le climat est en danger, ... on doit agir !
☐ **exprimer la possession.**	› Complétez le dialogue avec des pronoms possessifs. – Mes chaussures sont en cuir végétal. Et .... ? – .... sont en cuir animal.
☐ **utiliser les pronoms interrogatifs.**	› Entourez la bonne réponse. Regardez ces produits en vrac. **Lequel • Lesquels • Laquelle • Lesquelles** achetez-vous ?
☐ **utiliser les pronoms démonstratifs.**	› Soulignez la bonne réponse. Cette chemise est en coton bio mais **celle-là • celui-là • celles-là • ceux-là** ne l'est pas.
☐ **parler de votre consommation.**	› Vous faites vos courses pour le dîner. Qu'est-ce que vous achetez ? Précisez les quantités.
☐ **utiliser le pronom *en*.**	› Est-ce que vous consommez beaucoup de produits bio ?

Préparation au DELF A2

I COMPRÉHENSION DES ÉCRITS

Lire des instructions simples

Lisez les documents. Cochez (✓) la bonne réponse.

DOC. 1

Machine Gigamix
MODE D'EMPLOI

1. Lavez et coupez les fruits en petits morceaux.
2. Mettez-les dans le bocal de mixage.
3. Ajoutez un peu d'eau ou de lait et des glaçons.
4. Actionnez la machine.
5. Mixez pendant 3 à 4 minutes puis versez le jus de fruits dans un grand verre.
6. Lavez la machine à l'eau chaude sans savon.

DOC. 2

Bonjour Léa,
Merci de me remplacer ce soir pour le cours de yoga du groupe senior. Avant de commencer, contrôle les présences. Il y a dix personnes en général, mais Malika et Fred ne viendront pas aujourd'hui. Les participants doivent avoir leur tapis et ne peuvent pas entrer dans la salle avec leurs chaussures. À la fin de la leçon, il faut ouvrir les fenêtres et éteindre la lumière.
Bonne séance !
Adeline

1. La machine Gigamix permet de faire :
   - ☐ a. des glaces.
   - ☐ b. des jus de fruits.
   - ☐ c. des sauces.

2. Il faut ajouter aux fruits :
   - ☐ a. de l'eau ou du lait.
   - ☐ b. seulement de l'eau.
   - ☐ c. seulement des glaçons.

3. Avant de commencer le cours, Léa doit :
   - ☐ a. installer la salle.
   - ☐ b. vérifier qui est là.
   - ☐ c. ouvrir les fenêtres.

4. Ce soir, il y aura :
   - ☐ a. huit élèves.
   - ☐ b. dix élèves.
   - ☐ c. douze élèves.

Lire pour s'informer

Lisez l'article. Cochez (✓) la bonne réponse.

Téléo, pour une mobilité plus verte à Toulouse

Le téléphérique Téléo va devenir une réalité. Il reliera l'université Paul Sabatier au centre de recherche médicale l'Oncopole en passant par l'hôpital Rangueil. Une bonne nouvelle pour les étudiants et les travailleurs des quartiers sud de la ville !
D'une longueur de trois kilomètres, ce sera le téléphérique urbain le plus long de France. Il fonctionnera de 5 h 15 à 0 h 30 avec des cabines pouvant accueillir 34 personnes.
Il desservira trois stations en dix minutes.
Complètement électrique, il pollue trente fois moins que la voiture.
Sa construction a commencé en juillet dernier. Il entrera en fonction à la fin de l'année prochaine avec d'abord six cabines.
Il transportera 8 000 passagers par jour.

1. L'article présente un moyen de transport :
   ☐ a. économique. ☐ b. rapide. ☐ c. écologique.

2. Téléo circulera :
   ☐ a. dans toute la ville. ☐ b. dans le sud de la ville. ☐ c. autour de la ville.

3. Téléo permettra d'aller :
   ☐ a. de l'université à l'Oncopole. ☐ b. de l'université à l'hôpital Rangueil. ☐ c. de l'Oncopole à l'hôpital Rangueil.

4. Téléo est le seul périphérique urbain de France.
☐ VRAI ☐ FAUX

5. Téléo fonctionne à l'énergie :
☐ a. hydraulique. ☐ b. électrique. ☐ c. solaire.

6. Téléo n'est pas encore en service.
☐ VRAI ☐ FAUX

II COMPRÉHENSION DE L'ORAL

Comprendre un message sur un répondeur

Vous avez reçu un message sur votre répondeur téléphonique.

134 **Lisez les questions. Écoutez le message puis cochez (✓) la bonne réponse.**

1. De quel événement parle-t-on ?
☐ a. une exposition ☐ b. une manifestation ☐ c. une conférence

2. Qui va participer ?
☐ a. des adolescents ☐ b. des adultes ☐ c. des adolescents et des adultes

3. Les manifestants :
☐ a. porteront des vêtements verts. ☐ b. auront des sacs verts. ☐ c. auront des ballons verts.

4. Le rendez-vous est à :
a. ☐ b. ☐ c. ☐

5. Vos amies vous attendront devant :
☐ a. la mairie. ☐ b. le restaurant. ☐ c. le cinéma.

6. Que devez-vous faire pour confirmer ?
☐ a. envoyer un e-mail à Pierre ☐ b. envoyer un texto à Pierre ☐ c. téléphoner à Pierre

Comprendre de brefs échanges entre locuteurs natifs

135 **Vous écoutez 4 dialogues. Cochez (✓) pour associer chaque dialogue à la situation correspondante. Attention : il y a 6 situations mais seulement 4 dialogues.**

	Dialogue 1	Dialogue 2	Dialogue 3	Dialogue 4
A. Inviter quelqu'un				
B. Se renseigner sur un produit				
C. Demander des informations				
D. Parler de ses goûts				
E. Présenter des excuses				
F. Proposer une activité				

Réagissez

VOUS ALLEZ APPRENDRE À :

› vous informer
› présenter un problème et proposer des solutions
› donner votre avis

VOUS ALLEZ UTILISER :

LEÇON 25
› l'opposition (1) : *mais*
› la mise en relief : *c'est / ce sont… qui / que*
› les pronoms *y* et *en* COI
› *si / non*
› *moi aussi / moi non plus*

LEÇON 26
› les adjectifs indéfinis : *quelques*, *plusieurs*, *tout (le)* (2), *chaque*
› le gérondif
› la négation (3) : *rien, personne, ni… ni*

LEÇON 27
› la cause (2) et le but (2)
› l'opposition (2) : *mais, par contre*
› la conséquence (2) : *du coup*
› *pourtant*

TECHNIQUES POUR…

› réagir sur un réseau social
› **la médiation** : comprendre des notes

CULTURE(S) VIDÉO

 27 **Berthe Morisot au musée d'Orsay**

s'informer

COMPRENDRE

1 **a. Quels médias français ou francophones connaissez-vous ?**

b. En groupe Mettez en commun et classez les médias dans les catégories.

presse • télévision • radio • médias en ligne

Les Français et les médias

Sondage réalisé par KANTAR Public

A **L'accès à l'information**

En général, quel média utilisez-vous pour vous informer ?

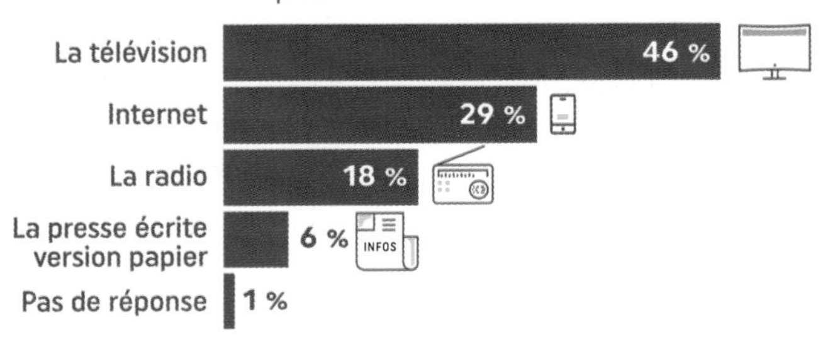

B **La confiance dans les médias**

En général, faites-vous confiance aux médias suivants ?

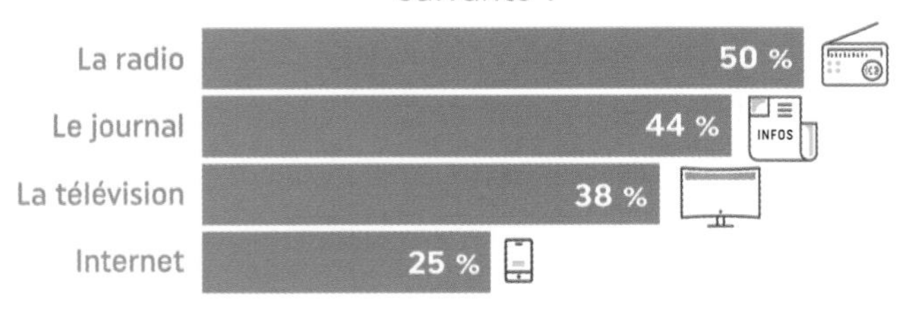

C Ce sondage nous montre trois contradictions.
C'est la télévision qui est la première source d'information en France, mais seulement 38 % de Français lui font confiance !
De la même façon, les Français croient moins aux informations qui viennent d'Internet, mais Internet est leur deuxième source d'information.
La presse écrite sur papier est la moins utilisée pour s'informer mais c'est le média qui est le plus utilisé sur Internet ou application mobile.
On trouve ensuite, pour s'informer sur Internet, les réseaux sociaux (type Twitter, Facebook ou Yubo), puis les sites Internet ou applications mobiles des chaînes de télévision ou des stations de radio, et enfin les sites d'information uniquement sur Internet ou « pure players » (type Mediapart ou Slate).
Enfin, c'est la radio que les Français trouvent la plus fiable.

2 **Lisez le sondage (Doc. 1, questions A et B).**

a. Associez les phrases aux réponses de A ou de B.

1. Les Français ne croient pas aux informations sur Internet.
2. Ils ne lisent pas beaucoup la presse écrite.
3. Ils préfèrent s'informer par la télévision.
4. Ils croient aux informations de la radio.

b. En petit groupe Les résultats du sondage vous surprennent-ils ? Pourquoi ? Échangez.

3 **À deux Lisez le commentaire du sondage (Doc. 1, C).**

a. Quelles sont les trois contradictions citées ?

b. Complétez avec *et*, *mais* ou *ou*.

Pour introduire une contradiction, on utilise ....

c. Classez les médias du plus utilisé au moins utilisé pour s'informer.

les réseaux sociaux • les « pure players » • les sites Internet des télés et radios • les sites Internet des journaux

4 **À deux a. Observez les phrases. Entourez les structures qui mettent en valeur les mots soulignés.**

C'est <u>la télévision</u> qui est la première source d'information en France.
C'est <u>le média</u> qui est le plus utilisé sur Internet.
C'est <u>la radio</u> que les Français trouvent la plus fiable.

b. Complétez avec *c'est... qui* et *c'est... que*.

1. Pour mettre en relief le sujet d'une phrase, on utilise ....
2. Pour mettre en relief le complément d'un verbe, on utilise ....

5 **En petit groupe Regardez la vidéo de Yuka et répondez.**

Je m'informe sur les réseaux sociaux : Facebook, Twitter, Instagram.
Et vous, comment vous vous informez ?
▶ 28

LES DESSOUS DE L'INFOX

Repérer le faux dans l'info, ça n'est pas toujours facile. Sur Radio France internationale, on vous aide à y voir plus clair, avec nos experts qui observent et analysent l'infox. → Magazine diffusé tous les vendredis

6 Lisez (Doc. 2). Répondez.

a. Comment s'appelle ce magazine de RFI ?

b. Quel est l'objectif du magazine ?

7 Écoutez la conversation (Doc. 3). Qui parle ? De quoi ?

8 À deux Réécoutez (Doc. 3). *Vrai* ou *faux* ? Justifiez.

a. L'homme croit qu'un astéroïde va détruire la Terre.
b. Il a lu l'info dans un journal.
c. L'événement aura lieu le 19 avril 2049.
d. Il a pensé à vérifier l'info.
e. RFI a parlé de cette infox dans « Les dessous de l'infox ».
f. La femme parle d'une autre *fake news* célèbre.
g. Elle pense que les infos sur les réseaux sociaux ne sont pas toujours vraies.
h. L'homme dit qu'il vérifie toujours la source d'une info.

9 À deux Observez les phrases et soulignez la bonne réponse.

1. – Tu n'as pas pensé à vérifier l'info ?
– Non, je n'**y** ai pas pensé.
Le pronom *y* remplace **l'info** • **à vérifier l'info**.
2. – Tu te souviens de l'info sur la fin du monde ?
– Oui, je m'**en** souviens.
Le pronom *en* remplace **de l'info** • **l'info**.

AGIR

10 Faites un sondage sur les médias dans la classe.

a. **En petit groupe** **Préparez** un deuxième sondage sur l'avenir des médias (3 questions).
Ex. : Pensez-vous qu'il y aura encore des journaux papier en 2040 ?
b. **En groupe** **Élaborez** ensemble le questionnaire définitif.
c. Répondez aux questions des deux sondages.
d. **En groupe** **Mettez en commun** les réponses de chacun. Calculez et présentez les résultats en pourcentages (graphiques).

Postez vos graphiques sur le groupe de la classe.

Grammaire

▸ *Mais* pour exprimer l'opposition (1)
La presse écrite sur papier est la moins utilisée pour s'informer **mais** c'est le média qui est le plus utilisé sur Internet ou application mobile.

▸ *C'est / Ce sont... qui / que* pour mettre en relief
• **C'est / Ce sont... qui** pour mettre en relief le sujet de la phrase
C'est la télévision **qui** est la première source d'information.

• **C'est / Ce sont... que** pour mettre en relief le complément du verbe
C'est la radio **que** les Français trouvent la plus fiable.

▸ Les pronoms *y* et *en* COI
• **Y** remplace un COI introduit par **à**.
Je n'**y** ai pas pensé. (penser **à** quelque chose)
J'**y** crois. (croire **à** quelque chose)
! Je fais confiance à la télévision.
→ Je **lui** fais confiance.

• **En** remplace un COI introduit par **de**.
Je m'**en** souviens. (se souvenir **de** quelque chose)
Ils **en** ont parlé. (parler **de** quelque chose)

• **Y** et **en** se placent avant le verbe.

▸ *Si / Non* pour répondre à une question négative
– Tu ne crois pas à ça ? – **Si**, j'y crois.
– Tu n'as pas pensé à vérifier l'info ? – **Non**, je n'y ai pas pensé.

▸ *Moi aussi / Moi non plus* pour exprimer une action identique
Je vérifie toujours. → **Moi aussi**. (Je vérifie toujours.)
Je n'ai pas vérifié. → **Moi non plus**. (Je n'ai pas vérifié.)

Vocabulaire

▸ Les médias (2) 
une application mobile (une appli) • une chaîne (de télé) • Internet (le Net) • un journal • un magazine • la presse écrite • la radio • un réseau social • un site d'information « tout en ligne » (= « pure player ») • un site Internet • une station (de radio) • la télévision (la télé) • la version papier/en ligne

▸ L'information 
une info (fam.) • une infox / une fausse information (une *fake news*) • une source (d'information) • la confiance / faire confiance • fiable • croire • vérifier

> Entraînez-vous p. 100-101

Présenter un problème et proposer des solutions

COMPRENDRE

1 **En petit groupe** **Observez le logo du ministère de la Culture (Doc. 1).**

a. Identifiez trois symboles de la République française.

b. Quel est le rôle d'un ministère de la Culture ? Échangez.

DOC. 1

Le Monde | ACTUALITÉS | ÉCONOMIE | VIDÉOS | **OPINIONS** | CULTURE | M LE MAG | SERVICES

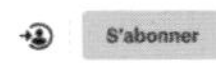

Mon idée pour la France : « Pour un plus grand accès à la culture »

D'après Jean-Michel Tobelem

TRIBUNE **« Le Monde » a demandé à des personnalités de tous les secteurs de proposer, chaque jour, une idée pour changer la France. L'universitaire Jean-Michel Tobelem fait des propositions pour réduire les inégalités culturelles.**

Beaucoup de Français profitent d'une offre culturelle riche et variée. Mais une partie de la population, en particulier les catégories les plus populaires, n'a pas toujours accès aux équipements culturels comme les théâtres, les salles de concert ou les musées.
Quelques actions existent : la gratuité des musées le premier dimanche du mois ou les places de théâtre à 10 euros pour les moins de 26 ans. Mais plusieurs habitants de notre pays ont le sentiment que « ce n'est pas pour eux ».

Comment démocratiser la culture ?
D'abord, en ouvrant des bibliothèques. Ces bibliothèques doivent aussi offrir à tous les citoyens, en ville et à la campagne, un accès aux contenus numérisés (livres, musique, films, auto-formation). On aidera aussi cette démocratisation de la culture en construisant des salles de spectacle et de concert dans toutes les régions, en favorisant le théâtre itinérant, en ne réservant pas à une minorité l'enseignement des conservatoires de musique, d'art dramatique et de danse.
Tous les monuments et musées publics devraient disposer d'un espace pour les enfants et proposer des activités artistiques gratuites.

Chaque citoyen de notre pays pourra alors se dire qu'il est « chez lui » dans un théâtre, une salle de concert, un monument ou un musée public.

2 **Observez la tribune (Doc. 2).**

a. Identifiez le nom du journal, la rubrique et le thème.

b. Complétez l'explication du mot *tribune* avec *personne*, *opinion*, *journal*.

Le .... offre une place à une .... (ou un groupe de personnes) pour exprimer son (ou leur) .... sur un sujet d'actualité.

3 **Lisez l'introduction (Doc. 2). Entourez la bonne réponse.**

a. C'est une tribune **quotidienne** • **hebdomadaire**.

b. C'est toujours **la même personne** • **une personne différente** qui écrit la tribune.

c. Jean-Michel Tobelem est **journaliste** • **professeur d'université**.

d. Il va parler des inégalités **d'accès à** • **d'intérêt pour** la culture.

e. Il va **proposer** • **demander** des solutions à ce problème de société.

4 **À deux** **Lisez la tribune (Doc. 2).**

a. *Vrai* ou *faux* ? Justifiez.

1. Tout le monde profite des équipements culturels.
2. Il existe déjà des solutions pour favoriser l'accès à la culture pour tout le monde.
3. Beaucoup de personnes pensent que la culture n'est pas pour elles.
4. Une solution est de construire des salles de spectacle dans toutes les régions.
5. Tous les monuments et musées publics disposent d'un espace pour les enfants.

b. Reliez chaque quantité à son adjectif.

1. la totalité (x 2)	a. **plusieurs** habitants
2. une quantité importante	b. **quelques** actions
3. une petite quantité	c. **toutes** les régions
	d. **chaque** citoyen

5 **À deux** **Relisez (Doc. 2).**

a. Selon Jean-Michel Tobelem, comment faire pour démocratiser la culture ? Reliez.

1. favoriser	a. des bibliothèques
2. ne pas réserver à une minorité	b. des salles de spectacle
3. ouvrir	c. le théâtre itinérant
4. construire	d. les conservatoires

b. Relevez la forme des 4 verbes dans le Doc. 2. C'est le gérondif. Comment le construit-on ?

6 **En petit groupe** **Avez-vous accès à des offres culturelles ? Lesquelles préférez-vous ? Consommez-vous des contenus culturels numériques ? Échangez.**

7 **Écoutez la conversation (Doc. 3).**

a. De quoi parle le couple ?

b. Reliez.

La femme •
L'homme •

• pense qu'on ne fait pas assez pour démocratiser la culture.
• pense qu'on fait déjà assez pour démocratiser la culture.

8 **À deux** **Réécoutez (Doc. 3). Trouvez de qui ou de quoi on parle.**

a. Ils sont gratuits le premier dimanche du mois.
b. Ils peuvent entrer gratuitement dans les musées.
c. Ils sont gratuits le premier samedi soir du mois.
d. Elles ne sont jamais gratuites.

9 **À deux** **a. Reliez les contraires.**

1. rien	a. quelqu'un / tout le monde
2. personne	b. quelque chose / tout

b. Soulignez la bonne explication.

« **Ni** les plus de 26 ans **ni** les étrangers ne peuvent en profiter » signifie :
1. Les plus de 26 ans ne peuvent pas, les étrangers peuvent.
2. Les plus de 26 ans et les étrangers ne peuvent pas.

AGIR

10 **Écrivez une tribune pour proposer des solutions à un problème de société.**

a. **En petit groupe** **Choisissez** un problème de société lié à la culture ou aux médias, dans votre pays ou dans le monde.
Ex. : Les jeunes ne vont plus au cinéma.
b. **Faites la liste** des solutions possibles.
c. **Sélectionnez** trois ou quatre solutions. **Présentez** le problème et vos solutions dans une tribune.
d. **En groupe** **Partagez** vos tribunes.

Grammaire

Les adjectifs indéfinis *quelques*, *plusieurs*, *tout (le)* (2), *chaque*
• une petite quantité : **quelques** actions
• une quantité importante : **plusieurs** habitants
• la totalité : **tous les** monuments ; **chaque** citoyen = **tous les** citoyens
❗ **Tout** s'accorde avec le nom.
toute la France • **toutes les** régions
❗ **Chaque** est toujours au singulier.

NB : On peut indiquer la répétition avec **chaque** et **tout** : **chaque** jour = **tous les** jours.

Le gérondif pour proposer des solutions
Formation : **en** + base de la 1re pers. du pluriel au présent + **-ant**
nous <u>ouvr</u>ons → **en** <u>ouvr</u>**ant** des bibliothèques
nous <u>construis</u>ons → **en** <u>construis</u>**ant** des salles de spectacle
❗ Négation : **en ne réservant pas**
❗ **être → en étant • avoir → en ayant • savoir → en sachant**

La négation (3)
• **rien** et **personne**
– **rien** pour une chose : **Rien ne** va. On **ne** fait **rien**.
– **personne** pour une personne : **Personne ne** peut voir gratuitement les expos temporaires.
On **ne** connaît **personne**.

• **ni… ni (ne) / (ne…) ni… ni** pour une double négation
Ni le musée du Louvre **ni** celui des Arts et Métiers **ne** sont gratuits.

Vocabulaire

Les équipements et les événements culturels

une bibliothèque • un conservatoire de musique, d'art dramatique, de danse • une exposition (expo) permanente / temporaire • un monument • un musée • une place de théâtre • une salle de spectacle / de concert / de cinéma

L'accès à la culture 141
la démocratisation • la gratuité • les inégalités • une offre culturelle • démocratiser • disposer de • favoriser • réduire • réserver

Phonétique

Les sons [p] / [b] et [f] / [v]

• Les sons [p] et [b] sont explosifs.
Ex. : une expo permanente • une bibliothèque
• Les sons [f] et [v] sont continus.
Ex. : une offre • un livre • favoriser

• **Écoutez. Vous entendez [p] / [b] ou [f] / [v] ?**
Ex. : un espace → On entend [p].

Entraînez-vous p. 100-101

Donner son avis

COMPRENDRE

Berthe Morisot, *Eugène Manet à l'île de Wight*, 1875

Mme Charlotte Bannatyne
25 rue Victor Duruy
75015 Paris

Chers amis, chers visiteurs,

Le musée d'Orsay vous invite à un nouvel événement :

Les femmes au musée !

Il y a beaucoup de femmes peintres, sculptrices et photographes. Pourtant, l'histoire de l'art ne parle que des artistes masculins. Le public ne connaît pas les œuvres des femmes. C'est pourquoi le musée d'Orsay a décidé de célébrer les créatrices du 19e siècle et d'aujourd'hui.

Rendez-vous le 19 septembre à 18 h 30 pour une soirée exceptionnelle !

Tout d'abord, rendez-vous dans la galerie d'exposition, niveau 2, pour la rétrospective sur Berthe Morisot. Manet, Degas, Monet et Renoir ont admiré cette femme peintre impressionniste. Puis concert du groupe féminin Canine, dans l'allée centrale. Ensuite, conférence dans l'auditorium du musée : Dominique Bona, auteure d'une biographie de Berthe Morisot, répondra aux questions sur la vie passionnante de cette peintre, figure de l'impressionnisme. Enfin, place à la danse avec la DJ Fishbach au café Campana, niveau 5, derrière la grande horloge du musée.

En espérant vous voir très bientôt au musée d'Orsay.

Laurence des Cars
Présidente des musées d'Orsay et de l'Orangerie

1 a. Observez (Doc. 1). Soulignez la bonne réponse.

C'est : **une lettre d'information du musée d'Orsay** • **un article sur le musée d'Orsay** • **une affiche du musée d'Orsay**.

b. Lisez (Doc. 1). Identifiez :

1. le nom de l'événement. 2. la date et l'heure de l'événement.

c. Cochez (✓) la bonne réponse. Justifiez.

- ☐ Le musée propose une visite guidée des salles impressionnistes.
- ☐ Le musée organise une soirée pour célébrer les femmes artistes.
- ☐ Le musée présente une exposition sur les peintres impressionnistes.

2 À deux Relisez (Doc. 1).

a. Pourquoi le musée d'Orsay célèbre-t-il les femmes artistes ?

b. De quels artistes parle l'histoire de l'art ?

c. Observez les phrases. Entourez la bonne réponse.

1. Il y a beaucoup de femmes peintres, sculptrices et photographes. **Pourtant**, l'histoire de l'art ne parle que des artistes masculins.
Pourtant exprime **une conséquence** • **une cause** • **une contradiction**.

2. Le public ne connaît pas les œuvres des femmes. **C'est pourquoi** le musée d'Orsay a décidé de célébrer les créatrices du 19e siècle et d'aujourd'hui.
C'est pourquoi exprime **une conséquence** • **une cause** • **une contradiction**.

3 À deux Relisez (Doc. 1). Repérez les activités proposées et classez-les.

la lecture • la danse • la peinture • la musique

4 En petit groupe a. Trouvez dans le Doc. 1 les mots correspondants.

1. Une femme qui crée des sculptures.
2. Un objet qu'un(e) artiste crée.
3. Une exposition sur l'ensemble des créations d'un(e) artiste.
4. Un mouvement artistique du 19e siècle.

b. Quels autres mots en relation avec l'art connaissez-vous ? Échangez.

Culture(s)

Le musée d'Orsay est une ancienne gare parisienne devenue musée en 1986. Il présente des œuvres de l'art occidental de 1848 à 1914. Il accueille 3 millions de visiteurs par an.

5 **En petit groupe** **Regardez la vidéo de Franziska et répondez.**

Dans ma ville, Berlin, il y a le Hamburger Bahnhof, un musée d'art contemporain. J'y vais de temps en temps, parce que j'aime bien l'art contemporain. Et vous ? ▶ 30

DOC. 2 🎧 143

6 **Écoutez le micro-trottoir (Doc. 2).**

a. ***Vrai* ou *faux* ?**

1. Ils racontent leur visite au musée d'Orsay.
2. Ils donnent leur appréciation sur l'exposition Berthe Morisot.
3. Ils décrivent des tableaux du musée d'Orsay.
4. Ils expriment leur opinion sur les femmes artistes.

b. **À deux** **Quelles questions pose le journaliste ?**

7 **À deux** **Réécoutez (Doc. 2).**

a. Ont-ils aimé l'exposition Berthe Morisot ? Reliez et justifiez.

Personne 1 a. ♥
Personne 2 b. ♥♥
Personne 3 c. ♥♥♥

b. Que pensent-ils des femmes artistes dans les musées ? Notez pour chaque personne son opinion et au moins une justification.

c. Relevez les expressions pour donner son avis.

Ex. : Je trouve que…

8 **À deux** **Observez les phrases. Qu'est-ce qu'elles expriment ? Associez.**

a. Les modèles sont toujours des femmes. **Par contre**, les peintres sont des hommes.
b. Je ne vais pas au musée **pour** voir un artiste homme ou une artiste femme.
c. Les femmes étaient à la maison et s'occupaient de leur famille. **Du coup**, c'était difficile pour elles d'être sculptrices ou peintres.
d. Il n'y a pas beaucoup de tableaux de femmes **parce que** leurs œuvres ne sont pas intéressantes.

1. la cause
2. la conséquence
3. l'opposition
4. le but

AGIR

9 **Donnez votre avis sur un projet public.**

a. **À deux** Le musée de votre ville veut exposer autant de peintres femmes que de peintres hommes. Qu'en pensez-vous ? **Échangez**.
b. Listez vos arguments pour justifier chaque point de vue.
c. **En groupe** **Comparez** vos points de vue et vos arguments. **Échangez**.

Grammaire

La cause (rappel)
- **parce que (parce qu')**
– Pourquoi, à votre avis ?
– **Parce qu'**au 19e siècle, on n'aimait pas les femmes artistes.
- **à cause de** (cause qui a un résultat négatif)
Elles doivent encore se battre **à cause des** inégalités entre les hommes et les femmes.
- **grâce à** (cause qui a un résultat positif)
J'ai découvert Berthe Morisot **grâce à** cette rétrospective.

Le but (rappel) : *pour* + infinitif
Je ne vais pas au musée **pour** voir un artiste homme ou une artiste femme, j'y vais **pour** voir une exposition, des œuvres d'art.

***Mais, par contre* pour exprimer l'opposition (2)**
Il y a plus de 4 000 hommes artistes dans les collections du musée d'Orsay **mais** seulement 150 femmes.
Les modèles sont toujours des femmes. **Par contre**, les peintres sont des hommes.

La conséquence (2) : *du coup**
Les femmes étaient à la maison et s'occupaient de leur famille. **Du coup**, c'était difficile pour elles d'être sculptrices ou peintres.
* *Du coup* est plutôt utilisé à l'oral.
Rappel : on peut aussi exprimer la conséquence avec **donc** et **c'est pourquoi**.

***Pourtant* pour exprimer une contradiction**
Il y a beaucoup de femmes peintres, sculptrices et photographes. **Pourtant**, l'histoire de l'art ne parle que des artistes masculins.

Vocabulaire

L'opinion 
un avis • croire que • penser que • trouver que

L'art 
un(e) auteur(e) • une collection • un créateur / une créatrice • l'impressionnisme • un modèle • une œuvre • un(e) peintre • le public • une rétrospective • un sculpteur / une sculptrice • un tableau • un visiteur / une visiteuse

Phonétique

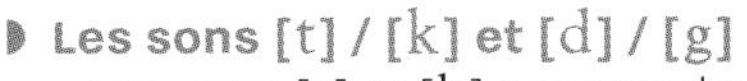
Les sons [t] / [k] et [d] / [g]  
- Les sons [t] et [k] sont tendus.
Ex. : un visiteur • le public • un sculpteur
- Les sons [d] et [g] sont relâchés.
Ex. : un modèle • une gare • regarder

- **Écoutez. C'est identique (=) ou différent (≠) ?**
Ex. : un thé • un dé → ≠

> Entraînez-vous p. 100-101

Techniques pour...

... réagir sur un réseau social

LIRE

DOC. 1

Le Monde

Utilisation des nouvelles technologies à l'école

Cours d'histoire-géo en ligne pour des élèves de Première. Les professeurs sont passés de la salle de classe à l'ordinateur.

412 678 947

benoitduclo @benoitduclo · 28 min
En réponse à @lemondefr
Je pense que c'est normal d'utiliser la technologie pour enseigner à distance parce que tout le monde a un smartphone et un ordi. C'est la seule solution pour les élèves qui sont malades. C'est top ! Bravo aux profs !!

12 2 17

natefab @natefab · 35 min
En réponse à @lemondefr
Les élèves n'apprennent pas seulement avec un clavier et un écran. Ils ont besoin de contact humain ! L'apprentissage à distance, quelle horreur !

24 15 35

ruimartins @ruimartins · 47 min
En réponse à @lemondefr
Les cours en ligne ? Quelle bonne idée ! Je trouve que c'est super. On ne perd pas son temps dans les transports.

53 27 48

bettirastelli @bettirastelli · 55 min
En réponse à @lemondefr
Pour moi, ce n'est pas une bonne idée. Beaucoup de familles n'ont pas d'ordinateur à la maison. C'est nul !

1 **[Découverte] Observez (Doc. 1). Répondez.**

a. Qu'est-ce que c'est ?

b. Quel est le titre ?

c. Qui a laissé le dernier commentaire ?

2 **À deux** **Lisez les commentaires (Doc. 1).**

a. *Vrai* ou *faux* ? Justifiez.

Les quatre personnes sont pour l'enseignement en ligne.

b. Relevez :

1. un argument pour l'enseignement en ligne.
2. un argument contre l'enseignement en ligne.

3 **[Analyse]** **À deux** **Trouvez une phrase dans le Doc. 1 pour :**

a. donner son opinion.
b. justifier son avis.
c. réagir.
d. féliciter.

POUR réagir sur un réseau social

- **Donner son avis**
  Je trouve que... / Je pense que...
  À mon avis...
  Pour moi...
- **Justifier son avis**
  C'est normal d'utiliser la technologie pour enseigner à distance parce que...
  C'est la seule solution...
  Ils ont besoin de contact humain !
  On ne perd pas son temps dans les transports.
- **Réagir**
  C'est top !
  Quelle bonne idée !
  C'est nul !
  Quelle horreur !
- **Féliciter**
  Bravo !
  Félicitations !

paris_maville

Sculpture *Bouquet of tulips*, cadeau de Jeff Koons à la mairie de Paris.

2430 J'aime Voir les162 commentaires

ÉCRIRE

4 Observez et lisez le post Instagram de la mairie de Paris (Doc. 2).

a. Réagissez à cette publication. Donnez votre avis et justifiez-le.

b. En groupe Comparez vos avis.

... la médiation : comprendre des notes

Claude Monet, *Impression, soleil levant*, 1872.

L'impressionnisme

Monet et ses amis (Cézanne, Renoir, Sisley...)
1874 → expo de leurs tableaux bvd des Capucines, chez le photographe Nadar

Nouveauté de leur peinture : ≠ réalisme
= peinture du moment, de l'instant

Tableau de Monet : « Impression, soleil levant »

Journaliste donne titre « impressionnisme - impressionnistes »

5 Mila a pris des notes en cours d'histoire de l'art (Doc. 3). Lisez-les et dites quel est le sujet du cours.

6 À deux a. Relisez les notes de Mila (Doc. 3). *Vrai* ou *faux* ?

1. Un journaliste a inventé le mot « impressionnisme ».
2. Les peintures impressionnistes sont réalistes.

b. 147 Écoutez le cours pour vérifier vos réponses.

c. Mila a oublié de noter quelques informations. Lesquelles ? Complétez ses notes.

d. En petit groupe Comparez vos notes pour les améliorer.

S'entraîner

Leçon 25

C'est / Ce sont... qui / que

1 Mettez en relief l'élément souligné avec *c'est / ce sont... qui / que (qu')*.

Ex. : J'utilise souvent cette appli. → C'est l'appli que j'utilise souvent.

a. Il va vérifier cette info.
b. La presse écrite sur papier est la moins utilisée.
c. Elle aime écouter ces deux stations de radio.
d. Je viens de découvrir ce nouveau site d'info.
e. Les jeunes utilisent les réseaux sociaux pour s'informer.
f. Je préfère ce site pour l'info internationale.
g. RFI vient de parler de cette catastrophe.

Les pronoms *y* et *en* COI

2 Remplacez les mots en gras par le pronom *en* ou le pronom *y*.

Ex. : Je ne parle pas **des infos non vérifiées**.
→ Je n'en parle pas.

a. Il n'a pas pensé **à regarder le journal télé**.
→ Il n'......... a pas pensé.
b. On a parlé **de cet accident** à la radio.
→ On .... a parlé à la radio.
c. Tu t'intéresses **à l'actualité** ?
→ Tu t'......... intéresses ?
d. Je me souviens très bien **de cette *fake news***.
→ Je m'......... souviens très bien.
e. Nous avons besoin **d'informations fiables**.
→ Nous .... avons besoin.
f. Vous croyez **à cette info** ?
→ Vous .... croyez ?

Si / Non – Moi aussi / Moi non plus

3 Entourez l'expression correcte.

Ex. : – Tu n'aimes pas cette chaîne de télé ?
– **Si** • **Oui.**

a. – Les gens ne vérifient jamais la source d'une info.
– **Moi aussi** • **Moi non plus**.
b. – Tu ne fais pas confiance à ce site Internet ?
– **Moi aussi** • **Si**.
c. – Il ne lit pas ce magazine ?
– **Moi non plus** • **Non**.
d. – Vous n'aimez pas ce journal en ligne ?
– **Si** • **Moi non plus**.
e. – Ils ne croient pas à cette information.
– **Moi non plus** • **Non**.
f. – Elles ne lisent jamais le journal ?
– **Non** • **Moi aussi**.
g. – J'adore ce site d'info.
– **Moi non plus** • **Moi aussi**.

Les médias (2) et l'information

4 Complétez avec les mots proposés.

station • fiable • appli • magazine • source • version papier • tout en ligne

Ex. : J'écoute souvent cette station de radio.

a. J'ai lu cette info dans un .... sur le sport.
b. Je vais télécharger cette .... sur mon téléphone.
c. Ce site d'information .... est vraiment super !
d. Je préfère la .... de ce journal.
e. Ce média est vraiment très ....
f. Internet est ma principale .... d'information.

Leçon 26

Les adjectifs indéfinis *quelques, plusieurs, tout (le)* (2), *chaque*

5 Transformez, comme dans les exemples.

Ex. : Il faut parler de toutes les solutions.
→ Il faut parler de chaque solution.
Chaque habitant doit avoir accès à la culture.
→ Tous les habitants doivent avoir accès à la culture.

a. Chaque proposition est intéressante.
→ .... sont intéressantes.
b. On doit combattre toutes les inégalités.
→ On doit combattre ....
c. Tous les citoyens donnent leur avis.
→ .... donne son avis.
d. Chaque musée doit être gratuit.
→ .... doivent être gratuits.
e. J'ai pu voir chaque exposition cette année.
→ J'ai pu voir .... cette année.
f. Il devrait y avoir une bibliothèque dans tous les quartiers de la ville. → Il devrait y avoir une bibliothèque dans .... de la ville.

6 Entourez la forme qui convient.

Ex. : **Tous les** • **Chaque** monuments sont gratuits.

a. **Chaque** • **Quelques** bibliothèques sont ouvertes le dimanche.
b. **Plusieurs** • **Chaque** théâtres de la ville sont trop chers.
c. **Toutes les** • **Toute la** places sont inférieures à 10 euros.
d. Il faut ouvrir un espace enfant dans **chaque** • **quelques** musée.
e. **Chaque** • **Plusieurs** salles de cinéma proposent de très vieux films.

Le gérondif

7 Mettez les verbes au gérondif.

On peut s'amuser et se cultiver (lire) **en lisant**, (aller) .... souvent à la bibliothèque, (écouter) ....

de la musique, (faire) .... du théâtre, (apprendre) .... à danser, (s'informer) .... beaucoup. En résumé, en (être) .... ouvert et (avoir) .... accès à une offre culturelle importante et gratuite !

La négation (3)

8 Dites le contraire avec *rien* et *personne*.

Ex. : La ville fait quelque chose pour aider les musiciens.
→ La ville ne fait rien pour aider les musiciens.

a. Tout est gratuit pour les jeunes. → ....
b. Tout le monde va au concert. → ....
c. Je connais quelqu'un dans ce théâtre. → ....
d. Quelque chose m'intéresse dans ce magazine.
→ ....
e. Le conservatoire cherche quelqu'un pour donner des cours de théâtre. → ....
f. Le gouvernement fait beaucoup de choses pour la culture. → ....

9 À deux Transformez avec *ne... ni... ni* ou *ni... ni... ne*.

Ex. : Je vais à la bibliothèque et au musée.
→ Je ne vais ni à la bibliothèque ni au musée.

a. J'aime le théâtre et le cinéma. → ....
b. La musique et la danse m'intéressent. → ....
c. J'ai vu cette exposition permanente et cette exposition temporaire. → ....
d. Les étrangers et les Français de plus de 26 ans peuvent profiter de la gratuité des musées.
→ ....
e. Ce peintre et ce musicien sont très connus.
→ ....
f. On peut réserver les places le lundi et le mercredi.
→ ....

Les équipements et les événements culturels

10 Reliez les lieux et les événements culturels.

a. Une salle de cinéma
b. Un conservatoire d'art dramatique
c. Une salle de concert
d. Un monument
e. Une bibliothèque
f. Un musée

1. On y enseigne le théâtre.
2. On le visite pour son intérêt historique.
3. On y voit des films.
4. On y écoute de la musique.
5. On y voit des expositions.
6. On y choisit des livres.

Les sons [p] / [b] et [f] / [v]

11 a. 148 Écoutez. Vous entendez [p] ou [f] ?

Ex. : un équipement → On entend [p].

b. 149 Écoutez. Vous entendez [b] ou [v] ?

Ex. : réserver → On entend [v].

Leçon 27

La cause (2) et le but (2)

12 150 Écoutez. Cause ou but ? Cochez (✔).

Ex. : Je viens souvent dans ce musée parce que j'aime la peinture impressionniste.

	Ex. :	a.	b.	c.	d.	e.
La cause	✔					
Le but						

La conséquence, l'opposition et la contradiction

13 Mettez les mots dans l'ordre.

Ex. : les photos / la rencontrer. / de cette photographe, / donc / j'aimerais bien / J'adore → J'adore les photos de cette photographe, donc j'aimerais bien la rencontrer.

a. est vraiment intéressante. / Du coup, / Cette exposition / j'y suis retournée / une deuxième fois.
→ ....
b. c'est pourquoi / le musée / lui consacre / Cette artiste est célèbre, / une exposition. → ....
c. dans ce musée / il est gratuit. / Il n'y a pas beaucoup / pourtant / de visiteurs → ....
d. par contre / celle-ci. / J'aime bien / je déteste / cette sculpture → ....

14 Soulignez le mot qui convient.

OUVERTURE D'UN NOUVEAU MUSÉE

Les gens connaissent beaucoup d'artistes hommes **mais** • **du coup** très peu de femmes artistes, **pourtant** • **donc** elles sont aussi très nombreuses. **C'est pourquoi** • **Par contre** notre ville a décidé de consacrer son nouveau musée aux femmes artistes. Voici l'avis de deux habitantes de notre ville, elles-mêmes artistes :
Carla : « L'ouverture d'un nouveau musée : c'est une très bonne nouvelle, **par contre** • **donc** je n'aime pas l'idée de le consacrer seulement aux femmes. »
Isabelle : « C'est formidable ! J'ai plusieurs grandes sculptures chez moi, **du coup** • **pourtant**, je vais les offrir au musée. »

Les sons [t] / [k] et [d] / [g]

15 a. 151 Écoutez. Vous entendez [t] ou [d] ?

Ex. : un tableau → On entend [t].

b. 152 Écoutez. Vous entendez [k] ou [g] ?

Ex. : une collection → On entend [k].

Faites le point

Expressions utiles

INTERAGIR

- – Tu ne crois pas à ça ? – Si, j'y crois.
- – Je vérifie toujours. – Moi aussi !
- – Je n'ai pas vérifié. – Moi non plus !

PRÉSENTER UN PROBLÈME

- Une partie de la population n'a pas toujours accès aux équipements culturels.
- Cette tribune parle des inégalités culturelles en France.
- Personne ne peut voir gratuitement les expositions permanentes.
- On ne fait rien pour favoriser l'accès à la culture.
- Ni le musée du Louvre ni celui des Arts et Métiers ne sont gratuits le premier dimanche du mois.

PROPOSER DES SOLUTIONS

- On aidera cette démocratisation de la culture en construisant des salles de spectacle dans toutes les régions.
- Tous les monuments et musées publics devraient disposer d'un espace pour les enfants.
- On doit ouvrir tous les musées gratuitement pour tout le monde !

PRÉSENTER UN PROGRAMME

- Tout d'abord, rendez-vous dans la galerie d'exposition.
- Puis concert du groupe féminin Canine.
- Ensuite, conférence dans l'auditorium du musée.
- Enfin, place à la danse avec la DJ Fishbach.

FAIRE UNE APPRÉCIATION

- J'ai adoré.
- C'est vraiment une jolie exposition, j'ai beaucoup aimé.
- C'était pas mal, mais bon...

DONNER SON AVIS

- Je trouve qu'il n'y en a pas assez !
- Moi, je crois qu'il n'y a pas assez de femmes artistes dans les musées.
- Je pense que les musées doivent plus exposer les artistes femmes.
- C'est injuste !
- Ce n'est pas normal.
- Femme artiste ou homme artiste, pour moi, ce n'est pas important.

Évaluez-vous !

À LA FIN DE L'UNITÉ 7, VOUS SAVEZ...	APPLIQUEZ !
☐ **mettre en valeur une information.**	› Transformez la phrase en utilisant *c'est qui* ou *c'est que*. Je préfère le musée d'Orsay.
☐ **utiliser *y* et *en*.**	› Répondez aux deux questions en utilisant *y* ou *en*. Vous pensez à l'expo ? • Vous vous souvenez de l'expo ?
☐ **utiliser les adjectifs indéfinis.**	› Complétez librement avec un adjectif indéfini. Je connais .... musées français.
☐ **proposer des solutions.**	› Mettez les verbes entre parenthèses au gérondif. On démocratisera la culture (proposer) .... des activités culturelles gratuites et (construire) .... des bibliothèques.
☐ **exprimer une contradiction.**	› Entourez la bonne réponse. Je ne vais pas souvent au cinéma, **parce que** • **pourtant** j'adore les films.
☐ **donner votre avis**	› Très peu de rues en France portent le nom d'une femme. Qu'en pensez-vous ? Répondez en une phrase.

Voyagez

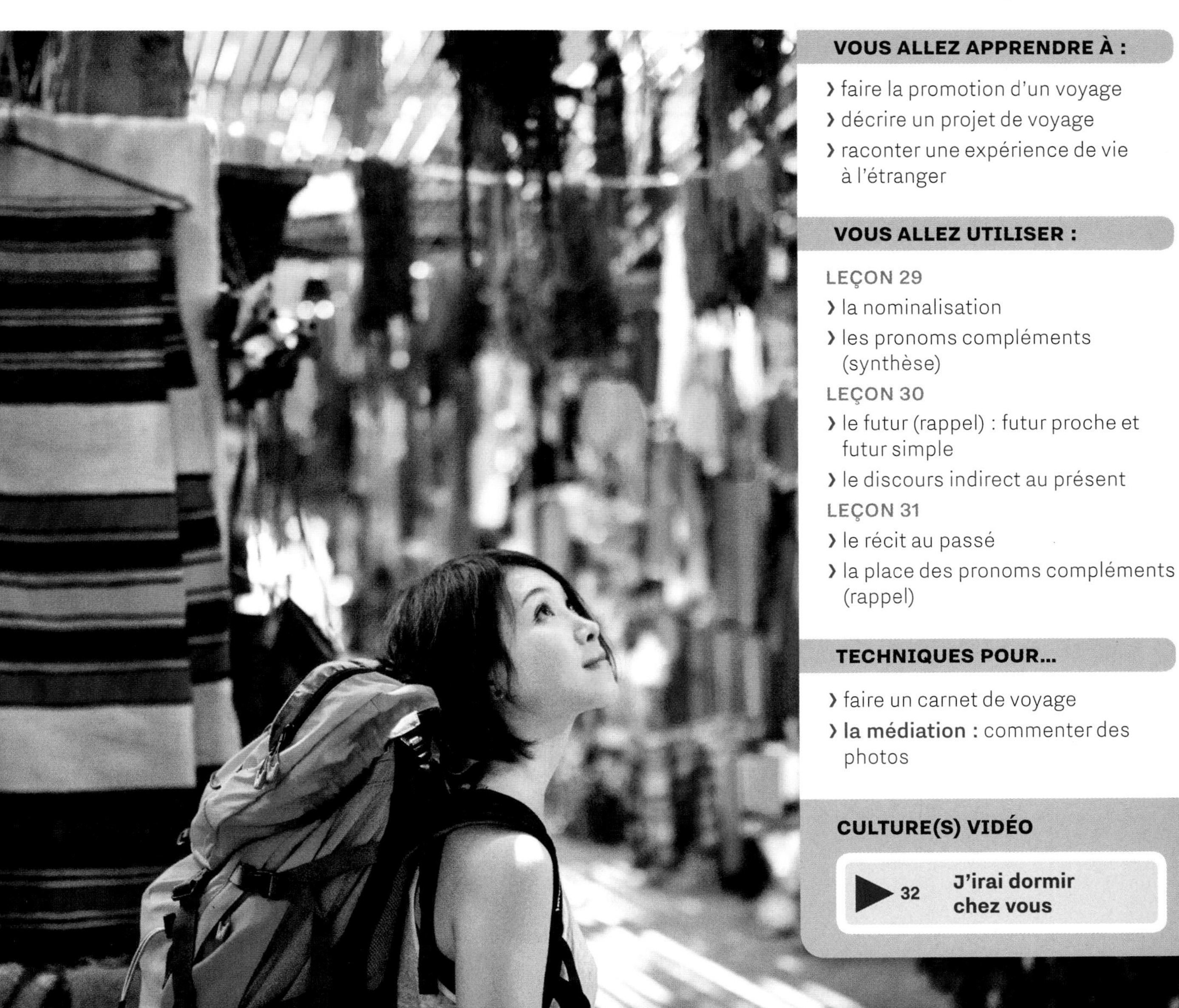

VOUS ALLEZ APPRENDRE À :

- faire la promotion d'un voyage
- décrire un projet de voyage
- raconter une expérience de vie à l'étranger

VOUS ALLEZ UTILISER :

LEÇON 29
- la nominalisation
- les pronoms compléments (synthèse)

LEÇON 30
- le futur (rappel) : futur proche et futur simple
- le discours indirect au présent

LEÇON 31
- le récit au passé
- la place des pronoms compléments (rappel)

TECHNIQUES POUR…

- faire un carnet de voyage
- **la médiation :** commenter des photos

CULTURE(S) VIDÉO

▶ 32 **J'irai dormir chez vous**

LEÇON 29

Faire la promotion d'un voyage

COMPRENDRE

DOC. 1 — 153

Un cargo

1 Écoutez (Doc. 1).

a. Soulignez la bonne réponse. Justifiez.

C'est **un reportage sur** • **une publicité pour** • **une interview sur** les voyages en cargo.

b. Cochez (✔) la bonne réponse.

Mer et voyages est :

☐ une association pour la protection des océans.
☐ une agence de voyages.
☐ une entreprise de transport de marchandises.

2 À deux Réécoutez (Doc. 1).

a. Répondez.

1. Quelles activités peut-on faire ?
2. Quels sont les avantages de ce type de voyage ?

b. Associez les informations à la catégorie correspondante.

1. On **part** du Havre ou de Fos-sur-mer.
2. Le voyage **dure** de 6 à 40 jours.
3. On **traverse** l'océan et on voit des dauphins et des baleines.
4. On **loge** dans des cabines avec vue sur la mer.

a. La **travers**ée • b. Le **log**ement • c. Le dé**part** • d. La **dur**ée

c. Observez les mots en gras de l'activité 2b. Que remarquez-vous ?

d. Trouvez dans le Doc. 1 les noms qui correspondent à ces verbes.

se promener • lire • se coucher • se renseigner

3 À deux Regardez la vidéo de Lucía et répondez.

Dans mon pays, je voyage surtout en car et en avion. Je n'ai jamais voyagé en bateau. Et vous ?

mer-et-voyages.info

DESTINATIONS CARGO | DESTINATIONS MARITIMES | DESTINATIONS POLAIRES | DESTINATIONS FLUVIALES | BRUITS DE COURSIVES

DU HAVRE VERS LA MARTINIQUE

ITINÉRAIRES | DÉTAILS DU PRIX | TÉMOIGNAGES (14)

Commentaire de Sophie_33
Publié le 26/03/2021

Quand un ami m'a conseillé de faire un voyage en cargo, je me suis dit : « Il est fou ! » Puis j'y ai réfléchi et j'ai changé d'avis. Des voyages classiques, j'en ai fait beaucoup : en car, en train, en avion bien sûr, mais en cargo jamais. J'ai décidé de tenter l'aventure. Du Havre vers la Martinique, une traversée de 12 jours inoubliables !

On a quitté le port du Havre la nuit, direction les îles portugaises des Açores, qu'on voit de loin. En mer, les couchers et levers de soleil sont magnifiques. Après Les Açores, la terre, on ne la voit plus pendant des jours et des jours, jusqu'à Pointe-à-Pitre où nous avons fait une escale, pour une petite visite de la ville avant de reprendre la mer. On est arrivés à Pointe-à-Pitre le matin et on en est repartis après le dîner.

La taille du bateau est impressionnante (400 m) ! On s'y promène. Le capitaine nous laisse aller où on veut, excepté dans la salle des machines. On lui parle quand on le voit sur la passerelle. Il y a aussi une petite piscine, une salle de sport, une salle de repos avec une bibliothèque. Le bruit des machines est constant, mais après quelques jours on l'oublie.

La cabine était confortable et bien équipée. On nous servait les repas dans la salle à manger avec l'équipage et les officiers. J'y ai fait la connaissance des cinq autres passagers. Les membres de l'équipage étaient philippins, indiens et russes. Je leur ai posé plein de questions sur leur travail. Je suis devenu amie avec un jeune Russe, Boris. Je lui ai appris quelques mots de français. Une rencontre très sympa.

La mer, c'est très beau. Je la regardais tout le temps. Il y a aussi les baleines, les dauphins qui suivent le bateau et les poissons volants. Ils vous surprennent ! Pas le temps de les prendre en photo.

J'ai vécu une expérience fantastique. Si vous voulez visiter un autre continent, n'y allez pas en avion, allez-y en bateau. Il y a beaucoup de photos sur le site. Regardez-les, vous comprendrez !

4 Observez le commentaire sur le site de *Mer et voyages* (Doc. 2). Identifiez :
- l'auteur(e) du commentaire ;
- la date de publication ;
- le lieu de départ et le lieu d'arrivée.

5 Lisez (Doc. 2). Mettez les sujets du commentaire dans le bon ordre.

a. Les étapes du voyage • b. La prise de décision • c. Les conditions du voyage • d. Les suggestions • e. La description du bateau • f. La mer

6 À deux Relisez (Doc. 2).

a. Répondez.

1. Le commentaire de Sophie est-il positif ou négatif ? Justifiez.
2. Comment a-t-elle eu l'idée de voyager en cargo ?
3. Quel lieu est interdit aux passagers ?
4. Quels animaux voit-on pendant le voyage ?
5. Quels conseils donne Sophie ?

b. Relisez les conseils de Sophie. Entourez la bonne réponse.

1. Avec l'impératif affirmatif, le pronom se place **avant** • **après** le verbe.
2. Avec l'impératif négatif, le pronom se place **avant** • **après** le verbe.

7 À deux Relisez (Doc. 2).

a. *Vrai* ou *faux* ? Justifiez.

1. La terre était visible pendant tout le voyage.
2. Ils ont passé une journée à Pointe-à-Pitre.
3. Ils ne voyaient jamais le capitaine.
4. Sophie s'est habituée aux bruits du cargo.
5. Les passagers mangeaient dans leur cabine.
6. Boris parlait bien français.
7. Sophie a appris des choses sur le travail de l'équipage.

b. Observez les phrases. Répondez.

Le capitaine **nous** laisse aller où on veut. On **lui** parle quand on **le** voit sur la passerelle.
Que remplace *nous* ? Que remplacent *lui* et *le* ?

AGIR

8 En petit groupe Faites la promotion d'un voyage.

a. **Choisissez** une formule de voyage (croisière, camping dans le désert, randonnée en montagne...).
b. **Décidez** des informations que vous voulez donner (transport, logement, restauration, activités).
c. Mettez en valeur un élément positif pour chaque type d'information.
d. Enregistrez votre publicité. **Partagez**-la avec la classe.

Grammaire

La nominalisation pour mettre en valeur

Partir → **Départ** du Havre ou de Fos-sur-mer.
Durer → Selon la destination, **durée** de 6 à 40 jours.

Les pronoms compléments (synthèse)

• **Les pronoms COD et COI**

	COD	COI
je / j'	**me / m'**	**me / m'**
tu	**te / t'**	**te / t'**
il, elle, on	le / la / l'	lui
nous	**nous**	**nous**
vous	**vous**	**vous**
ils, elles	les	leur

La terre, on ne **la** voit plus.
Je **lui** ai appris quelques mots de français.

• **Les pronoms *y* et *en* compléments de lieu**

J'**y** ai fait la connaissance des autres passagers.
y = dans la salle à manger
On **en** est repartis après le dîner.
en = de Pointe-à-Pitre

• **Le pronom *en* pour remplacer une quantité**

Des voyages classiques, j'**en** ai fait beaucoup.

Rappel : *y* et *en* COI

J'**y** pense. Je m'**en** souviens.

• **La place des pronoms à l'impératif**

– Impératif affirmatif : Regardez-**les**, vous comprendrez.
– Impératif négatif : N'**y** allez pas en avion.
! Regardez-**moi**. → Ne **me** regardez pas.

Vocabulaire

La mer et les bateaux 

à bord • un capitaine • un cargo • un équipage • un lever / un coucher de soleil • la marine • un navire • un océan • un officier • une passerelle • un port • une route maritime • une traversée • une baleine • un dauphin • un poisson volant

Les voyages (1) 155

une arrivée • une aventure • une cabine • un continent • un départ • une destination • une durée • une escale • un passager / une passagère • en avion • en bateau • en car • en train

Phonétique

Les sons [j] et [ʒ]  

• Le son [j] : l'a**il**. Les lèvres sont souriantes.
• Le son [ʒ] : l'â**g**e. Les lèvres sont arrondies.

• **Écoutez. C'est identique (=) ou différent (≠) ?**
Ex. : un nageur • un ailleurs → ≠

› Entraînez-vous p. 112-113

Décrire un projet de voyage

COMPRENDRE

DOC. 1 157

1 Écoutez l'interview (Doc. 1). Répondez.

a. Qui est interviewé ? Que sait-on de lui ?

b. De quoi parle-t-il ?

2 À deux Réécoutez (Doc. 1).

a. Entourez la bonne réponse.

1. Il partira dans **cinq** • **six** • **sept** jours.
2. Son voyage durera **un** • **deux** • **trois** mois.
3. Il voyagera **en voiture** • **à vélo** • **en bus**.
4. Il dormira **chez l'habitant** • **à l'hôtel** • **dans une location**.
5. Il visitera **deux** • **trois** • **quatre** pays.

b. Dessinez l'itinéraire de Gaspard sur la carte.

c. Répondez.

1. Qu'est-ce que Gaspard va faire demain ?
2. Qu'est-ce qu'il fera à Malaga ?

3 À deux Élaborez un parcours dans votre pays pour un touriste à vélo. Choisissez l'itinéraire et les villes et villages traversés.

DOC. 2

Je vais rarement à l'hôtel. En général, je fais du *couchsurfing* : je dors sur les canapés des gens. Ils acceptent de m'héberger pendant 2-3 nuits. Je voyage comme ça, sans rien dépenser pour le logement. On me dit que je suis trop vieux pour ça (j'ai 64 ans). Je réponds que l'important, c'est l'attitude, pas l'âge. Je suis ouvert, simple, et on m'accepte comme je suis. Ma famille dit que j'ai toujours été original !

On me demande aussi comment je trouve les canapés, les endroits pour dormir. C'est grâce à un site. J'en parle dans la rubrique « Préparatifs ».

Mes amis me demandent si c'est dangereux. Je leur explique que tous les voyages comportent des risques. Avec le *couchsurfing*, on est chez un habitant du pays qui accepte de nous guider ou de nous conseiller, et ça c'est très sympa. Je n'achète pas de guide touristique !

On me demande aussi ce que je dois faire en échange du canapé. Mais il n'y a rien à faire. Je voyage comme ça pour le plaisir de faire des rencontres, de partager des repas. On m'accueille et moi je respecte les cultures et les coutumes de mes hôtes. Je leur dis de ne pas changer leurs habitudes à cause de moi. J'ajoute que ce n'est pas pour faire des économies. Mon objectif, c'est d'avoir un rapport non-commercial avec les gens du pays.

Essayez de voyager comme ça un jour. Vous verrez, c'est très enrichissant.

4 Lisez l'article du blog de Gaspard (Doc. 2). Cochez (✔) la bonne réponse.

a. Que fait Gaspard ?

- ☐ Il raconte où il a dormi pendant son dernier voyage.
- ☐ Il décrit son mode de logement pendant ses voyages.
- ☐ Il explique les avantages du voyage en solo.

b. Qu'est-ce que le *couchsurfing* ?

- ☐ On trouve des contacts sur un site. On dort sur un canapé. C'est gratuit.
- ☐ On dort sur le canapé d'un habitant en échange d'un travail.
- ☐ On trouve des contacts sur un site. On paye une petite somme pour dormir sur un canapé.

5 À deux Relisez (Doc. 2). Répondez.

a. Pourquoi Gaspard choisit-il ce mode de logement ?

b. Que pensent les gens de ce mode de logement ?

c. Que dit la famille de Gaspard à son sujet ?

d. Quelles questions lui pose-t-on ?

6 À deux a. Lisez les bulles. Retrouvez dans le Doc. 2 les propos correspondants.

1. Tu es trop vieux pour ça !
2. Qu'est-ce que tu dois faire en échange du canapé ?
3. Comment est-ce que tu trouves les canapés ?
4. Tu as toujours été original !
5. Est-ce que c'est dangereux ?

b. Observez les phrases relevées. Quelles sont les différences avec les phrases au discours direct de l'activité 6a (mots et ponctuation) ?

c. Que dit Gaspard ? Choisissez.

Je leur dis de ne pas changer leurs habitudes à cause de moi.

1. « Vous ne changez pas vos habitudes à cause de moi. »
2. « Ne changez pas vos habitudes à cause de moi. »
3. « Vous avez changé vos habitudes à cause de moi. »

AGIR

7 Décrivez un projet de voyage.

a. Choisissez un type de voyage (un voyage en bateau, la visite culturelle d'une grande ville, un safari...).
b. Décidez de vos modes de transport et de logement, de l'itinéraire et de la durée. Prenez des notes.
c. **À deux** Échangez vos notes. **Discutez** : posez des questions, demandez des explications à votre camarade et donnez-lui des conseils.
d. **En groupe** **Rapportez** vos échanges à la classe (les questions, les réponses, les explications).
e. La classe choisit le projet le plus intéressant.

Grammaire

Le futur (rappel)

- **Le futur proche pour parler d'une action dans un avenir proche du présent**
Formation : verbe aller au présent + **infinitif**
Je vais **préparer** mon sac demain.

- **Le futur simple pour faire des prévisions ou indiquer un programme**
Formation : infinitif + -ai, -as, -a, -ons, -ez, -ont
Après le Portugal, j'arriverai en Espagne.
! Pour les verbes en *–re*, on supprime le *e* final :
Je rejoindrai la côte pour m'arrêter à Malaga.

Le discours indirect au présent pour rapporter des paroles

Discours direct	→ Discours indirect
Phrases déclaratives	
« Tu es trop vieux pour ça ! »	→ On me dit que je suis trop vieux pour ça.
« L'important, c'est l'attitude, pas l'âge. »	→ Je réponds que l'important, c'est l'attitude, pas l'âge.
Phrases interrogatives	
« Comment est-ce que tu trouves les canapés ? »	→ On me demande comment je trouve les canapés.
« Est-ce que c'est dangereux ? »	→ Mes amis me demandent si c'est dangereux.
« Qu'est-ce que tu dois faire en échange du canapé ? »	→ On me demande ce que je dois faire en échange du canapé.
Phrases à l'impératif	
« Ne **changez** pas vos habitudes à cause de moi. »	→ Je leur dis de ne pas **changer** leurs habitudes à cause de moi.

Vocabulaire

Les voyages (2)

un guide (touristique) • les préparatifs • un risque • un sac • une valise • se débrouiller • guider

Les déplacements : un billet • un chemin • une étape • un itinéraire • un kilomètre (km) • une petite route / une route principale • longer • passer par • rejoindre • remonter • s'arrêter à • en ligne droite • à vélo • en bus • en voiture

L'hébergement : une auberge • le camping • le *couchsurfing* • chez l'habitant • un(e) hôte • une pension • une résidence • dormir à la belle étoile • accueillir • héberger

> Entraînez-vous p. 112-113

Raconter une expérience de vie à l'étranger

COMPRENDRE

1 À deux **Observez la couverture du livre (Doc. 1).**

a. Repérez le titre, l'auteur, l'information sur l'auteur. Connaissez-vous ce livre, cet auteur ?

b. Décrivez la photo de la couverture.

2 Écoutez l'extrait de l'émission de radio (Doc. 2).

a. Relevez le titre de l'émission et les informations sur J.M.G. Le Clézio.

b. De quoi parle son livre *L'Africain* ?

3 À deux **Réécoutez (Doc. 2). *Vrai* ou *faux* ? Justifiez.**

a. Le Clézio était heureux en Afrique.
b. Il a rejoint son père en Afrique à 8 ans.
c. Il est allé au Nigeria avec sa mère.
d. Son père était médecin de ville en Afrique.
e. Son père était doux et tendre.
f. Il avait un rapport facile avec son père.

4 À deux **Réécoutez Marie Leroy (Doc. 2).**

a. Pourquoi trouve-t-elle que *L'Africain* est le plus beau livre de Le Clézio ?

b. Observez les phrases. Quelle est la place des pronoms compléments au passé composé et à l'infinitif ?

Ce père, il n'a jamais pu **lui** parler.
Il dit tout ce qu'il ne **lui** a pas dit.

5 En petit groupe **Quel est le plus beau livre que vous avez lu ? Pourquoi ? Échangez.**

À l'âge de huit ans à peu près, j'ai vécu en Afrique de l'Ouest, au Nigeria, dans une région assez isolée où, hormis[1] mon père et ma mère, il n'y avait pas d'Européens, et où l'humanité, pour l'enfant que j'étais, se composait uniquement d'Ibos et de Yoroubas. Dans la case que nous habitions (le mot case a quelque chose de colonial qui peut aujourd'hui choquer, mais qui décrit bien le logement de fonction que le gouvernement anglais avait prévu pour les médecins militaires, une dalle de ciment pour le sol, quatre murs de parpaing sans crépi, un toit de tôle ondulée recouvert de feuilles, aucune décoration, des hamacs accrochés au mur pour servir de lit et, seule concession au luxe, une douche reliée par des tubes de fer à un réservoir sur le toit que chauffait le soleil), dans cette case, donc, il n'y avait pas de miroirs, pas de tableaux, rien qui pût[2] nous rappeler le monde où nous avions vécu jusque-là. [...] C'est là, que j'ai appris à oublier. Il me semble que c'est de l'entrée de cette case, à Ogoja, que date l'effacement[3] de mon visage, et des visages de tous ceux qui étaient autour de moi.

L'Africain, J.M.G. Le Clézio, © Éditions Gallimard, 2004

1 hormis : à part ; 2 pût : pouvait ; 3 l'effacement : la disparition

6 Lisez l'extrait du livre *L'Africain* (Doc. 3). Répondez.

a. Quelles informations supplémentaires a-t-on sur le père de Le Clézio ?

b. Dans quelle région d'Afrique, quel pays et quelle ville Le Clézio a-t-il vécu ? Les connaissez-vous ?

c. Quelles sont les deux ethnies de cette région d'Afrique ?

Culture(s)

Jean-Marie Gustave Le Clézio est né en 1940 à Nice. C'est un écrivain de langue française, de nationalités française et mauricienne. Ses origines familiales et ses voyages lui ont inspiré une cinquantaine d'ouvrages de fiction (romans, nouvelles, récits, contes) et d'essais. Il a reçu le prix Nobel de littérature en 2008.
→ **Vous connaissez d'autres auteurs prix Nobel de littérature ?**

7 À deux **Relisez (Doc. 3). Observez le dessin de la maison de Le Clézio au Nigeria. Repérez les quatre erreurs.**

8 À deux **a. Lisez la phrase. Justifiez les temps utilisés.**

À l'âge de huit ans à peu près, j'**ai vécu** en Afrique de l'Ouest, au Nigeria, dans une région assez isolée où, hormis mon père et ma mère, il n'y **avait** pas d'Européens.

b. Trouvez l'infinitif du verbe souligné.

Il n'y **avait** pas de miroirs, rien qui [**pouvait**] nous rappeler le monde où nous avions vécu jusque-là.

1. Comment ce temps est-il formé ? Exprime-t-il l'antériorité (avant), la simultanéité (pendant) ou la postériorité (après) par rapport aux verbes en gras ?
2. Trouvez une autre forme de ce type dans le **Doc. 3**.

c. Associez.

1. Pour décrire les sentiments, le contexte, les circonstances du passé...
2. Pour raconter une action ponctuelle du passé...
3. Pour raconter une action antérieure à une autre dans le passé...

a. ... on utilise l'imparfait.
b. ... on utilise le plus-que-parfait.
c. ... on utilise le passé composé.

AGIR

9 **Racontez une expérience de vie ou un voyage (réel(le) ou imaginaire) à l'étranger.**

a. Choisissez une expérience de vie à l'étranger et un moment de cette expérience.
b. Racontez par écrit votre expérience. Décrivez le lieu, les habitants, l'hébergement. Dites ce que vous avez ressenti, ce que vous avez vécu.
c. En petit groupe **Partagez** vos textes. **Échangez** pour les améliorer.
d. En groupe Regroupez vos textes dans un recueil. **Décidez** d'un titre et d'une image de couverture pour le recueil de la classe.

Postez votre recueil sur le groupe de la classe.

Grammaire

Le récit au passé

• Pour décrire une situation, les circonstances ou le contexte, on utilise **l'imparfait**.
Dans cette case, il n'y avait pas de miroirs.

• Pour parler d'une action ponctuelle ou à durée limitée, on utilise **le passé composé**.
À l'âge de huit ans, j'ai vécu en Afrique.
Le Clézio est né en 1940.
C'est l'Afrique où il a passé une année enchantée.

Rappel : avec ***être***, le participe passé s'accorde avec le sujet : Elle **est née**.

• Pour parler d'une action passée antérieure à une autre dans le passé, on utilise **le plus-que-parfait**.
Formation :
avoir ou **être** à l'imparfait + participe passé
Le monde où nous **avions** vécu.
Le logement de fonction que le gouvernement anglais **avait** prévu.

La place des pronoms compléments (rappel)

Les pronoms compléments se placent avant le verbe :
• avant *être* ou *avoir* au passé composé.
Il lui a dit. / Il ne lui a pas dit.
• avant le verbe à l'infinitif.
Il a pu lui parler. / Il n'a jamais pu lui parler.

Vocabulaire

L'habitation 

la brousse • une case • le ciment • le crépi • une dalle • un hamac • un logement de fonction • un mur • un parpaing • un réservoir • un sol • un toit • la tôle ondulée • un village

Les relations familiales 161

une image négative • un père sévère • un rapport difficile • absent(e)

Phonétique

Graphie-phonie  

Une même lettre peut se prononcer de différentes manières.

a. Lisez. Comment est-ce qu'on prononce les lettres en bleu ?

1. une image négative • ignorer
2. une case en ciment
3. un lointain voyage avec toi
4. un réservoir • sévère • impressionnant

b. Écoutez pour vérifier.

Entraînez-vous p. 112-113

Techniques pour...

... faire un carnet de voyage

LIRE

lundi 18 mai, 22 h

Enfin au Pays basque ! C'est la première fois que je viens à Biarritz. Biarritz, c'est un paradis pour les surfeurs ! Il y a 4 km de plage ici !! 2 super spots[1]. Le centre-ville est très chic, avec de beaux immeubles. Mon hôtel est sympa, un petit deux étoiles en plein centre, pas loin de la plage.

BIARRITZ FRANCE

Le Petit Hôtel **
11 Rue Gardères
64200 Biarritz, France
05 59 24 87 00

Les gens sont très agréables et souriants. En fin d'après-midi, les rues se remplissent. Il y a des bars, plein de cafés... On prend son temps. Les restaurants préparent les grillades pour les pintxos. Ça sent bon ! J'en ai mangé ce soir. C'était bien pimenté.

Dans le bar, j'ai entendu parler basque. Ça venait d'une grande table. Les gens ont vu que j'étais seule et ils m'ont dit : « Venez vous asseoir avec nous ! » J'ai accepté et j'ai passé une super soirée.
J'ai fait la connaissance de Bixente, Laura, Gabriela et Lucas. J'ai bien rigolé. Je les retrouverai demain. En partant, j'ai dit : « Ez adiorik ! » (au revoir, en basque).

mardi 19 mai, 23 h

Mon petit hôtel est vraiment bien, simple et confortable. On voit la mer de ma fenêtre.

MÉTÉO PLAGE
19 mai
Vent : 20 km/h
Vagues : 1 m
Température :
air 17° C
eau 15° C

J'ai sorti ma planche aujourd'hui. Je suis allée à la plage vers 6 heures : il faisait frais et les vagues étaient belles. Les conditions étaient idéales, j'avais la plage pour moi toute seule. Quel bonheur ! Quand je suis entrée dans l'eau, wouah ! J'ai senti le froid ! J'ai raté la première vague, j'étais déçue. Mais la vague suivante était magnifique. J'étais folle de joie ! J'ai fait une session de 45 minutes.
L'après-midi, j'ai visité la ville. Puis j'ai retrouvé Bixente et les autres pour boire un verre.

1 un spot : un endroit connu pour le surf

1 [Découverte] Observez (Doc. 1).

a. Cochez (✓) la bonne réponse.

☐ C'est l'extrait d'un catalogue de voyages.
☐ C'est l'extrait d'un carnet de voyage.
☐ C'est l'extrait d'un roman.

b. Décrivez le document.

2 Lisez (Doc. 1). Répondez.

a. Où est-ce ? Quand ?

b. Que sait-on de l'auteur(e) ?

c. Quelles sont ses activités ?

d. À votre avis, quel est le but de son texte ?

3 À deux Relisez (Doc. 1). *Vrai* ou *faux* ?

a. Le premier jour, elle a mangé seule au restaurant.
b. Il y avait du monde sur la plage à 6 heures.
c. Les conditions météo étaient mauvaises.
d. Elle a retrouvé ses nouveaux amis le 19 mai.

4 [Analyse] À deux Relisez (Doc. 1).

a. Trouvez dans le texte :

1. des extraits de conversation.
2. des informations sur les lieux.
3. des appréciations.
4. l'expression d'une émotion.

b. Relevez tous les signes de ponctuation.

c. Associez une phrase du Doc. 1 à chaque sens.

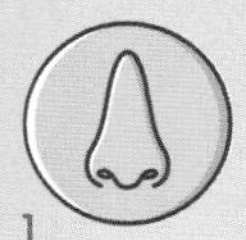
1.

2.

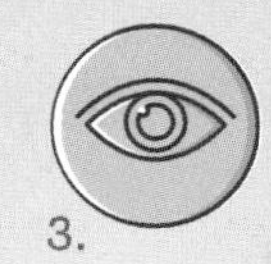
3.

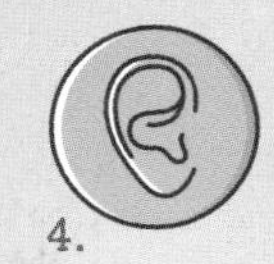
4.

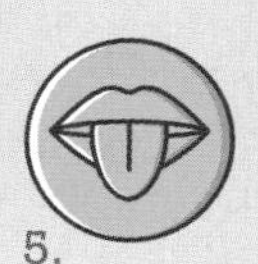
5.

POUR faire un carnet de voyage

- **Dater**
  lundi 18 mai, 22 h
- **Parler de ses activités**
  Je suis allée à la plage vers 6 heures.
  L'après-midi, j'ai visité la ville. Puis j'ai retrouvé Bixente et les autres pour boire un verre.
- **Décrire**
  Biarritz, c'est un paradis pour les surfeurs !
  Il y a des bars, plein de cafés...
  Les conditions étaient idéales.
- **Faire des appréciations**
  Mon petit hôtel est vraiment bien, simple et confortable.
  Mais la vague suivante était magnifique.
- **Parler de ses sensations**
  – la vue : On ***voit*** *la mer de ma fenêtre.*
  – l'odorat : *Ça* ***sent*** *bon !*
  – le toucher : *J'ai* ***senti*** *le froid.*
  – l'ouïe : *Dans le bar, j'ai* ***entendu*** *parler basque.*
  – le goût : *C'était bien* ***pimenté****.*
- **Ponctuer le texte**
  le point **.** • la virgule **,** • les points de suspension **...** • les deux points **:** • le point d'exclamation **!** • les guillemets **« »** • les parenthèses **( )**
- **Organiser le texte en paragraphes**
  Un paragraphe regroupe les phrases qui parlent d'un même sujet.
- **Illustrer avec des documents**
  Dessins, aquarelles, cartes de visite, tickets d'entrée...

ÉCRIRE

5 Écrivez la page d'un carnet de voyage réel ou imaginaire.

a. Parlez des lieux, du logement, des activités...

b. Choisissez des documents pour illustrer le texte.

c. À deux Échangez vos pages. Améliorez vos productions.

d. En groupe Partagez vos productions pour créer le carnet des voyages de la classe.

... la médiation : commenter des photos

DOC. 2

DOC. 3

6 À deux Emmanuel a pris ces photos pendant un tour du monde (Doc. 2 et 3). Observez-les et décrivez-les. Imaginez où c'est.

7 À deux 163 et 164 a. Emmanuel commente les deux photos. Écoutez l'un des commentaires. Notez les informations sur les personnes, les lieux, l'ambiance.

b. Rapportez à votre camarade les commentaires d'Emmanuel sur la photo.

S'entraîner

Leçon 29

La nominalisation

1 Reliez les verbes et les noms.

a. Proposer	1. Un logement
b. Partir	2. Une information
c. Se renseigner	3. Un départ
d. S'informer	4. Une proposition
e. Se promener	5. Une promenade
f. Lire	6. Un renseignement
g. Se loger	7. La lecture
h. Se coucher	8. La direction
i. Se diriger	9. Un couchage

Les pronoms compléments (synthèse)

2 Transformez les phrases avec *le*, *la*, *l'*, *les*, *lui*, *leur*.

Ex. : J'ai créé **mon blog** pour raconter mes voyages.
→ Je l'ai créé pour raconter mes voyages.

a. Je mets **les photos** sur mon blog.
→ Je ...... mets sur mon blog.

b. Je raconte **mes aventures** tous les jours.
→ Je ...... raconte tous les jours.

c. Je décris **le paysage** en détail.
→ Je ...... décris en détail.

d. Je propose **à mes lecteurs** des lieux à visiter.
→ Je ...... propose des lieux à visiter.

e. Je contacte **ma femme** par mail une fois par semaine.
→ Je ...... contacte par mail une fois par semaine.

f. Je parle **à ma femme** de mes aventures.
→ Je ...... parle de mes aventures.

3 Remplacez le groupe de mots souligné par le pronom complément qui convient.

Ex. : Je fais <u>beaucoup de voyages</u>. → J'en fais beaucoup.

a. C'est l'agence qui organise <u>mes vacances</u>.
→ C'est l'agence qui ...... organise.

b. On arrive <u>à Oslo</u> à 6 heures du matin.
→ On ...... arrive à 6 heures du matin.

c. Elle conseille <u>à ses amis</u> de partir avec cette compagnie aérienne.
→ Elle ...... conseille de partir avec cette compagnie aérienne.

d. Ils sont revenus très contents <u>de leur visite</u>.
→ Ils ...... sont revenus très contents.

e. Tu as vu <u>des dauphins</u> pendant la traversée ?
→ Tu ...... as vu pendant la traversée ?

f. J'ai retrouvé des amis <u>sur le bateau</u>.
→ J'...... ai retrouvé des amis.

g. On repart <u>de Bergen</u> ce soir.
→ On ...... repart ce soir.

h. Je me promène <u>sur la passerelle du bateau</u>.
→ Je m'...... promène.

4 À deux Dites le contraire avec l'impératif négatif ou affirmatif.

Ex. : Ce voyage, faites-le en été. → Ce voyage, ne le faites pas en été.

a. En Norvège, n'y allons pas en bateau.
b. Raconte-lui ta visite en détail.
c. Informez-moi sur cette traversée.
d. Ne nous attendez pas pour partir.
e. Ton vol, réserve-le sur ce site.
f. Ne me confirmez pas la réservation.

La mer et les bateaux / Les voyages (1)

5 Barrez l'intrus.

Ex. : un navire • un cargo • ~~un car~~

a. le capitaine • l'équipage • le passager
b. un dauphin • un officier • une baleine
c. le port • la traversée • l'avion
d. l'océan • la route maritime • le continent

Les sons [j] et [ʒ]

6 165 Écoutez. Vous entendez [j] ou [ʒ] ? Cochez (✓).

Ex. : un nuage

	Ex. :	a.	b.	c.	d.	e.	f.	g.	h.	i.
[j] ail										
[ʒ] âge	✓									

Leçon 30

Le futur (rappel)

7 Transformez au futur proche.

Ex. : Je pars demain. → Je vais partir demain.

a. On découvre une autre culture. → ......
b. Je prépare mes affaires. → ......
c. Nous réservons nos billets. → ......
d. Vous allez où ? → ......
e. Elles arrivent dans une heure. → ......
f. Nous faisons ce voyage ensemble. → ......
g. Tu reviens bientôt ? → ......

8 Conjuguez les verbes au futur simple.

Ex. : Pour la visite de la région, le car (partir) **partira** à 8 heures.

a. Vous (prendre) .... le petit déjeuner à 6 heures.
b. On (se retrouver) .... devant l'hôtel à 7 heures.
c. Il (falloir) .... être à l'heure.
d. Vous ne (pouvoir) .... pas prendre trop de bagages.
e. Nous (aller) .... en car jusqu'au château.
f. La visite (durer) .... deux heures.
g. Il y (avoir) .... une pause déjeuner.
h. L'après-midi (être) .... libre.
i. Si vous voulez, deux guides (proposer) .... une visite de la ville.
j. Nous (revenir) .... vers 19 heures.

Le discours indirect au présent

9 Complétez les phrases au discours indirect.

Ex. : Ce voyage est très intéressant. → **Elle dit que ce voyage est très intéressant.**

a. Combien de temps dure la visite ?
→ Elle demande .... dure la visite.
b. Est-ce qu'il fera beau ?
→ Il veut savoir .... il fera beau.
c. Le *couchsurfing* est une bonne formule.
→ Il explique .... le *couchsurfing* est une bonne formule.
d. Ne voyagez pas seul !
→ Elle conseille à son client .... ne pas voyager seul.
e. Qu'est-ce qu'il faut faire pour réserver ?
→ Elle demande .... il faut faire pour réserver.
f. Est-ce que ce safari est dangereux ?
→ Je demande .... ce safari est dangereux.

10 À deux Entourez la bonne forme au discours indirect.

Ex. : La cliente : « Qu'est-ce que je vais visiter ? »
Elle demande (ce qu'elle va) • ce que je vais visiter.

a. Les clients : « Conseillez-nous ! »
Ils demandent à l'agent de **vous** • **les** conseiller.
b. L'agent : « Vous devez payer en ligne ».
Il explique au client **qu'il doit** • **que vous devez** payer en ligne.
c. Les clients : « Est-ce qu'on aura du temps libre ? »
Ils demandent **si vous aurez** • **s'ils auront** du temps libre.
d. L'agent : « Réservez votre place maintenant ! »
Il conseille au client de réserver **sa** • **votre** place maintenant.
e. Les clients : « Est-ce qu'on pourra modifier nos billets ? »
Ils veulent savoir s'ils pourront modifier **nos** • **leurs** billets.

Leçon 31

Le récit au passé

11 a. Complétez le récit avec les verbes au passé composé ou à l'imparfait.

Lola, fille de marin, ne se sent libre que sur l'océan.
Je ne (supporter) **supportais** plus la vie à terre. Je n'y étais jamais restée aussi longtemps. L'océan me (manquer) .... Alors je (décider) .... de tout quitter et de repartir. Je (acheter) .... un billet pour une traversée sur un cargo avec l'argent que j'avais économisé.
Le soir du départ, je (arriver) .... au port, je (marcher) .... le long des quais. Il (faire) .... chaud. Je (se sentir) .... bien. Je (monter) .... à bord du cargo, je (poser) .... mon sac, je (se coucher) .... sur le pont et je (regarder) .... le ciel. Il (être) .... noir et les étoiles (briller) .... Je (être) .... heureuse. Le vent (se lever) .... et je (s'endormir) .... Quand je (se réveiller) .... , nous (être) .... en pleine mer...

Inspiré de *Le Chercheur d'or* de J.M.G. Le Clézio.

b. Soulignez les deux verbes au plus-que-parfait.

La place des pronoms compléments (rappel)

12 Mettez les mots dans l'ordre.

Ex. : Mon père, (connu / je / l' / pas / ne / ai) → **je ne l'ai pas connu.**

a. Ma mère, (je / parler / lui / pouvais) ....
b. Le pays où je suis né, (y / n' / je / retourné / suis / jamais) ....
c. Mes amis d'enfance, (j' / les / bien / aimerais / revoir) ....
d. Mon grand-père paternel, (jamais / je / ai / ne / revu / l') ....
e. Ma vie, (je / en / parler / vais / un / livre / dans) ....

Graphie-phonie

13 a. Dans quel mot la lettre en bleu a une prononciation différente ? Barrez l'intrus.

Ex. : ciment • ~~case~~ • difficile

a. image • négatif • village
b. sévère • absent • résidence
c. logement • regarder • grand
d. écriture • fonction • médecin
e. soleil • escale • visite

b. 166 **Écoutez pour vérifier.**

Faites le point

Expressions utiles

FAIRE LA PROMOTION D'UN VOYAGE

- *Mer et voyages* vous offre une expérience de voyage riche et authentique.
- Admirez les couchers de soleil et profitez du spectacle des dauphins et des baleines.
- Avec *Mer et voyages*, voyagez autrement.

DONNER SON AVIS SUR UN VOYAGE

- En mer, les couchers et levers de soleil sont magnifiques.
- Le bruit des machines est constant, mais après quelques jours on l'oublie.
- La cabine était confortable et bien équipée.
- J'ai vécu une expérience fantastique.

DÉCRIRE UN PROJET DE VOYAGE

- Je partirai de Lisbonne et je longerai l'Atlantique.
- Après le Portugal, j'arriverai en Espagne en passant par Huelva.
- Je rejoindrai la côte pour m'arrêter à Malaga, où je retrouverai des amis.
- Je ne sais pas toujours où je dormirai.

RAPPORTER DES PAROLES

- On me dit que je suis trop vieux pour ça.
- Mes amis me demandent si c'est dangereux.
- On me demande aussi comment je trouve les canapés.
- Je leur dis de ne pas changer leurs habitudes à cause de moi.

PARLER D'UN LIVRE

- Le Clézio a écrit ce qu'il n'a jamais dit à son père.
- C'est ça que je trouve beau.
- Jusqu'à l'écriture de *L'Africain*, on avait une image négative du père.
- *L'Africain* est son plus beau livre.
- Le récit parle de ce père absent.

RACONTER AU PASSÉ

- J'ai vécu en Afrique de l'Ouest.
- Il n'y avait pas d'Européens.
- Il pouvait marcher pieds nus.
- Il était médecin de brousse.

Évaluez-vous !

À LA FIN DE L'UNITÉ 8, VOUS SAVEZ... / **APPLIQUEZ !**

☐ **nominaliser.**
› Reformulez en remplaçant chaque verbe par un nom.
Le bateau **part** de Marseille à 9 h et **arrive** en Corse à 20 h.

☐ **utiliser les pronoms compléments.**
› Remplacez le groupe de mots souligné par un pronom.
J'ai vu <u>ce film</u>. • Je n'ai jamais parlé <u>au capitaine</u>. • J'ai dû lire <u>ce roman</u>. • Je n'ai pas pu téléphoner <u>à ma mère</u>.

☐ **parler de vos projets.**
› Qu'allez-vous faire samedi prochain ?
Où irez-vous l'été prochain ?

☐ **rapporter des paroles.**
› Mettez le dialogue au discours indirect.
– Où vas-tu en vacances ?
– Je vais à Biarritz.

☐ **raconter au passé.**
› Transformez le texte au passé. Imparfait ou passé composé ?

Quand je suis enfant, je vis pendant un an en Australie. J'habite une grande maison avec mes parents et ma sœur. Je suis heureux. Un jour, nous devons rentrer en France. Je pleure mais je retrouve mes cousins et ma tristesse passe.

Annexes

DELF A2

I COMPRÉHENSION DE L'ORAL 25 POINTS

Exercice 1 Comprendre des annonces publiques et des instructions orales — 6 points

Vous allez entendre plusieurs documents. Il y a deux écoutes.

Écoutez puis cochez (✓) la bonne réponse.

DOC. 1 — 167

1. Comment est-ce qu'on vend les produits dans ce magasin ? — 1 point

a.  ☐ b.  ☐ c.  ☐

DOC. 2 — 168

2. Où peut-on entendre ce message ? — 1 point

a.  ☐ b.  ☐ c.  ☐

DOC. 3 — 169

3. Si vous passez à l'agence demain, qui allez-vous trouver ? — 1 point
   - ☐ a. Élodie
   - ☐ b. Manon
   - ☐ c. Élodie et Manon

DOC. 4 — 170

4. La visite guidée de l'exposition : — 1 point
   - ☐ a. va bientôt commencer.
   - ☐ b. a déjà commencé.
   - ☐ c. est terminée.

DOC. 5 — 171

5. Pour participer à l'atelier, il faut : — 1 point
   - ☐ a. se présenter directement.
   - ☐ b. payer une inscription.
   - ☐ c. réserver sa place.

DOC. 6 — 172

6. Qu'est-ce qu'on ne peut pas faire pendant le spectacle ? — 1 point

a.  ☐ b.  ☐ c.  ☐

Exercice 2 Comprendre l'information essentielle de courts extraits radiophoniques **6 points**

Vous écoutez la radio.

Lisez les questions. Écoutez le document puis cochez (✓) la bonne réponse.

DOC. 1 173

1. Pour ce voyage, Delphine : 1 point
   - ☐ a. est allée en Chine.
   - ☐ b. est allée à l'école.
   - ☐ c. est restée chez elle.

2. Delphine a proposé ce voyage particulier à : 1 point
   - ☐ a. ses enfants.
   - ☐ b. ses élèves.
   - ☐ c. ses amis.

DOC. 2 174

3. On parle de quel problème dans cette exposition ? 1 point

a. ☐ b. ☐ c. ☐

4. L'exposition : 1 point
   - ☐ a. a déjà commencé.
   - ☐ b. va ouvrir.
   - ☐ c. est terminée.

DOC. 3 175

5. Cet atelier s'adresse à : 1 point
   - ☐ a. des enfants.
   - ☐ b. des étudiants.
   - ☐ c. tout le monde.

6. Que font les participants dans cet atelier ? 1 point
   - ☐ a. Ils écoutent la radio.
   - ☐ b. Ils réparent des appareils de radio.
   - ☐ c. Ils réalisent des émissions de radio.

Exercice 3 Comprendre un message sur un répondeur **6 points**

Vous travaillez dans un restaurant. Vous écoutez ce message sur le répondeur téléphonique.

176 **Lisez les questions. Écoutez le document puis cochez (✓) la bonne réponse.**

1. Quel événement va fêter Louis Grandet ? 1 point
   - ☐ a. son anniversaire
   - ☐ b. l'anniversaire de sa fille
   - ☐ c. son anniversaire de mariage

2. Qui sont les invités ? 1 point
- ☐ a. seulement des amis
- ☐ b. seulement des membres de la famille
- ☐ c. des amis et des membres de la famille

3. Louis Grandet souhaite quelle organisation pour la salle ? 1 point

a. ☐ b. ☐ c. ☐

4. Louis Grandet voudrait quel type d'animation ? 1 point

a. ☐ b. ☐ c. ☐

5. Qui va choisir le menu ? 1 point
- ☐ a. Louis Grandet
- ☐ b. Julie Grandet
- ☐ c. Camille Grandet

6. Que doit faire le restaurant ce soir ? 1 point
- ☐ a. appeler Louis Grandet
- ☐ b. envoyer un e-mail à Louis Grandet
- ☐ c. envoyer un texto à Louis Grandet

Exercice 4 Comprendre de brefs échanges entre locuteurs natifs 7 points

177 **Lisez les situations. Écoutez les 4 dialogues puis cochez (✓) la bonne réponse. Attention : il y a 6 situations mais seulement 4 dialogues.**

	Dialogue 1 (2 points)	Dialogue 2 (1 point)	Dialogue 3 (2 points)	Dialogue 4 (2 points)
A. Demander une confirmation	☐	☐	☐	☐
B. Donner son avis	☐	☐	☐	☐
C. Demander un service	☐	☐	☐	☐
D. Refuser une invitation	☐	☐	☐	☐
E. S'excuser	☐	☐	☐	☐
F. Se renseigner sur des horaires	☐	☐	☐	☐

II COMPRÉHENSION DES ÉCRITS 25 POINTS

Exercice 1 Lire pour s'orienter

6 points

Vous habitez en France. Avec vos amis, vous décidez de vous inscrire aux activités du centre de loisirs de votre quartier. Lisez les activités proposées.

DOC. 1

Yoga
Jeudi de 18 h 30 à 19 h 45
Pour lutter contre le stress grâce à des exercices de respiration et de concentration.

DOC. 2

Lecture à voix haute
Lundi de 18 h à 20 h
Pour découvrir la musique des mots et apprendre à lire pour les autres.

DOC. 3

Peinture
Mardi de 18 h 30 à 20 h 30
Pour apprendre toutes les techniques de la peinture et réaliser des créations originales.

DOC. 4

Culture photographique (initiation)
Vendredi de 19 h 30 à 21 h 30
Pour connaître l'histoire de la photographie et apprendre les techniques de base.

DOC. 5

Flamenco (tous niveaux)
Lundi de 18 h 30 à 20 h
Pour découvrir la danse flamenca à travers des jeux rythmiques et des techniques corporelles.

DOC. 6

Guitare (débutants)
Mercredi de 18 h 30 à 19 h 30
Pour se familiariser avec les rythmes et l'harmonie des notes musicales. Instrument personnel obligatoire.

Quelles activités vont intéresser vos amis ? Associez chaque document à la personne correspondante. Attention : il y a 8 personnes mais seulement 6 documents. Cochez (✓) une seule case pour chaque document.

Personnes	Doc. 1	Doc. 2	Doc. 3	Doc. 4	Doc. 5	Doc. 6
a. Pauline adore la peinture impressionniste.	☐	☐	☐	☐	☐	☐
b. Nora aime tous les types de danse.	☐	☐	☐	☐	☐	☐
c. Mathias travaille beaucoup et est très stressé.	☐	☐	☐	☐	☐	☐
d. Justine rêve de jouer d'un instrument de musique.	☐	☐	☐	☐	☐	☐
e. Rémi aime la littérature.	☐	☐	☐	☐	☐	☐
f. Jeanne veut apprendre à utiliser l'appareil photo qu'elle vient d'acheter.	☐	☐	☐	☐	☐	☐
g. Louis veut apprendre à peindre.	☐	☐	☐	☐	☐	☐
h. Samir adore lire et raconter des histoires.	☐	☐	☐	☐	☐	☐

Exercice 2 Lire une correspondance personnelle simple et brève

6 points

Vous travaillez dans une entreprise française. Vous recevez cet e-mail.

Chers collègues et amis,
Voici quelques nouvelles après mon départ. Me voilà enfin installée à Amsterdam. J'habite en plein centre, près d'un canal. L'appartement n'est pas très grand mais il est très lumineux. Et j'ai déjà trouvé une place spéciale pour le magnifique tableau que vous m'avez offert ! La semaine prochaine, une nouvelle vie va commencer pour moi avec un nouveau poste, de nouveaux collègues, de nouvelles responsabilités... Une chose est sûre : je reviendrai vous voir régulièrement. Vingt ans de collaboration, c'est important ! Grâce à vous, je me suis formée aux techniques commerciales et j'ai appris un métier. Et puis, le soleil de Marseille va certainement me manquer. Heureusement, les avions sont fréquents vers le Sud de la France !
Je vous embrasse,
À très bientôt.
Céline

Pour répondre aux questions, cochez (✔) la bonne réponse.

1. Céline a écrit cet e-mail pour : (1 point)
   - ☐ a. annoncer son départ.
   - ☐ b. remercier ses collègues.
   - ☐ c. parler de sa nouvelle vie.

2. Où vit Céline maintenant ? (1 point)
   - ☐ a. MARSEILLE
   - ☐ b. Amsterdam
   - ☐ c. NICE

3. Que va mettre Céline dans son appartement ? (1 point)
   - ☐ a.
   - ☐ b.
   - ☐ c.

4. Céline a travaillé à Marseille : (1 point)
   - ☐ a. pendant vingt ans.
   - ☐ b. il y a vingt ans.
   - ☐ c. à l'âge de vingt ans.

5. Céline est spécialisée dans : (1 point)
   - ☐ a. l'art.
   - ☐ b. le commerce.
   - ☐ c. la formation.

6. La semaine prochaine, Céline va : (1 point)
   - ☐ a. déménager.
   - ☐ b. prendre l'avion.
   - ☐ c. commencer un nouveau travail.

Exercice 3 Lire des instructions simples

6 points

Pour répondre aux questions, cochez (✔) la bonne réponse.

DOC. 1

Vous vivez en France. Vous lisez ce document.

Concours de photos Festival de Normandie
– RÈGLEMENT –

Conditions de participation :
- présenter une œuvre en couleurs ou en noir et blanc
- montrer son engagement pour la défense de la nature
- s'inscrire en ligne sur : festival-normandie.fr
- verser des droits d'inscription de 10 €

Inscription gratuite pour les moins de 18 ans.

1. Pour participer à ce concours, il faut : (1 point)
   - ☐ a. faire un film sur la nature.
   - ☐ b. présenter un projet de défense de la nature.
   - ☐ c. proposer une photo sur la nature.

2. Pour participer au concours : (1 point)
   - ☐ a. il faut avoir plus de dix-huit ans.
   - ☐ b. il faut avoir moins de dix-huit ans.
   - ☐ c. il n'y a pas de limite d'âge.

DOC. 2

Vous voulez utiliser un vélo en libre-service. Vous lisez ces informations.

VÉLOLIB', le vélo en libre-service

- Service réservé aux personnes de 14 ans et plus
- Disponible 7 jours sur 7 et 24 heures sur 24
- Pour vous abonner, inscrivez-vous sur le site www.velolib.fr

❯ Vous recevrez un e-mail avec un numéro d'accès à 8 chiffres et un code secret.

3. Les vélos sont disponibles : (1 point)
   - ☐ a. tout le temps.
   - ☐ b. seulement en semaine.
   - ☐ c. seulement dans la journée.

4. Pour utiliser le service, il faut d'abord : (1 point)
   - ☐ a. envoyer un e-mail.
   - ☐ b. téléphoner.
   - ☐ c. s'inscrire sur un site.

DOC. 3

Vous avez loué une maison pour les vacances. À votre arrivée, vous trouvez ce message des propriétaires.

Bonjour,

Bienvenue dans notre maison !
Voici quelques règles à respecter :

- Notre logement est non-fumeur. Merci de fumer dans le jardin.
- Quand vous partez pendant la journée, fermez les portes et les fenêtres à clé et éteignez les lumières.
- Déposez les sacs poubelle devant la porte d'entrée tous les matins.
- Dans notre région, l'eau est précieuse, donc pas de gaspillage, s'il vous plaît !

Bonnes vacances !

Julie et Bruno Dupré

5. Dans ce message, les propriétaires : (1 point)
   - ☐ a. donnent des conseils.
   - ☐ b. présentent le règlement.
   - ☐ c. proposent des activités.

6. Quand devez-vous sortir les poubelles ? (1 point)
   - ☐ a. le matin
   - ☐ b. l'après-midi
   - ☐ c. le soir

Exercice 4 Lire pour s'informer

7 points

Vous lisez cet article de journal.

Albi Magazine

Les Cafés Géo : une belle ouverture au monde

Pour mieux comprendre la société où nous vivons, pour échanger avec des spécialistes sur un sujet d'actualité, il y a les Cafés Géo !

Gratuits et ouverts à tous, ils existent depuis 2010. Ils sont animés par des professeurs de l'université Champollion qui viennent faire des conférences et présenter leurs recherches. Les Cafés ont lieu cette année dans le restaurant *Au 1480*, situé 10 place Mignot, un mercredi par mois à 18 h 30. Les sujets abordés, toujours actuels, sont très variés. « Les conférenciers parlent de thèmes comme l'urbanisme, la culture, la géopolitique... » explique le professeur Thibault Courcelles. « Nous accueillons des étudiants, des enseignants, mais aussi un public plus large. Les conférences sont faciles à suivre. À la fin, le public peut échanger avec les conférenciers. » Pour obtenir plus d'infos, allez sur le site : http://cafe-geo.net ou bien téléphonez au : 05 63 49 28 18.

Pour répondre aux questions, cochez (✔) la bonne réponse.

1. Les Cafés Géo permettent : (1 point)
   - ☐ a. de comprendre la société actuelle.
   - ☐ b. d'étudier la géographie.
   - ☐ c. de parler de voyages.

2. Tout le monde peut participer aux Cafés Géo. (1 point)
   - ☐ VRAI ☐ FAUX

3. Ce sont des étudiants qui animent les Cafés Géo. (1 point)
   - ☐ VRAI ☐ FAUX

4. Pour assister aux Cafés Géo, il faut aller : (1 point)
   - ☐ a. dans une université.
   - ☐ b. dans une médiathèque.
   - ☐ c. dans un restaurant.

5. Les conférences ont lieu : (1 point)
   - ☐ a. tous les jours.
   - ☐ b. toutes les semaines.
   - ☐ c. tous les mois.

6. À la fin de la conférence, on peut : (2 points)
   - ☐ a. manger au restaurant.
   - ☐ b. discuter.
   - ☐ c. voir un film.

III PRODUCTION ORALE 25 POINTS

1. Entretien dirigé

Vous vous présentez : vous parlez de vous, de votre famille, de vos amis, de vos études, de vos goûts, etc. L'examinateur peut ensuite vous poser des questions complémentaires.

2. Monologue suivi

Vous choisissez un des deux sujets suivants. Vous vous exprimez sur le sujet. L'examinateur peut ensuite vous poser des questions.

Sujet 1 – **Voyages**
Aimez-vous voyager ? À quelle période préférez-vous voyager ? Quelles sont vos destinations préférées ?

Sujet 2 – **Médias**
Quel(s) média(s) utilisez-vous le plus souvent pour vous informer ? Quelle(s) information(s) y cherchez-vous ? Faites-vous confiance aux médias en général ?

3. Exercice en interaction

Vous choisissez un des deux sujets suivants. Vous devez simuler un dialogue avec l'examinateur afin de résoudre une situation de la vie quotidienne. Vous montrez que vous êtes capable de saluer et d'utiliser les règles de politesse.

Sujet 1 – **À la bibliothèque**
Vous vivez en France. Vous voulez vous inscrire à la bibliothèque de votre quartier. Vous demandez des informations au bibliothécaire sur les horaires, les conditions d'inscription et les livres les plus adaptés à votre niveau de français.

Sujet 2 – **Nouveau bureau**
Vous travaillez dans une entreprise française. Votre responsable vous a demandé de chercher un espace dans la ville pour y installer un nouveau bureau. Vous lui présentez le résultat de vos recherches : quartier, transports, organisation de l'espace, équipement.

IV PRODUCTION ÉCRITE 25 POINTS

Exercice 1 Décrire un événement ou raconter une expérience personnelle — 13 points

Vous vivez en France en colocation, dans un appartement avec deux autres personnes. Vous écrivez un e-mail à l'ami(e) français(e) qui vous a conseillé ce mode de logement. Vous lui racontez comment vous avez organisé les espaces et comment vous partagez les tâches ménagères avec vos colocataires. Vous lui donnez vos impressions sur cette expérience. (60 mots minimum)

Exercice 2 Interagir à l'écrit — 12 points

Vous avez reçu cette invitation.

Le 4 juillet à partir de 12 h,
nous organisons une fête à la campagne,
pour dire au revoir à tous nos parents et amis
avant notre départ pour Tahiti, où nous allons vivre pendant quatre ans.
Rendez-vous à Saint-Gilles, pour une journée sous le signe de l'amitié !
Claire et Antoine

Vous envoyez un e-mail à Claire et Antoine. Vous acceptez leur invitation. Vous dites avec qui vous viendrez. Vous posez quelques questions sur l'organisation de la journée et proposez de faire des photos. (60 mots minimum)

Précis grammatical

LES ARTICLES

Article indéfini	Article défini	Article contracté	
Pour désigner une personne ou une chose non précisée	Pour désigner une chose ou une personne unique, précise		
un livre **une** classe des exercices	**le** vocabulaire du sport **la** grammaire française l'enseignant les verbes au présent	à + le → **au** à + les → aux de + le → **du** de + les → des	Je parle **au** professeur. Je réponds aux questions. Les activités **du** cahier. Les réponses des élèves.

LE NOM

Le masculin et le féminin des noms de choses

Il n'y a pas de règle absolue pour savoir si un nom de chose est masculin ou féminin. La terminaison du mot peut donner une indication.

	Terminaison des mots	
Noms généralement masculins	une consonne –a, –o, –i, –u –ment / –age / –phone	**un** sac • **un** pays • **un** journal **un** vélo • **un** taxi **un** monument • **un** mariage • **un** téléphone
Noms généralement féminins	–e / –ion / –ie / –té / –eur	**la** ville • **la** population • **la** périphérie • **la** santé • **la** couleur

Le pluriel des noms

Cas général	Singulier	Pluriel
Nom singulier + s	une région • un quartier	des régions • des quartiers
Cas particuliers		
Un nom singulier terminé par *s*, *x* ou *z* a la même forme au pluriel.	un bu**s** • un pri**x** • un ne**z**	des bus • des prix • des nez
–**al** et –**ail** → –aux	un journ**al** • un trav**ail**	des journaux • des travaux
–**eu** et –**eau** → –eux et –eaux	un li**eu** • un bur**eau**	des lieux • des bureaux

! un œil → des yeux ; un genou → des genoux

LES PRONOMS PERSONNELS

Le pronom sujet *on*

- **On** = les gens, tout le monde
  Ex. : Dans ce pays, **on** parle français.
- **On** = nous
  Ex. : Ma sœur et moi, **on** habite ensemble.

Les pronoms toniques

	Singulier	Pluriel
1re personnes : moi / nous	**Moi**, je suis étudiant.	**Nous**, nous sommes frères.
2e personnes : toi / vous	Et **toi**, tu habites où ?	**Vous**, vous êtes amis ?
3e personnes : lui / elle eux / elles	**Lui**, il s'appelle Jean. Elle, elle parle polonais.	**Eux**, ils ne travaillent pas. Elles, elles viennent aussi ?

Les pronoms compléments d'objet direct (COD) et compléments d'objet indirect (COI)

Les pronoms COD sont utilisés avec des verbes construits sans préposition.	Ils remplacent une personne.	me (m') te (t') nous vous	Elle **m'**aime. (aimer une personne) Il **vous** regarde. (regarder une personne)
	Ils remplacent une personne ou une chose.	le, la, l', les	Il **les** comprend. (comprendre une personne ou une chose)
Les pronoms COI sont utilisés avec des verbes construits avec la préposition **à**. Ils répondent à la question **à qui ?**	Ils remplacent une personne.	me (m') te (t') lui nous vous leur	Il **nous** téléphone. (téléphoner à une personne) Elle **lui** parle. (parler à une personne)

Les pronoms *y* et *en*

y et en sont compléments de lieu	
y remplace un **nom** introduit par les prépositions de lieu **à**, **au**, **en**, **dans** Il indique un lieu où on est et où on va.	Je vais souvent en Italie. → J'**y** vais souvent. Elle habite dans cette ville. → Elle **y** habite.
en remplace un nom introduit par la préposition **de** Il indique un lieu d'où on vient.	Nous revenons du marché. → Nous **en** revenons.
y et en sont COI	
y remplace un nom introduit par **à** (*penser à*, *croire à*…)	Je pense à mon dernier voyage. → J'**y** pense.
en remplace un nom introduit par **de** (*parler de*, *se souvenir de*…)	Je me souviens de mon dernier voyage. → Je m'**en** souviens.
en exprime une quantité	
en remplace un nom précédé de l'article partitif **du**, **de la** ou **des**	Je mets du beurre sur mon pain. → J'**en** mets sur mon pain.
en remplace un nom précédé d'une expression de quantité (*un peu de*, *beaucoup de*, *un litre de*, *deux*, *trois*…) ; l'expression de quantité complète **en**	Je mets un peu de beurre sur mon pain. → J'**en** mets **un peu** sur mon pain. J'achète un litre de lait. → J'**en** achète **un litre**. Je voudrais trois oranges. → J'**en** voudrais **trois**.

La place des pronoms compléments

Avec le présent, le futur simple, l'imparfait : **devant le verbe**	Je **la** vois. • Il **lui** parlera. • Il **me** voyait. • On **y** habite. • J'**en** ai besoin.
Avec le passé composé : **devant l'auxiliaire** *être* ou *avoir*	Je **l'**ai vu. • Il ne **nous** a pas parlé. • On **y** est allé.
Avec un verbe + infinitif : **devant l'infinitif**	Je peux **le** voir. • Ils vont **en** parler.
Avec l'impératif affirmatif : **après le verbe** Avec l'impératif négatif : **devant le verbe**	Fais-**le** ! • Allez-**y** ! Ne **le** fais pas ! • N'**y** allez pas !

Précis grammatical

L'ADJECTIF QUALIFICATIF

La place de l'adjectif

Cas général Il est placé **après le nom**.	une famille **recomposée** • une rencontre **amoureuse** • un milieu **social**
Cas particuliers Il est placé **avant le nom** : – avec certains adjectifs courts : *beau / belle, bon / bonne, grand / grande, gros / grosse, jeune, joli / jolie, long / longue, mauvais / mauvaise, même, nouveau / nouvelle, petit / petite, vieux / vieille* ; – avec les adjectifs indiquant un nombre et un ordre : *deux, trois...* ; *premier / première, deuxième...* ; *dernier / dernière*.	un **beau** pantalon • une **grande** boutique • une **petite** sœur • une **nouvelle** famille • les **mêmes** parents **trois** enfants • un **premier** mariage

L'ADJECTIF POSSESSIF et LE PRONOM POSSESSIF

L'adjectif possessif et le pronom possessif sont utilisés pour indiquer une possession ou une relation entre des personnes.
Adjectif possessif → Ex. C'est **mon** appartement. Voici **ma** sœur.
Pronom possessif → Ex. C'est **le mien**. C'est **la mienne**.

Le choix de l'adjectif ou du pronom possessif dépend du possesseur et de l'objet possédé.

Un seul possesseur	Nom singulier		Nom pluriel	
	Masculin	Féminin	Masculin	Féminin
adjectif possessif pronom possessif	**mon** pantalon **le mien**	ma chemise la mienne	mes accessoires les miens	mes affaires les miennes
adjectif possessif pronom possessif	**ton** sac **le tien**	ta robe la tienne	tes jouets les tiens	tes chaussures les tiennes
adjectif possessif pronom possessif	**son** livre **le sien**	sa veste la sienne	ses vêtements les siens	ses bottes les siennes

Plusieurs possesseurs	Nom singulier		Nom pluriel
	Masculin	Féminin	Masculin et féminin
adjectif possessif pronom possessif	**notre** chapeau **le nôtre**	notre écharpe la nôtre	nos bottes les nôtres
adjectif possessif pronom possessif	**votre** jean **le vôtre**	votre vie la nôtre	vos gants les vôtres
adjectif possessif pronom possessif	**leur** mode de vie **le leur**	leur veste la leur	leurs tennis les leurs

! Quand le nom féminin commence par une **voyelle** :
~~ma~~ adresse → mon **a**dresse • ~~ta~~ amie → ton **a**mie • ~~sa~~ école → son **é**cole

L'ADJECTIF DÉMONSTRATIF et LE PRONOM DÉMONSTRATIF

L'adjectif démonstratif est utilisé pour désigner une personne, une chose, un lieu. Il est placé devant le nom et s'accorde avec ce nom.
Le pronom démonstratif est utilisé pour désigner une personne, une chose, un lieu qu'on montre. Il est masculin, féminin, singulier ou pluriel selon le mot qu'il remplace.

	Adjectif	Pronom
Masculin singulier Si le nom commence par une **voyelle** ou un ***h*** muet	**ce** pantalon **cet a**mi, **cet h**omme	**celui-ci / celui-là**
Féminin singulier	**cette** jupe	**celle-ci / celle-là**
Masculin pluriel	**ces** pulls	**ceux-ci / ceux-là**
Féminin pluriel	**ces** chaussures	**celles-ci / celles-là**

LES ADJECTIFS INDÉFINIS

Pour exprimer la totalité	**tout** le / ce / mon… + nom masculin singulier **toute** la / cette / ma… + nom féminin singulier **tous** les / ces / mes… + nom masculin pluriel **toutes** les / ces / mes + nom féminin pluriel	**tout** le monde **toute** ma famille **tous** leurs projets **toutes** ces régions
Pour exprimer tous les éléments d'un ensemble	**chaque** + nom singulier	**chaque** citoyen **chaque** citoyenne
Pour exprimer une petite quantité	**quelques** + nom pluriel	**quelques** théâtres
Pour exprimer une quantité plus importante	**plusieurs** + nom pluriel	**plusieurs** personnes

! Quand *chaque* et *tous les / toutes les* sont suivis d'une indication de temps, ils indiquent la répétition.
Ex. : **chaque** semaine = **toutes les** semaines

L'EXPRESSION DE LA QUANTITÉ

L'article partitif

L'article partitif indique une quantité indéterminée pour des choses qu'on ne peut pas compter.

Phrase affirmative	Phrase négative : la marque du masculin et du féminin disparaît
Je prends **du** sucre. Je porte **de la** laine. J'utilise **de l'**aluminium. Je mets **de l'**huile.	Je **ne** prends **pas de** sucre. Je **ne** porte **pas de** laine. Je **n'**utilise **pas d'**aluminium. Je **ne** mets **pas d'**huile.

Les expressions de quantité

Pour préciser une quantité, on peut utiliser :

des adjectifs numéraux	**un** ingrédient • **trois** matières • **dix** produits…
des expressions de quantité globale : un peu de, un petit peu de, beaucoup de, assez de, trop de, plein de…	**un peu de** sucre • **un petit peu de** chocolat • **beaucoup de** céréales • **assez de** sel • **trop d'**emballages • **plein de** déchets
des expressions de quantité précise : un gramme de, un kilo de, un sac de, un litre de, un morceau de, une poignée de, un paquet de…	**300 grammes de** lentilles • **un kilo de** pâtes • **un sac de** riz • **un litre d'**huile • **un morceau de** pain • **une poignée d'**amandes • **un paquet de** croquettes

! Avec les expressions de quantité globale et précise, il n'y a pas d'indication du masculin, du féminin ou du pluriel.

Précis grammatical

LES INDICATIONS DE LIEU

Les pays, les villes et les continents

	Destination	Provenance	
Villes et pays sans article	à	de/d'	Elle vit **à** Oslo. • Elle vient **d'**Oslo. Je suis **à** Madagascar. • Je viens **de** Madagascar.
Pays masculins qui commencent par une consonne	au	du	On habite **au** Pérou. On arrive **du** Pérou.
Pays féminins **Pays masculins qui commencent par une voyelle** **Continents**	en	de/d'	Ils sont **en** Côte d'Ivoire. • Ils viennent **de** Côte d'Ivoire. Elles vivent **en** Iran. • Elles arrivent **d'**Iran. On est **en** Europe. • On vient **d'**Europe.
Pays pluriels	aux	des	Elle habite **aux** États-Unis. • Elle vient **des** États-Unis. Elle va **aux** Philippines. • Elle arrive **des** Philippines.

Les prépositions *à*, *de* et *chez*

Lieu où on est/où on va		Lieu d'où on vient	
à + nom de lieu	chez + nom de personne	de + nom de lieu	de chez + nom de personne
Je suis / Je vais... **au** concert. **à la** mairie. **à l'**université. **aux** toilettes.	Je suis / Je vais... **chez** moi. **chez** un ami. **chez** Arthur.	Je reviens... **du** marché. **de la** poste. **de l'**aéroport. **des** toilettes.	Je sors... **de chez** lui. **de chez** ma mère. **de chez** Arthur.

LES INDICATIONS DE TEMPS

Indiquer un moment **en** + année **dans** + durée dans le futur **à** + heure **à partir de** + moment (indique le début d'une action future) **jusqu'à** + heure, jour, moment de la journée (indique la fin d'une action)	Il est né **en** 2001. Il reviendra **dans** trois semaines. Je commence mon travail **à** 9 heures. Il sera là **à partir de** lundi. Je dors **jusqu'à** demain matin.
Indiquer la durée **pendant** + durée **de** + moment ... **à** + moment **en** + durée pour indiquer la durée nécessaire pour accomplir une action	**Pendant** treize ans, **de** 2006 **à** 2018, elle a gagné de nombreuses compétitions. J'ai gagné trois titres **en** deux ans.
Situer dans le temps **il y a** + durée pour situer un événement dans le passé ; le verbe est au passé composé **depuis** + durée ou moment pour indiquer le début d'un événement qui continue dans le passé ; le verbe est au présent **Quand** + phrase	Elle a commencé ce sport **il y a** cinq ans. Elle pratique ce sport **depuis** cinq ans. **Quand** on est amoureux, la vie est belle.

Indiquer l'antériorité avant + nom avant de + infinitif **Indiquer la postériorité** après + nom	**Avant** cette formation, j'étais stressé. **Avant de** faire cette formation, j'étais stressé. **Après** ce stage, je changerai d'emploi.
Indiquer la fréquence ne... jamais, rarement, parfois, souvent, toujours L'adverbe est placé après le verbe au présent.	Il **ne** sourit **jamais**. On parle **rarement** avec les voisins.

L'INTERROGATION

Les 3 formes de la question

Question intonative	Question avec *est-ce que*	Question avec inversion
Tu as des amis **?**	**Est-ce que** tu as des amis **?**	As-tu des amis **?**

Les mots interrogatifs

Qui pour poser une question sur **une personne**	Tu fréquentes **qui** ? • **Qui** est-ce que tu fréquentes ? • **Qui** fréquentes-tu ?
Que / Quoi pour poser une question sur **une chose**	Vous préférez **quoi** ? • **Qu'**est-ce que vous préférez ? • **Que** préférez-vous ?
Où pour poser une question sur **le lieu**	Vous allez **où** en vacances ? • **Où** est-ce que vous allez en vacances ? • **Où** allez-vous en vacances ?
Comment pour poser une question sur **la manière**	Tu choisis tes vêtements **comment** ? • **Comment** est-ce que tu choisis tes vêtements ? • **Comment** choisis-tu tes vêtements ?
Quand pour poser une question sur **le temps**	Vous vous reposez **quand** ? • **Quand** est-ce que vous vous reposez ? • **Quand** vous reposez-vous ?
Combien / Combien de pour poser une question sur **la quantité**	Tu dépenses **combien** par mois ? • **Combien** est-ce que tu dépenses par mois ? Vous avez **combien de** frères ? • **Combien de** frères est-ce que vous avez ? • **Combien de** frères avez-vous ?
Pourquoi pour poser une question sur **la cause**	**Pourquoi** vous n'êtes pas marié ? • **Pourquoi** est-ce que vous n'êtes pas marié ? • **Pourquoi** n'êtes-vous pas marié ?

L'adjectif interrogatif *quel* et le pronom interrogatif *lequel*

Cet adjectif et ce pronom interrogatifs sont utilisés pour demander des précisions.

	Singulier		Pluriel	
	Masculin	Féminin	Masculin	Féminin
Adjectifs interrogatifs	**Quel** film tu préfères ?	Vous choisissez **quelle** musique ?	**Quels** vêtements tu veux ?	**Quelles** langues tu parles ?
Pronoms interrogatifs	**Lequel** tu préfères ?	**Laquelle** vous choisissez ?	**Lesquels** tu veux ?	**Lesquelles** tu parles ?

Précis grammatical

L'EXCLAMATION

- **Quel(le)(s)** + nom : **Quel** beau château ! **Quelle** histoire incroyable ! **Quels** endroits super ! **Quelles** régions magnifiques !
- **Comme / Qu'est-ce que** + phrase : **Comme** j'aime ça ! **Qu'est-ce que** c'est beau ! **Qu'est-ce que** ces fleurs sont jolies !

LA NÉGATION

La place de la négation peut varier selon le temps et le mode du verbe.

ne/n'... pas au présent au passé composé à l'impératif au futur proche à l'infinitif	 Je ne **prends** pas le métro. • Je ne **me réveille** pas tôt. On n'**a** pas **mangé**. • Elle n'**est** pas **venue**. • Il ne **s'est** pas **levé** à l'heure. Ne **viens** pas trop tard ! • Ne **te couche** pas ici. Il ne **va** pas **attendre**. • On ne **va** pas **se reposer**. Je me dépêche pour ne pas **être** en retard.
ne/n'... rien **rien ne/n'...**	On ne fait rien ! Rien ne va !
ne/n'... personne **personne ne/n'...**	Je ne **connais** personne dans cette ville. Personne ne **peut** aller au musée gratuitement.
ne/n'... jamais	Je ne **pense** jamais à mes défauts. Il n'**est** jamais **allé** en Italie. Il n'**a** jamais **pris** l'avion. Ne **mens** jamais !
ne/n'... plus	Je n'**ai** plus la force de continuer. (≠ J'ai encore / toujours la force de continuer.)
ne/n'... pas encore	Je ne **suis** pas encore fatigué. (≠ Je suis déjà fatigué.)
ne/n'... que exprime la restriction	Je n'**achète** que des produits en vrac. (= J'achète seulement des produits en vrac.)
ne... ni... ni **ni... ni... ne** pour une double négation	Je ne **connais** ni le Louvre ni le musée d'Orsay. Ni le Louvre ni le musée d'Orsay ne **sont** gratuits.

❗ **Si / Non** pour répondre à une question négative.
Ex. : – Tu n'y crois pas ? – **Si**, j'y crois. / – **Non**, je n'y crois pas.

❗ **Moi aussi / Moi non plus** pour exprimer une action identique.
Ex. : – Je vérifie toujours. – **Moi aussi.** (= Je vérifie toujours.)
– Je ne vérifie jamais. – **Moi non plus.** (= Je ne vérifie jamais.)

LES RELATIONS LOGIQUES

Le but

pour + infinitif	Je vais à l'étranger **pour** vivre une belle expérience.

La cause

à cause de + nom / pronom pour exprimer une cause qui a un résultat négatif	La planète est en danger **à cause du** réchauffement climatique.
grâce à + nom / pronom pour exprimer une cause qui a un résultat positif	On peut sauver la planète **grâce à** nos actions quotidiennes.

parce que + phrase si la cause est dans la seconde partie de la phrase	Je lutte contre la pollution **parce que** je me sens concernée.
Comme + phrase si la cause est dans la première partie de la phrase	**Comme** je me sens concernée, je lutte contre la pollution.

La conséquence

donc, alors, c'est pourquoi, du coup	Le problème est grave **donc** / **alors** / **c'est pourquoi** il faut agir vite !

❗ ***Du coup*** est plutôt utilisé à l'oral.

L'opposition

mais, par contre	Je lis les journaux **mais** je ne regarde pas les réseaux sociaux. J'aime la peinture. **Par contre**, je n'aime pas la sculpture.

La contradiction

pourtant	C'est une très belle œuvre **pourtant** elle n'est pas connue !

LA COMPARAISON

Les comparatifs

Supériorité (+) **plus** + adjectif / adverbe (+ **que**) **plus de** + nom (+ **que**) verbe + **plus** (+ **que**)	Cette ville est **plus** grande **que** Nice. • On circule **plus** difficilement. • Il y a **plus d'**habitants. • On travaille **plus**.
Égalité (=) **aussi** + adjectif / adverbe (+ **que**) **autant de** + nom (+ **que**) verbe + **autant** (+ **que**)	Ici, l'immobilier est **aussi** cher **que** là-bas. • On vit **aussi** bien. • Il y a **autant de** commerces. • On gagne **autant**.
Infériorité (–) **moins** + adjectif / adverbe (+ **que**) **moins de** + nom (+ **que**) verbe + **moins** (+ **que**)	À la campagne, les loyers sont **moins** chers **que** dans les villes. • On trouve **moins** facilement du travail. • Il y a **moins de** pollution. • On dépense **moins**.

❗ ~~*plus bon(ne)s*~~ → *meilleur(e)s* : Nous avons une **meilleure** vie.
~~*plus bien*~~ → *mieux* : On respire **mieux**.

Le superlatif

Le superlatif indique le degré maximum ou minimum.

le, **la**, **les** + **nom** + **le**, **la**, **les plus** (+) / **moins** (-) + **adjectif** (+ de)
C'est **le quartier le plus agréable** de la ville. C'est **la région la moins touristique** du pays.

❗ ~~*le/la/les plus bon(ne)s*~~ → *le/la/les meilleur(e)s* : C'est **la meilleure** expo de l'année.

L'HYPOTHÈSE

Si + **présent** , **présent** ou **impératif** pour proposer ou conseiller	**Si** tu le **souhaites**, je **peux** t'aider. **Si** vous **voulez** réussir dans les affaires, **réfléchissez** bien.
Si + **présent** , **futur** pour faire une hypothèse sur le futur	**Si** vous **choisissez** cette formule, vous **pourrez** faire des économies.

Précis grammatical

L'OBLIGATION

devoir il faut c'est nécessaire / indispensable de	+ **infinitif**	On doit **aller** à ce salon Il faut bien **choisir** sa profession. C'est nécessaire / indispensable d'**avoir** une bonne idée.

L'ESPOIR et LE SOUHAIT

• espérer que + **indicatif** • souhaiter + **infinitif***	Nous espérons que cette entreprise **se développera** vite. Je souhaite **réussir**.

*Quand c'est la même personne qui fait l'action des deux verbes.

LES PRONOMS RELATIFS

Les pronoms relatifs remplacent un nom de personne ou de chose. La phrase relative caractérise une personne, une chose ou un lieu.

qui	est sujet du verbe qui suit	C'est une personne **qui** habite près de chez moi. Je fais mes courses dans le magasin **qui** se trouve près de chez moi.
que/qu'	est complément d'objet direct du verbe qui suit	C'est une personne **que** je croise tous les matins. La rue **qu'**il préfère est une rue piétonne.
où	est complément de lieu du verbe qui suit	Le centre-ville est un endroit **où** le stationnement est interdit.

C'est / Ce sont... qui / que pour mettre en relief

– On utilise **C'est / Ce sont... qui** pour mettre en relief le sujet.
Ex. : **C'est** la radio **qui** est la première source d'information.

– On utilise **C'est / Ce sont... que** pour mettre en relief le complément du verbe.
Ex. : **C'est** la radio **que** les Français écoutent le plus.

LES ADVERBES

Un adverbe est un mot invariable qui modifie le sens d'un adjectif, d'un autre adverbe ou d'un verbe.

Pour exprimer la manière : les adverbes en *–ment*

Formation régulière adjectif féminin + –ment	légère → **légèrement** • directe → **directement** ! vrai, absolu, poli → **vraiment**, **absolument**, **poliment**
adjectif terminé par –**ant** ou –**ent** : adverbe terminé par –amment ou –emment	méchant → **méchamment** prudent → **prudemment** ! lent → **lentement**

Pour exprimer l'intensité

très modifie un adjectif ou un adverbe	C'est **très** clair. • Ça se passe **très** bien.
trop modifie un adjectif, un adverbe ou un verbe	C'est **trop** rapide. • Il parle **trop** lentement. • Il parle **trop**.
beaucoup modifie un verbe	Elle court **beaucoup**.

! Au passé composé, *beaucoup* et *trop* se placent entre l'auxiliaire et le participe passé.
Ex. : Elle a **trop** crié. • Elle a **beaucoup** couru.

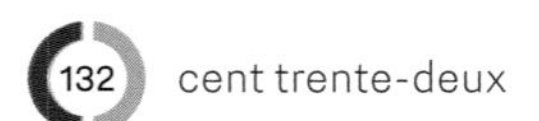

LE DISCOURS INDIRECT AU PRÉSENT

On utilise le discours indirect pour rapporter les paroles d'une personne.

Discours direct	Discours indirect
Phrases déclaratives	
« Tu dois faire du *couchsurfing* ! »	**dire**, **répondre**, **expliquer**, **ajouter** + **que** → On me **dit que** je dois faire du *couchsurfing*.
Phrases interrogatives	
« **Est-ce que** tu viens avec moi ? »	**demander**, **vouloir savoir** + **si** → Il me **demande si** je viens avec lui.
« **Qu'est-ce que** vous faites cet été ? »	**demander**, **vouloir savoir** + **ce que** → Elle me **demande ce que** je fais cet été.
« **Où** partez-vous ? »	**demander**, **vouloir savoir** + **quand**, **où**, **comment**... → Il **veut savoir où** je pars.
Phrases impératives	
« **Réservez** vite votre billet ! »	**dire**, **conseiller**, **suggérer** + **de** + infinitif → On me **conseille de réserver** vite mon billet.

! Quand on passe du discours direct au discours indirect, les pronoms personnels et les possessifs changent.
Ex. : Qu'est-ce que **tu** fais ? → Elle me demande ce que **je** fais.
Ethan, c'est **mon** frère. → Il me dit qu'Ethan c'est **son** frère.

LES VERBES ET LES CONJUGAISONS

→ voir aussi le Précis de conjugaison pages 136 à 139

Le présent continu

Le présent continu est parfois utilisé à la place du présent pour insister sur le déroulement d'une action.
Formation : verbe **être** au présent + **en train de/d'** + **verbe à l'infinitif**

Je **suis en train de chercher** un travail.	Nous **sommes en train d'étudier** le français.
Tu **es en train de préparer** ton mariage.	Vous **êtes en train de changer** de vie.
Il/Elle/On **est en train de déménager**.	Ils/Elles **sont en train de visiter** la ville.

L'impératif

– L'impératif est utilisé pour dire à quelqu'un de faire ou de ne pas faire quelque chose.
– Il existe seulement à 3 personnes (*tu*, *nous* et *vous*). On n'utilise pas les pronoms sujets.

	Phrase affirmative	Phrase négative
Formation régulière mêmes formes que le présent	**Choisis** bien ton secteur ! **Travaillons** ensemble ! **Devenez** entrepreneur !	Ne **choisis** pas ce secteur ! Ne **travaillons** pas seuls ! Ne **devenez** pas entrepreneur !
Verbes en *-er* pas de ***s*** à la 2e personne du singulier	**Crée** ton entreprise !	Ne **crée** pas ton entreprise !
Verbes pronominaux	**Assieds-toi** là ! **Reposons-nous** ! **Arrêtez-vous** !	Ne **t'assieds** pas là ! Ne **nous reposons** pas ! Ne **vous arrêtez** pas !

! Les verbes *avoir*, *être* et *savoir* sont irréguliers. Cf. pages 138-139

Précis grammatical

Le futur proche

Le futur proche est utilisé pour parler d'une action future, pour exprimer un projet.

Formation	**Phrase affirmative**	**Phrase négative**
verbe aller au présent + verbe à **l'infinitif**	Je vais **déménager**. Tu vas **venir** ? Il/Elle/On va **se reposer**. Nous allons **arriver** tard. Vous allez **sortir** ? Ils/Elles vont **rester** là.	Je ne vais pas **déménager**. Tu ne vas pas **venir** ? Il/Elle/On ne va pas **se reposer**. Nous n'allons pas **arriver** tard. Vous n'allez pas **sortir** ? Ils/Elles ne vont pas **rester** là.

Le futur simple

Le futur simple est utilisé pour faire une prévision, formuler une promesse, annoncer un programme.
Formation : infinitif + terminaisons **-ai, -as, -a, -ons, -ez, -ont**

Verbes en **–er** et **–ir**	Je **trouver**ai le bonheur. Tu te **marier**as. Il/Elle/on **gagner**a de l'argent.	Nous nous **sentir**ons bien. Vous **réaliser**ez vos projets. Ils/Elles **réussir**ont leur projet.
Verbes en **–re** : on supprime le **–*e*** de l'infinitif	Je **prendr**ai des risques. • On **vivr**a bien.	
Les verbes ***acheter***, ***(se) lever***, ***se promener***, ***(s') appeler*** : particularité orthographique	J'**achèter**ai. • Elle se **lèver**a. • Il se **promèner**a. • Ils/Elles s'**appeller**ont.	

Quelques formations irrégulières

aller → j'**ir**ai avoir → nous **aur**ons devoir → tu **devr**as	être → vous **ser**ez faire → on **fer**a falloir → il **faudr**a	pouvoir → ils **pourr**ont savoir → elle **saur**a tenir → tu **tiendr**as	venir → on **viendr**a voir → je **verr**ai vouloir → vous **voudr**ez

Le passé composé

Le passé composé est utilisé pour raconter des événements passés.
Formation : avoir ou **être** au présent + **participe passé** du verbe

Formation avec *avoir* : la majorité des verbes	J'**ai** rencontré ma femme ici. • Elle n'**a** pas vécu seule.
Formation avec *être* : – les **verbes pronominaux** – 12 **verbes de déplacement** et leurs composés : *aller, arriver, descendre, entrer, monter, partir, passer, rentrer, retourner, sortir, tomber, venir* – 5 **autres verbes** : *décéder, devenir, mourir, naître, rester*	Ils ne se **sont** pas pacsés. • Nous nous **sommes** quittés. Elle **est** arrivée en 1967. • Ils **sont** retournés chez eux. Elle n'**est** pas née en France. • Ils **sont** morts en 1945.

❗ Avec le verbe *avoir*, le participe passé ne s'accorde pas avec le sujet. Ex. : *Il a vécu.* • *Elle a vécu.*
Avec le verbe *être*, le participe passé s'accorde avec le sujet. Ex. : *Elle est venue.* • *Ils sont nés.* • *Elles sont nées.*

Les formes de participe passé

Tous les verbes en ***–er*** → –é	J'ai visité.
La majorité des verbes en ***–ir*** → –i	Il a fini.
Participes passés des autres verbes : **–u / –is / –it / –ert**	J'ai pu. / Il a pris. / On a dit. / Ils ont ouvert.

Le passé récent

Le passé récent est utilisé pour parler d'une action dans un passé très proche.
Formation : verbe **venir** au présent + **de** + **verbe à l'infinitif**

Je viens de **me marier**. Tu viens de **déménager**. Il/Elle/On vient de **se séparer**.	Nous venons de **divorcer**. Vous venez de rencontrer vos beaux-parents. Ils/Elles viennent de **se pacser**.

L'imparfait

L'imparfait est utilisé pour faire des descriptions au passé. Il permet de décrire l'état des choses et des personnes (l'apparence, la personnalité), les sentiments, les habitudes, le contexte d'une action.
Formation : base de la 1re personne du pluriel (*nous*) au présent + terminaisons **-ais**, **-ais**, **-ait**, **-ions**, **-iez**, **-aient**

base du présent avec *nous*	
aimer → nous **aim**ons	J'**aim**ais lire.
avoir → nous **av**ons	Tu **av**ais 10 ans.
finir → nous **finiss**ons	Il/Elle/On **finiss**ait à 10 heures.
dormir → nous **dorm**ons	Nous **dorm**ions beaucoup.
vivre → nous **viv**ons	Vous **viv**iez heureux.
voir → nous **voy**ons	Ils/Elles **voy**aient leurs cousins.

(!) La base du verbe *être* est irrégulière : j'**ét**ais, tu **ét**ais...

Le passé composé et l'imparfait dans un même récit

Le passé composé Pour parler d'une action ponctuelle, d'un événement à durée limitée, chronologique	J'ai levé la tête. En 2001, j'ai eu un accident.
L'imparfait Pour décrire une situation, les circonstances ou le contexte (moment, personnes, lieux, sentiments, attitude)	C'était l'été. Il faisait beau. Je lisais.

Le plus-que-parfait

Le plus-que-parfait est utilisé pour parler d'une action antérieure à une autre dans le passé.
Formation : auxiliaire **avoir** ou **être** à l'imparfait + participe passé du verbe
Ex. : J'ai rencontré un ami d'enfance que je n'**avais** pas **vu** depuis très longtemps.
Elle est partie en Afrique parce qu'elle n'y **était** jamais **allée**.

Le conditionnel présent

Le conditionnel présent est utilisé pour :
- faire une demande polie et exprimer un désir ou un souhait avec *aimer*, *vouloir, pouvoir*, *souhaiter* + infinitif ;
- conseiller avec le verbe *devoir* + infinitif ;
- faire une proposition ou une suggestion avec le verbe *pouvoir* + infinitif.

Formation : base du futur + terminaisons **-ais**, **-ais**, **-ait**, **-ions**, **-iez**, **-aient** (terminaisons de l'imparfait)

base du futur	
aimer → j'**aimer**ai	J'**aimer**ais travailler avec vous.
devoir → tu **devr**as	Tu **devr**ais suivre cette formation !
pouvoir → on **pourr**a	Il/Elle/On **pourr**ait faire ça ensemble.
pouvoir → nous **pourr**ons	**Pourr**ions-nous venir à 8 heures ?
vouloir → vous **voudr**ez	Vous **voudr**iez une aide ménagère ?
souhaiter → elles **souhaiter**ont	Ils/Elles **souhaiter**aient vous aider.

Le gérondif

On utilise le gérondif pour exprimer la manière ou le moyen de faire quelque chose. Il est invariable.

Formation : en + **base de la 1re personne du pluriel (*nous*) au présent** + -ant

base du présent avec *nous*	
étudier → nous **étudi**ons	J'ai fait des progrès **en étudi**ant beaucoup.
lire → nous **lis**ons	Il s'informe **en lis**ant le journal.
faire → nous **fais**ons	Ils se sont rencontrés **en fais**ant du sport.

(!) être → en étant – avoir → en ayant – savoir → en sachant
(!) Phrase négative : Vous serez à l'heure **en ne** partant **pas** tard.

Précis de conjugaison

VERBES EN -*ER*

Parler (conjugaison régulière)

Présent	Impératif	Passé composé	Imparfait	Futur simple
Je parle		J'ai parlé	Je parlais	Je parlerai
Tu parles	Parle	Tu as parlé	Tu parlais	Tu parleras
Il/Elle/On parle		Il/Elle/On a parlé	Il/Elle/On parlait	Il/Elle/On parlera
Nous parlons	Parlons	Nous avons parlé	Nous parlions	Nous parlerons
Vous parlez	Parlez	Vous avez parlé	Vous parliez	Vous parlerez
Ils/Elles parlent		Ils/Elles ont parlé	Ils/Elles parlaient	Ils/Elles parleront

Acheter

Présent	Impératif	Passé composé	Imparfait	Futur simple
J'achète		J'ai acheté	J'achetais	J'achèterai
Tu achètes	Achète	Tu as acheté	Tu achetais	Tu achèteras
Il/Elle/On achète		Il/Elle/On a acheté	Il/Elle/On achetait	Il/Elle/On achètera
Nous achetons	Achetons	Nous avons acheté	Nous achetions	Nous achèterons
Vous achetez	Achetez	Vous avez acheté	Vous achetiez	Vous achèterez
Ils/Elles achètent		Ils/Elles ont acheté	Ils/Elles achetaient	Ils/Elles achèteront

Appeler

Présent	Impératif	Passé composé	Imparfait	Futur simple
J'appelle		J'ai appelé	J'appelais	J'appellerai
Tu appelles	Appelle	Tu as appelé	Tu appelais	Tu appelleras
Il/Elle/On appelle		Il/Elle/On a appelé	Il/Elle/On appelait	Il/Elle/On appellera
Nous appelons	Appelons	Nous avons appelé	Nous appelions	Nous appellerons
Vous appelez	Appelez	Vous avez appelé	Vous appeliez	Vous appellerez
Ils/Elles appellent		Ils/Elles ont appelé	Ils/Elles appelaient	Ils/Elles appelleront

Manger (verbes en *-ger*)

Présent	Impératif	Passé composé	Imparfait	Futur simple
Je mange		J'ai mangé	Je mangeais	Je mangerai
Tu manges	Mange	Tu as mangé	Tu mangeais	Tu mangeras
Il/Elle/On mange		Il/Elle/On a mangé	Il/Elle/On mangeait	Il/Elle/On mangera
Nous mangeons	Mangeons	Nous avons mangé	Nous mangions	Nous mangerons
Vous mangez	Mangez	Vous avez mangé	Vous mangiez	Vous mangerez
Ils/Elles mangent		Ils/Elles ont mangé	Ils/Elles mangeaient	Ils/Elles mangeront

Payer (verbes en *-yer*)

Présent	Impératif	Passé composé	Imparfait	Futur simple
Je paye / paie		J'ai payé	Je payais	Je payerai / paierai
Tu payes / paies	Paye / Paie	Tu as payé	Tu payais	Tu payeras / paieras
Il/Elle/On paye / paie		Il/Elle/On a payé	Il/Elle/On payait	Il/Elle/On payera / paiera
Nous payons	Payons	Nous avons payé	Nous payions	Nous payerons / paierons
Vous payez	Payez	Vous avez payé	Vous payiez	Vous payerez / paierez
Ils/Elles payent / paient		Ils/Elles ont payé	Ils/Elles payaient	Ils/Elles payeront / paieront

VERBES EN -*IR*

Finir

Présent	Impératif	Passé composé	Imparfait	Futur simple
Je finis		J'ai fini	Je finissais	Je finirai
Tu finis	Finis	Tu as fini	Tu finissais	Tu finiras
Il/Elle/On finit		Il/Elle/On a fini	Il/Elle/On finissait	Il/Elle/On finira
Nous finissons	Finissons	Nous avons fini	Nous finissions	Nous finirons
Vous finissez	Finissez	Vous avez fini	Vous finissiez	Vous finirez
Ils/Elles finissent		Ils/Elles ont fini	Ils/Elles finissaient	Ils/Elles finiront

Ouvrir

J'ouvre		J'ai ouvert	J'ouvrais	J'ouvrirai
Tu ouvres	Ouvre	Tu as ouvert	Tu ouvrais	Tu ouvriras
Il/Elle/On ouvre		Il/Elle/On a ouvert	Il/Elle/On ouvrait	Il/Elle/On ouvrira
Nous ouvrons	Ouvrons	Nous avons ouvert	Nous ouvrions	Nous ouvrirons
Vous ouvrez	Ouvrez	Vous avez ouvert	Vous ouvriez	Vous ouvrirez
Ils/Elles ouvrent		Ils/Elles ont ouvert	Ils/Elles ouvraient	Ils/Elles ouvriront

Partir

Je pars		Je suis parti(e)	Je partais	Je partirai
Tu pars	Pars	Tu es parti(e)	Tu partais	Tu partiras
Il/Elle/On part		Il/Elle est parti(e)	Il/Elle/On partait	Il/Elle/On partira
Nous partons	Partons	On est parti(e)s	Nous partions	Nous partirons
Vous partez	Partez	Nous sommes parti(e)s	Vous partiez	Vous partirez
Ils/Elles partent		Vous êtes parti(e)(s)	Ils/Elles partaient	Ils/Elles partiront
		Ils/Elles sont parti(e)s		

Venir

Je viens		Je suis venu(e)	Je venais	Je viendrai
Tu viens	Viens	Tu es venu(e)	Tu venais	Tu viendras
Il/Elle/On vient		Il/Elle est venu(e)	Il/Elle/On venait	Il/Elle/On viendra
Nous venons	Venons	On est venu(e)s	Nous venions	Nous viendrons
Vous venez	Venez	Nous sommes venu(e)s	Vous veniez	Vous viendrez
Ils/Elles viennent		Vous êtes venu(e)(s)	Ils/Elles venaient	Ils/Elles viendront
		Ils/Elles sont venu(e)s		

VERBES PRONOMINAUX

Se coucher

Présent	Impératif	Passé composé	Imparfait	Futur simple
Je me couche		Je me suis couché(e)	Je me couchais	Je me coucherai
Tu te couches	Couche-toi	Tu t'es couché(e)	Tu te couchais	Tu te coucheras
Il/Elle/On se couche		Il/Elle s'est couché(e)	Il/Elle/On se couchait	Il/Elle/On se couchera
Nous nous couchons	Couchons-nous	On s'est couché(e)s	Nous nous couchions	Nous nous coucherons
Vous vous couchez	Couchez-vous	Nous nous sommes couché(e)s	Vous vous couchiez	Vous vous coucherez
Ils/Elles se couchent		Vous vous êtes couché(e)(s)	Ils/Elles se couchaient	Ils/Elles se coucheront
		Ils/Elles se sont couché(e)s		

AUTRES VERBES (par ordre alphabétique)

Aller

Présent	Impératif	Passé composé	Imparfait	Futur simple
Je vais		Je suis allé(e)	J'allais	J'irai
Tu vas	Va	Tu es allé(e)	Tu allais	Tu iras
Il/Elle/On va		Il/Elle est allé(e)	Il/Elle/On allait	Il/Elle/On ira
Nous allons	Allons	On est allé(e)s	Nous allions	Nous irons
Vous allez	Allez	Nous sommes allé(e)s	Vous alliez	Vous irez
Ils/Elles vont		Vous êtes allé(e)(s)	Ils/Elles allaient	Ils/Elles iront
		Ils/Elles sont allé(e)s		

Précis de conjugaison

Avoir

Présent	Impératif	Passé composé	Imparfait	Futur simple
J'ai		J'ai eu	J'avais	J'aurai
Tu as	Aie	Tu as eu	Tu avais	Tu auras
Il/Elle/On a		Il/Elle/On a eu	Il/Elle/On avait	Il/Elle/On aura
Nous avons	Ayons	Nous avons eu	Nous avions	Nous aurons
Vous avez	Ayez	Vous avez eu	Vous aviez	Vous aurez
Ils/Elles ont		Ils/Elles ont eu	Ils/Elles avaient	Ils/Elles auront

Connaître

Présent	Impératif	Passé composé	Imparfait	Futur simple
Je connais		J'ai connu	Je connaissais	Je connaîtrai
Tu connais	Connais	Tu as connu	Tu connaissais	Tu connaîtras
Il/Elle/On connaît		Il/Elle/On a connu	Il/Elle/On connaissait	Il/Elle/On connaîtra
Nous connaissons	Connaissons	Nous avons connu	Nous connaissions	Nous connaîtrons
Vous connaissez	Connaissez	Vous avez connu	Vous connaissiez	Vous connaîtrez
Ils/Elles connaissent		Ils/Elles ont connu	Ils/Elles connaissaient	Ils/Elles connaîtront

Devoir

Présent	Impératif	Passé composé	Imparfait	Futur simple
Je dois	*Pas utilisé*	J'ai dû	Je devais	Je devrai
Tu dois		Tu as dû	Tu devais	Tu devras
Il/Elle/On doit		Il/Elle/On a dû	Il/Elle/On devait	Il/Elle/On devra
Nous devons		Nous avons dû	Nous devions	Nous devrons
Vous devez		Vous avez dû	Vous deviez	Vous devrez
Ils/Elles doivent		Ils/Elles ont dû	Ils/Elles devaient	Ils/Elles devront

Dire

Présent	Impératif	Passé composé	Imparfait	Futur simple
Je dis		J'ai dit	Je disais	Je dirai
Tu dis	Dis	Tu as dit	Tu disais	Tu diras
Il/Elle/On dit		Il/Elle/On a dit	Il/Elle/On disait	Il/Elle/On dira
Nous disons	Disons	Nous avons dit	Nous disions	Nous dirons
Vous dites	Dites	Vous avez dit	Vous disiez	Vous direz
Ils/Elles disent		Ils/Elles ont dit	Ils/Elles disaient	Ils/Elles diront

Entendre

Présent	Impératif	Passé composé	Imparfait	Futur simple
J'entends		J'ai entendu	J'entendais	J'entendrai
Tu entends	Entends	Tu as entendu	Tu entendais	Tu entendras
Il/Elle/On entend		Il/Elle/On a entendu	Il/Elle/On entendait	Il/Elle/On entendra
Nous entendons	Entendons	Nous avons entendu	Nous entendions	Nous entendrons
Vous entendez	Entendez	Vous avez entendu	Vous entendiez	Vous entendrez
Ils/Elles entendent		Ils/Elles ont entendu	Ils/Elles entendaient	Ils/Elles entendront

Être

Présent	Impératif	Passé composé	Imparfait	Futur simple
Je suis		J'ai été	J'étais	Je serai
Tu es	Sois	Tu as été	Tu étais	Tu seras
Il/Elle/On est		Il/Elle/On a été	Il/Elle/On était	Il/Elle/On sera
Nous sommes	Soyons	Nous avons été	Nous étions	Nous serons
Vous êtes	Soyez	Vous avez été	Vous étiez	Vous serez
Ils/Elles sont		Ils/Elles ont été	Ils/Elles étaient	Ils/Elles seront

Faire

Présent	Impératif	Passé composé	Imparfait	Futur simple
Je fais		J'ai fait	Je faisais	Je ferai
Tu fais	Fais	Tu as fait	Tu faisais	Tu feras
Il/Elle/On fait		Il/Elle/On a fait	Il/Elle/On faisait	Il/Elle/On fera
Nous faisons	Faisons	Nous avons fait	Nous faisions	Nous ferons
Vous faites	Faites	Vous avez fait	Vous faisiez	Vous ferez
Ils/Elles font		Ils/Elles ont fait	Ils/Elles faisaient	Ils/Elles feront

Présent	Impératif	Passé composé	Imparfait	Futur simple

Lire

Présent	Impératif	Passé composé	Imparfait	Futur simple
Je lis Tu lis Il/Elle/On lit Nous lisons Vous lisez Ils/Elles lisent	 Lis Lisons Lisez	J'ai lu Tu as lu Il/Elle/On a lu Nous avons lu Vous avez lu Ils/Elles ont lu	Je lisais Tu lisais Il/Elle/On lisait Nous lisions Vous lisiez Ils/Elles lisaient	Je lirai Tu liras Il/Elle/On lira Nous lirons Vous lirez Ils/Elles liront

Mettre

Présent	Impératif	Passé composé	Imparfait	Futur simple
Je mets Tu mets Il/Elle/On met Nous mettons Vous mettez Ils/Elles mettent	 Mets Mettons Mettez	J'ai mis Tu as mis Il/Elle/On a mis Nous avons mis Vous avez mis Ils/Elles ont mis	Je mettais Tu mettais Il/Elle/On mettait Nous mettions Vous mettiez Ils/Elles mettaient	Je mettrai Tu mettras Il/Elle/On mettra Nous mettrons Vous mettrez Ils/Elles mettront

Pouvoir

Présent	Impératif	Passé composé	Imparfait	Futur simple
Je peux Tu peux Il/Elle/On peut Nous pouvons Vous pouvez Ils/Elles peuvent	*Pas utilisé*	J'ai pu Tu as pu Il/Elle/On a pu Nous avons pu Vous avez pu Ils/Elles ont pu	Je pouvais Tu pouvais Il/Elle/On pouvait Nous pouvions Vous pouviez Ils/Elles pouvaient	Je pourrai Tu pourras Il/Elle/On pourra Nous pourrons Vous pourrez Ils/Elles pourront

Prendre

Présent	Impératif	Passé composé	Imparfait	Futur simple
Je prends Tu prends Il/Elle/On prend Nous prenons Vous prenez Ils/Elles prennent	 Prends Prenons Prenez	J'ai pris Tu as pris Il/Elle/On a pris Nous avons pris Vous avez pris Ils/Elles ont pris	Je prenais Tu prenais Il/Elle/On prenait Nous prenions Vous preniez Ils/Elles prenaient	Je prendrai Tu prendras Il/Elle/On prendra Nous prendrons Vous prendrez Ils/Elles prendront

Savoir

Présent	Impératif	Passé composé	Imparfait	Futur simple
Je sais Tu sais Il/Elle/On sait Nous savons Vous savez Ils/Elles savent	 Sache Sachons Sachez	J'ai su Tu as su Il/Elle/On a su Nous avons su Vous avez su Ils/Elles ont su	Je savais Tu savais Il/Elle/On savait Nous savions Vous saviez Ils/Elles savaient	Je saurai Tu sauras Il/Elle/On saura Nous saurons Vous saurez Ils/Elles sauront

Voir

Présent	Impératif	Passé composé	Imparfait	Futur simple
Je vois Tu vois Il/Elle/On voit Nous voyons Vous voyez Ils/Elles voient	 Vois Voyons Voyez	J'ai vu Tu as vu Il/Elle/On a vu Nous avons vu Vous avez vu Ils/Elles ont vu	Je voyais Tu voyais Il/Elle/On voyait Nous voyions Vous voyiez Ils/Elles voyaient	Je verrai Tu verras Il/Elle/On verra Nous verrons Vous verrez Ils/Elles verront

Vouloir

Présent	Impératif	Passé composé	Imparfait	Futur simple
Je veux Tu veux Il/Elle/On veut Nous voulons Vous voulez Ils/Elles veulent	*Pas utilisé*	J'ai voulu Tu as voulu Il/Elle/On a voulu Nous avons voulu Vous avez voulu Ils/Elles ont voulu	Je voulais Tu voulais Il/Elle/On voulait Nous voulions Vous vouliez Ils/Elles voulaient	Je voudrai Tu voudras Il/Elle/On voudra Nous voudrons Vous voudrez Ils/Elles voudront

Précis de phonétique

Les sons du français

souriant fermé
souriant ouvert
arrondi fermé
arrondi ouvert

aigu, langue en avant
grave, langue en arrière

tendu, sourd
relâché sonore
explosif
continu

LES VOYELLES

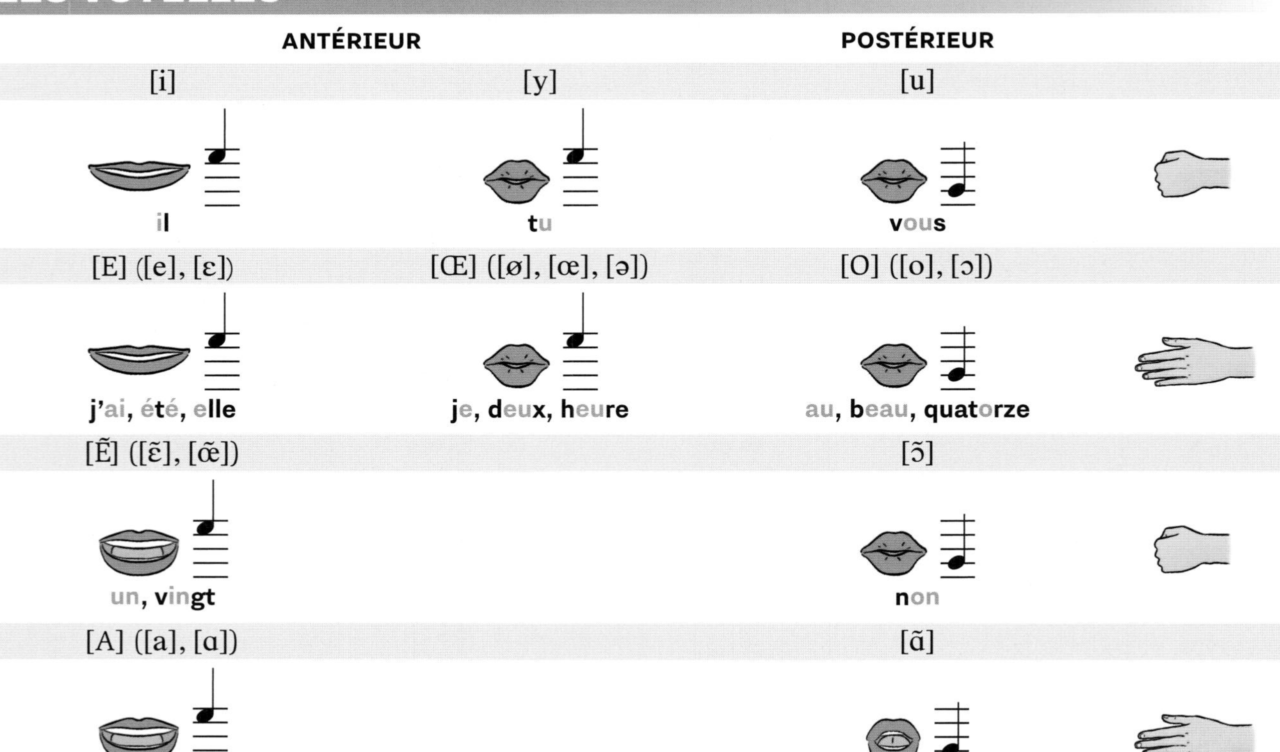

LES CONSONNES

Le groupe rythmique, le rythme, l'accentuation

(leçon 1)

On prononce un groupe de mots comme un seul mot. C'est le groupe rythmique.
Les syllabes s'enchaînent et sont toutes régulières (même longueur, même force, même énergie).
La dernière syllabe est plus longue.

Ex. : Bonjour à **tous**. 4 syllabes
→ Bon_jou_rà_**tous**. [bɔ̃ʒur a**tus**]
J'habite à Mar**seille**. 5 syllabes
→ J'ha_bi_teà_Mar_**seille**. [ʒa bitamar **sɛj**]
Vous habitez à **Aix** ? 6 syllabes
→ Vou_sha_bi_tez_à_**Aix** ? [vuza bitea**ɛks**]
Un nouvel apparte**ment**. 7 syllabes
→ Un_nou_ve_la_ppar_te_**ment**.
[œ̃nuvɛlapar tə**mɑ̃**]

La continuité

• Les liaisons

(leçon 9)

Dans le groupe rythmique, on ne s'arrête pas entre les mots. On prononce la consonne finale muette du premier mot avec la voyelle initiale du mot suivant ; c'est la liaison.

Liaisons obligatoires :

– après le pronom personnel sujet.
Ex. : o**n** **é**coute • nou**s** **a**ccueillons

– après une préposition et après un article.
Ex. : dan**s** **un** **hô**pital

– après un nombre.
Ex. : quatre-vingt-troi**s** **a**ns

– entre l'adjectif et le nom.
Ex. : un gran**d** **hô**pital • me**s** **a**mis

Liaisons interdites :

– après *et*.
Ex. : **et** X **a**ujourd'hui

– entre le sujet nominal et le verbe.
Ex. : le boulange**r** X **e**st parti

– entre 2 groupes rythmiques.
Ex. : je fais mes course**s** X **au** supermarché

– avant un *h* aspiré.
Ex. : de**s** X **h**aricots

Les autres liaisons sont facultatives.
Ex. : ils son**t** X **a**rrivés OU ils son**t** **a**rrivés

La prononciation des lettres de liaisons :

– *s* et *x* se prononcent [z].
Ex. : me**s** **a**mis • deu**x** **a**mis

– *n* se prononce [n].
Ex. : u**n** **a**mi

– *t* et *d* se prononcent [t].
Ex. : un peti**t** **a**mi • un gran**d** **a**mi

– *r* se prononce [r].
Ex. : le premie**r** **é**tage

• Les enchaînements

(leçon 21)

On ne s'arrête pas entre les mots.

Enchaînements consonne_voyelle
On prononce la consonne finale du premier mot avec la voyelle initiale du mot qui suit.

Ex. : Je fais la grèv**e_avec_e**ux → [grɛ va vɛ kø].
Il_y a trent**e_a**ns → [il ja trɑ̃ tɑ̃].
J'_habi**te_à** la montagne → [ʒa bi ta la mɔ̃ ta ɲ].

Enchaînements voyelle_voyelle
On ne s'arrête pas entre 2 voyelles prononcées.

Ex. : La stati**on_a** fermé → [sta sjɔ̃ a].
grâc**e_à_une_a**mie → [gr a sa y na mi]
On pr**end_u**ne phot**o_et_on** la publie
→ [ɔ̃ pr ɑ̃ y n f o to e ɔ̃ la py bli].

Quelques voyelles

• Les sons [i], [y] et [u]

(leçon 13)

– Le son [i] est souriant.
Ex. : merc**i** • Clich**y** • d**i**ffic**i**le

– Le son [y] est arrondi, aigu.
La langue est en avant.
Ex. : L**u**l**u** • bienven**ue** • la r**ue**

– Le son [u] est arrondi, grave.
La langue est en arrière.
Ex. : bonj**ou**r • beauc**ou**p • les c**ou**rses

• Les sons /E/ ([e], [ɛ]) – [ə] – /Œ/ ([ø], [œ]) – /O/ ([o], [ɔ])

(leçons 7 et 18)

– Le son /E/ ([e] ou [ɛ]) est souriant.
La langue est en avant.
Il s'écrit : *ai*, *é*, *è*, *ê*, *es*, *e* + consonne.
Ex. : maj**e**s**té** • déjeun**er** • ch**ef** • jam**ais**

– Les sons [ə], [ø] et [œ] sont arrondis, aigus.
La langue est en avant.
Le son [ə] s'écrit : *e*.
Le son /Œ/ ([ø] ou [œ]) s'écrit : *eu*, *œu*, *ue*.
Ex. : m**e**nu • li**eu** • chal**eu**r**eu**x • acc**ue**il • v**œu**

– Le son /O/ ([o] ou [ɔ]) est arrondi, grave.
La langue est en arrière.
Il s'écrit : *o*, *ô*, *au*, *eau*.
Ex. : b**eau** • **au**tre • aérodr**o**me • b**o**rd • h**ô**tel

Précis de phonétique

• **Les nasales [ɔ̃], [ɛ̃] et [ɑ̃]**
(leçons 3, 6 et 11)
L'air passe par le nez (et par la bouche). On ne prononce pas le *n* (ou le *m*).

– Le son [ɔ̃] est très arrondi, fermé, tendu.
La langue est en arrière.
Il s'écrit : *on* (*om* devant *p* ou *b*).
Ex. : le maçon • nous avions • la maison • combien

– Le son [ɛ̃] est souriant, fermé, tendu, aigu.
La langue est en avant.
Il s'écrit : *in*, *yn* (*im*, *ym* devant *p* ou *b*), *un*, *ien*, *oin*, *ain*.
Ex. : un • un voisin • un copain • tiens • sympa • loin

– Le son [ɑ̃] est ouvert, relâché, grave.
La langue est en arrière.
Il s'écrit : *en*, *an* (*em*, *am* devant *p* ou *b*).
Ex. : le bâtiment • le chantier • la campagne • l'employé

Quelques consonnes

• **Les sons [p] / [b] et [f] / [v]**
(leçons 23 et 26)
– Le son [p] est tendu, les cordes vocales ne vibrent pas.
Ex. : un **p**ot • un **p**aquet • les **p**ois chiches • gas**p**iller • a**pp**eler

– Le son [b] est relâché. Les cordes vocales vibrent.
Ex. : une **b**oîte • le **b**eurre • vi**b**rer • **b**iodégrada**b**le

– Les sons [p] et [b] sont explosifs.
Les lèvres sont fermées.
Ex. : une ex**p**o **p**ermanente • une **b**i**b**liothèque

– Les sons [f] et [v] sont continus.
L'air passe entre les dents du haut et la lèvre inférieure.
Ex. : une o**ff**re • un li**v**re • fa**v**oriser

• **Les sons [s], [z], [ʃ], [ʒ] et [j]**
(leçons 15 et 29)
– Le son [s] est souriant, la langue est en bas.
Il est sourd, tendu ; les cordes vocales ne vibrent pas.
Ex. : e**s**pérer • un cai**ss**on • un accès • une op**t**ion

– Le son [z] est souriant, la langue est en bas.
Il est sonore, relâché ; les cordes vocales vibrent.
Ex. : une entreprise • deu**x** heures • nou**s** avons • che**z** elle

– Le son [ʃ] est arrondi, la langue est en haut.
Il est sourd, tendu ; les cordes vocales ne vibrent pas.
Ex. : **ch**er**ch**er

– Le son [ʒ] est arrondi, la langue est en haut.
Il est sonore, relâché ; les cordes vocales vibrent.
Ex. : **j**e • parta**g**er

– Le son [j] est souriant ; la pointe de la langue est en bas.
Il s'écrit : *il*, *ill* ; *i* + voyelle prononcée ; *y*.
Ex. : l'a**il** • je trava**ill**e • la f**ill**e • une feu**ill**e • bien • une option • le ciel • un **y**aourt

• **Les sons [t] / [k] et [d] / [g]**
(leçon 27)
– Les sons [t] et [k] sont tendus.
Les cordes vocales ne vibrent pas.
Ex. : le publi**c** • un visi**t**eur • un s**c**ulp**t**eur

– Les sons [d] et [g] sont relâchés.
Les cordes vocales vibrent.
Ex. : un mo**d**èle • une **g**are • re**g**ar**d**er

• **Le son [r]**
(leçon 19)
Le son [r] est très léger, il sonne dans la gorge. La pointe de la langue reste en bas contre les dents.
Ex. : d'abo**r**d • un cou**r**s • fo**r**mer • un cent**r**e • a**rr**ête • la p**r**esse • un **r**epo**r**ter

Graphie-phonie
(leçon 31)
Une lettre peut se prononcer de différentes manières. Cela dépend des lettres qui l'entourent.
Ex. : La lettre ***g*** se prononce [ʒ] dans *ima**g**e*, [g] dans *né**g**ative* et [ɲ] dans *i**g**norer*.
La lettre ***c*** se prononce [k] dans ***c**ase* et [s] dans ***c**iment*.
La lettre ***o*** se prononce [wɛ̃] dans *l**o**intain*, [wa] dans *t**o**i* et [waj] dans *v**o**yage*.
La lettre ***s*** se prononce [z] dans *ré**s**ervoir* et [s] dans ***s**évère*, *impre**ss**ionnant*.

Phonie-graphie
De même, on peut écrire un son de différentes manières.
Observez le tableau de phonie-graphie page ci-contre.

Phonie-graphie

On prononce	On écrit
[i]	i : un ministre y : l'écosystème î : une île
[y]	u : la sculpture eu *(participe passé du verbe avoir)* : j'ai eu
[u]	ou : fou
[e] ou [ɛ]	é : j'ai décidé e + *consonne muette* : donner, effet ai : je marchais è : très ê : être e + *consonne prononcée* : la mer
[ø], [œ] ou [ə]	eu : un jeu, une chômeuse, un chômeur œu : un vœu ue : cueillir e : je
[o] ou [ɔ]	au : la faune eau : un oiseau o : gros, grandiose, le sport ô : un rôle
[Ɛ̃] ([ɛ̃], [œ̃])	un : un in : un jardin ain : la main ein : peindre ien : un chien ym : sympa
[ɑ̃]	an : une plante en : doucement am : la chambre
[ɔ̃]	on : long om : combien

On prononce	On écrit
[ɥ]	ui : la cuisine u + *voyelle prononcée* : évoluer
[w]	oi : un choix oin : un point oy : un citoyen ou + *voyelle prononcée* : chouette !
[j]	il : un conseil ill : gentille y : un citoyen i + *voyelle prononcée* : un avion
[k]	k : l'aïkido c + *a / o / u* : la cuisine c + *consonne* : un spectacle qu : la musique
[s]	s *en début de mot* : sept s *à côté d'une consonne* : discipliné, psychologue ss : s'asseoir ç : ça c + *e / i* : les vacances t + *ion* : la fonction t + *ie* : la démocratie
[z]	s *entre deux voyelles* : la crise s *de liaison* : les hommes x *de liaison* : deux heures z : le gaz
[g]	g + *a / o / u* : le gaz, une bague
[ʒ]	j : un jeu g + *e / i* : un logement

Entrez en relation !

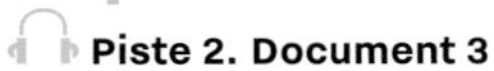

Se présenter

Piste 2. Document 3
Formateur : Bonjour à tous, bienvenue à cette formation Adobe Illustrator. Je suis Boris, votre formateur. Pour commencer, je vais vous demander de vous présenter et de dire pourquoi vous faites cette formation. Qui veut commencer ?
Lynda : Je veux bien commencer ! Alors je m'appelle Lynda Khellil. Lynda avec un « y » !
Formateur : Et Khellil, comment ça s'écrit ?
Lynda : K – H – E – 2 L – I – L.
Formateur : 2 L – I – L, d'accord ! Vous pouvez nous parler de vous ?
Lynda : Alors, je suis franco-algérienne. Et je suis graphiste freelance, travailleuse indépendante, quoi ! Je travaille pour des maisons d'édition. Je viens d'avoir mon deuxième enfant, il a 6 mois, et je viens de reprendre mon travail. Je vais m'occuper d'un nouveau projet et j'ai besoin de cette formation.
Formateur : Vous habitez à Aix ?
Lynda : Non, j'habite à Marseille.
Sébastien : Tiens, moi aussi ! J'habite près du stade, chez les parents de ma femme. Et vous ?
Lynda : Je suis dans le centre. Mais, avec mon conjoint, on veut déménager ; on est en train de chercher un nouvel appartement, plus grand.
Sébastien : Moi, c'est Sébastien Delmas, enchanté. Je viens de me marier ; j'aime bien ma belle-mère et mon beau-père mais bon... je cherche aussi une nouvelle maison !
Formateur : Euh... Vous pouvez vous présenter, s'il vous plaît ?
Sébastien : Ben... Nous sommes en train de nous présenter !

piste 3. Vocabulaire
L'état civil → *Voir manuel page 15.*

piste 4. Vocabulaire
La famille (1) → *Voir manuel page 15.*

piste 5. Vocabulaire
La double nationalité → *Voir manuel page 15.*

piste 6. Vocabulaire
Le travail (1) → *Voir manuel page 15.*

piste 7. Vocabulaire
Les centres d'intérêt → *Voir manuel page 15.*

piste 8. Phonétique
Le groupe rythmique, le rythme, l'accentuation
→ *Voir manuel page 15.*
a. J'habite à Marseille. **b.** Il a six mois. **c.** Vous habitez à Aix ?

Leçon 2

Faire connaissance

piste 9. Document 2
Homme : Qu'est-ce que tu es en train de lire ?
Femme : Un article sur *Le Mag de Montréal*, tu sais, le site québécois !
Homme : Il parle de quoi ?
Femme : C'est sur l'amitié : « 10 questions à poser pour découvrir une personne ».
Homme : Montre !
Femme : Tiens, regarde ! La question 4 est pas mal.
Homme : « Quelles sont tes principales qualités ? » Alors... je suis... C'est difficile, j'ai beaucoup de qualités ! Je suis drôle, toujours sympa, généreux...
Femme : Et modeste, non ? C'est la suite de la question 4 qui est difficile pour toi ! « Tu as des défauts ? »
Homme : Oh là là ! Je ne pense jamais à mes défauts ! Toi, tu es timide et trop sérieuse ! Tu ne rigoles jamais !
Femme : D'accord... et je suis souvent désagréable, non ? Bon, je vais lire autre chose. Quelque chose de plus sérieux justement !

piste 10. Vocabulaire
Les relations (1) → *Voir manuel page 17.*

piste 11. Vocabulaire
Le caractère (1) → *Voir manuel page 17.*

Leçon 3

Faire des prévisions

piste 12. Document 2
Journaliste : Vous écoutez radio Aquitaine : tout de suite, l'horoscope pour la semaine prochaine. Bonjour Sophie !
Sophie : Bonjour à tous ! Béliers, demain, le soleil brillera pour vous. Vous serez en pleine forme. Au travail, vous prendrez des décisions spectaculaires et la chance sera avec vous. Après-demain, les sorties favoriseront les rencontres sentimentales pour les célibataires. Votre vie familiale sera calme. À partir de jeudi, vous dépenserez un peu trop. Vous devrez faire attention quand vous ferez les magasins ! Dans quelques jours, vous ressentirez de la fatigue. Restez optimiste : la semaine prochaine, les astres vous protégeront ! Taureaux, en amour, vous aurez de bonnes surprises...

piste 13. Vocabulaire
Les indicateurs du futur → *Voir manuel page 19.*

piste 14. Vocabulaire
Les relations (2) et les sentiments (1) → *Voir manuel page 19.*

piste 15. Vocabulaire
L'argent → *Voir manuel page 19.*

piste 16. Vocabulaire
La santé → *Voir manuel page 19.*

piste 17. Phonétique
Les nasales [ɔ̃], [ɛ̃] et [ɑ̃]
→ *Voir manuel page 19.*
Vingt et un novembre : Scorpion !

Leçon 4

Techniques pour... participer à une conversation

piste 18. Document 1
Arnaud : L'appart est super beau. C'est très moderne.
Delphine : Oui ! Il est super agréable, et puis c'est grand !
Éloi : Bonsoir.
Arnaud et Delphine : Bonsoir.
Éloi : Vous êtes de la famille... ou des amis de Cécile ?
Arnaud : On est des amis. Et vous ?
Éloi : Je suis un collègue de Cécile. Éloi !
Arnaud : Comment ?
Éloi : Éloi.
Arnaud : Arnaud, enchanté.
Delphine : Delphine.
Arnaud : On est combien à cette fête ?
Delphine : Hein ?
Arnaud : On est combien d'invités, tu penses ?
Delphine : Je sais pas. Vingt-cinq ?
Arnaud : Tu crois ?
Éloi : Moi, je dirais trente. Il y a des personnes sur le balcon et des personnes qui arrivent.
Arnaud : C'est possible, tu as raison. Heu... On peut se tutoyer ?
Éloi : Mais bien sûr ! Dites donc, il y a plein de photos ici !
Delphine : Cécile fait de la photo, elle adore ça.

Éloi : Ah d'accord, je comprends.
Arnaud : Elle sort tous les week-ends avec son appareil. Elle va dans la forêt, elle est inscrite dans un club.
Éloi : C'est vrai ?
Arnaud : Au fait, tu sais qu'elle a gagné un prix de photo ?
Delphine : Ah bon ??
Éloi : Ah, excusez-moi, on m'appelle. À plus tard !
Arnaud : À plus tard !
Delphine : Oui, à tout à l'heure !

S'entraîner

piste 19. Activité 2
Ex. : Je viens de me pacser.
a. Elle va se marier.
b. Ils vont déménager.
c. Elle est en train de divorcer.
d. Ils viennent d'avoir leur premier enfant.
e. Je suis en train de chercher un appartement.
f. Il va rencontrer ses beaux-parents.
g. On vient de se séparer.

piste 20. Activité 5
→ *Voir manuel page 22.*

piste 21. Activité 14
Ex. : l'argent
a. demain **b.** la tendresse **c.** les poissons **d.** une relation **e.** la santé
f. un magasin **g.** une prévision

Parlez de vous

Leçon 5
Parler des relations familiales

piste 22. Document 2
Premier témoignage
Sofia : Je m'appelle Sofia et j'ai 9 ans. J'ai deux sœurs. Une sœur du côté de ma maman, elle s'appelle Éva, elle a 19 ans. Et une sœur du côté de mon papa, Émilie, elle a 17 ans.
Éva : Avec Sofia, ma vie est plus riche. Ma mère a eu Sofia avec mon beau-père. Sofia, c'est ma demi-sœur. Émilie, c'est la première fille de mon beau-père. Je l'appelle ma « sœur de cœur » et elle m'appelle sa « quasi-sœur ».
Émilie : On n'a pas les mêmes parents, mais pour moi, c'est pas un problème. Éva et Sofia, je les vois comme mes sœurs. On s'entend bien, et on se respecte. Et Sofia, c'est notre petite sœur à toutes les deux. On la voit une semaine sur deux. On l'adore. Elle est adorable et elle nous fait rire !

piste 23. Document 2
Deuxième témoignage
Théo : Moi, c'est Théo, j'ai 15 ans. Je suis fils unique. Un jour, ma mère est entrée dans ma chambre et elle a dit : « On va aller voir un ami ». Quand nous sommes arrivés, elle a dit : « Eh bien, voici mon compagnon. On va se marier. » Ça a été un petit choc ! Et puis, après, j'ai rencontré ses enfants, les enfants de mon beau-père. J'ai pensé : « OK, génial ! » Maintenant, j'ai deux quasi-frères et une quasi-sœur : Arthur, Eliot et Jeanne. Je les vois deux semaines par mois. C'est un gros changement, c'est sûr ! L'année dernière, je suis parti en vacances avec eux. Parfois, on se dispute mais on s'amuse bien aussi. Je les aime bien !

piste 24. Vocabulaire
La famille (2) → *Voir manuel page 27.*

piste 25. Vocabulaire
Les relations (3) et les sentiments (2) → *Voir manuel page 27.*

piste 26. Vocabulaire
La fréquence et les proportions → *Voir manuel page 27.*

piste 27. Vocabulaire
Les indicateurs de temps (1) → *Voir manuel page 27.*

Leçon 6
Décrire le passé

piste 28. Document 3
Je m'appelle Antonio Baptista. J'ai 83 ans. Je vais vous parler de la France des années 60. En 1963, j'avais 26 ans. J'habitais à Fontenay-sous-bois. À cette époque-là, il y avait beaucoup de travail. On ne connaissait pas le chômage ! On construisait beaucoup d'immeubles, des hypermarchés. C'étaient des énormes chantiers. Le RER aussi était en construction. Il n'y avait pas la banlieue comme aujourd'hui, c'était la campagne ! Beaucoup de mes amis travaillaient pour le RER. C'était très dur. Moi je travaillais dans le bâtiment, j'étais maçon.
Au début, la vie était difficile. Tout était différent pour moi. Je ne parlais pas français, je n'avais pas beaucoup d'argent. Je partageais un appartement avec deux collègues, des immigrés comme moi : un Espagnol et un Yougoslave. Le dimanche matin, on jouait au foot puis on allait au café avec nos amis français, des ouvriers comme nous. J'avais des bons copains. J'adorais la France. Aujourd'hui, je suis français. Mes petits-enfants aiment bien quand je raconte mes premières années en France, et ma rencontre avec leur grand-mère.

piste 29. Vocabulaire
Les indicateurs de temps (2) → *Voir manuel page 29.*

piste 30. Vocabulaire
Le caractère (2) → *Voir manuel page 29.*

piste 31. Vocabulaire
Le travail (2) → *Voir manuel page 29.*

piste 32. Vocabulaire
L'immigration → *Voir manuel page 29.*

piste 33. Vocabulaire
Les lieux et les transports → *Voir manuel page 29.*

piste 34. Vocabulaire
La famille (3) → *Voir manuel page 29.*

piste 35. Phonétique
Les nasales [ɔ̃] et [ɑ̃]
→ *Voir manuel page 29.*
Ex. : son – cent
a. Il est lent. – Il est long.
b. Elle est souriante. – Elle est souriante.
c. J'avais vingt ans. – J'avais vingt thons.
d. C'est très bon. – C'est très bon.
e. Il sent bon. – Ils sont bons.
f. la compagne – la campagne

Leçon 7
Raconter une rencontre

piste 36. Document 2
Femme : C'est qui sur cette photo ?
Homme : C'est mes parents. Jeannot et Maguy.
Femme : C'était dans les années 60 ?
Homme : Mmm… Non, c'était en 1952, au Vietnam. Ma mère était enceinte.
Femme : Au Vietnam ? Ils étaient en vacances ?
Homme : Ben non, ils habitaient là-bas ! Ils se sont rencontrés à Saïgon !
Femme : Ah bon ? Comment ?

Homme : Ma mère était militaire. Elle est arrivée au Vietnam en 1949. Elle était seule et mon père vivait à Hanoï avec ses parents, son frère et ses sœurs. Il travaillait dans une entreprise d'import-export. Ils se sont rencontrés en 1950, dans une soirée, je crois. Ils ont eu un coup de foudre ! Six mois plus tard, ils se sont mariés.
Femme : En France ?
Homme : Non, à Saïgon ! Et ma sœur est née en juillet 52.
Femme : Et après ils sont rentrés en France ?
Homme : Oui, à la fin des années 60. Et moi je suis né en mille neuf cent...

piste 37. Vocabulaire
Les indicateurs de temps (3) → *Voir manuel page 31.*

piste 38. Vocabulaire
La description physique → *Voir manuel page 31.*

piste 39. Vocabulaire
Les relations (4) → *Voir manuel page 31.*

piste 40. Phonétique
Les sons [ə] et [E] ([e] ou [ɛ])
→ *Voir manuel page 29.*
Ex. : J'ai plongé
a. je plongeais **b.** je marchais **c.** j'ai marché **d.** je levais **e.** j'ai levé **f.** j'ai trouvé

Leçon 8

Techniques pour... faire un discours amical

piste 41. Document 1
Bonsoir à tous !
C'est un honneur de prendre la parole pour cette grande occasion. Je me présente : je suis Lucas, un ami d'enfance de Zoé, la mariée. C'est un grand plaisir d'être présent ce soir pour célébrer le mariage de Basile et Zoé. Zoé, Basile, je veux vous remercier, au nom de tous, de nous faire participer au plus beau jour de votre vie. Merci aussi de me faire confiance pour ce traditionnel discours de mariage. Aujourd'hui, donc, c'est le plus beau jour de la vie de Zoé et Basile. Et j'aimerais révéler des secrets ! Je vais vous parler de leur enfance et vous raconter leur rencontre... Petite, Zoé était très curieuse. Elle aimait le sport et la bagarre, mais elle n'aimait pas l'école ! Basile, lui, était calme et timide et il était premier de sa classe. Un jour, le destin les a réunis. C'était le 20 mars 2018, le premier jour du printemps. Zoé est allée à un cours de cuisine... Le professeur s'appelait... Basile ! Ils sont tombés amoureux au premier regard ! Ils ne se sont plus quittés. Bien sûr, Zoé n'a jamais appris à bien cuisiner ! Mais elle adore les plats que Basile prépare ! Il n'y a pas de doute : ils sont faits pour être ensemble ! Alors, avec tous les invités, je vous félicite pour cette décision courageuse ! Félicitations aussi pour cette merveilleuse soirée qui commence. Et pour finir, je vous souhaite beaucoup de bonheur pour les années à venir. Soyez heureux et profitez de cette nouvelle vie qui démarre ! Levons nos verres en l'honneur des jeunes mariés ! Vive les mariés !

piste 42. Activité 5
→ *Voir manuel page 32.*

La médiation : transmettre un message oral à l'écrit

piste 43. Document 2
– Bonjour ! Nous ne sommes pas là pour le moment mais laissez-nous un message, et nous vous rappellerons ! À bientôt !
– Bonjour ! C'est Marguerite Bonnet, la maman de Baptiste. Nous connaissons la date du mariage de Baptiste et Victoria, ce sera le samedi 22 août ! La cérémonie aura lieu à la mairie de Toulouse, à 11 heures. Est-ce que Karim peut préparer un discours ? Le discours du témoin ! Ça fera vraiment plaisir aux mariés ! Vous pouvez me rappeler. Je vous laisse mon numéro de portable : 06 84 58 81 07. Voilà, au revoir, à bientôt !

S'entraîner

piste 44. Activité 7
Ex. : Je voyage.
a. Nous n'avions pas d'amis.
b. On partage notre chambre.
c. Vous alliez où en vacances ?
d. Il joue dans la rue.
e. Elles s'amusaient beaucoup.
f. Nous ne savions pas parler espagnol.
g. Tu commençais à marcher.

piste 45. Activité 10
Ex. : la profession
1. le bâtiment **2.** l'employée **3.** nous travaillons **4.** le chantier **5.** l'immigration **6.** la campagne **7.** ma compagne

piste 46. Activité 15
Ex. : Je me suis mariée un lundi.
1. J'ai travaillé.
2. J'ai levé la tête.
3. On ne le reconnaît pas.
4. Ils buvaient un café.
5. C'était l'été, il faisait beau.

Préparation au DELF A2

Compréhension de l'oral

› Comprendre l'information essentielle de courts extraits radiophoniques

piste 47. Document 1
4 750 cousins se sont réunis dimanche dernier à Strasbourg, pour une grande photo de famille. Ils venaient de différents pays et ont battu le record du monde de la cousinade. Ils se sont retrouvés tous ensemble pour la première fois.

piste 48. Document 2
Profitez de la Saint-Valentin pour faire une sortie culturelle en amoureux. Le 14 février, le musée Rodin organise, en journée, des visites sur le thème de l'amour. Et au musée de la Vie romantique, l'entrée pour l'exposition « Cœurs » est gratuite pour les couples, le soir de la Saint-Valentin.

piste 49. Document 3
Pendant les fêtes, restez solidaire. L'association « Solidarité Enfance » vous propose des idées de cadeaux pour les enfants. Tous les bénéfices aideront à financer les projets éducatifs que l'association met en place dans le monde entier. Rendez-vous sur notre site : 3 w point solidarité enfance point com.

Parlez de votre mode de vie

Leçon 9

Parler de son lieu de vie

piste 50. Document 2
Journaliste : Vous êtes bien sur euronews-radio, le bureau de Bruxelles. Nous continuons notre dossier sur la fermeture des commerces dans le centre des villes moyennes. Tout de suite, on écoute les témoignages de Jeanine, Arnaud et Inès, habitants de Nivelles, à 30 kilomètres de Bruxelles.
Jeanine : Ah c'est sûr, c'est difficile de faire mes courses ! J'ai 82 ans, je vis seule et je ne conduis pas. Et sans bus, je fais comment ? Je ne peux pas aller dans les centres commerciaux qui sont trop loin ! Les commerces du centre-ville ont fermé : le poissonnier, le boucher, et puis l'épicier, le fleuriste, et même la boulangerie !

Heureusement, il reste le bar-tabac où on peut acheter le journal ! Et le marché, le dimanche.
Arnaud : Moi, j'ai une voiture, je fais mes courses dans les centres commerciaux où il y a des hypermarchés. Mais quand le boulanger est parti, ça m'a embêté. J'aimais bien aller chez le boulanger ; le pain, on l'achète tous les jours, on va pas dans un supermarché juste pour acheter du pain !
Inès : La disparition des boutiques en centre-ville, ça ne me dérange pas : je fais mes courses au supermarché ou je me fais livrer. Pour les services, c'est un problème ! Quand nous sommes arrivés ici, dans le centre, il y avait deux bureaux de poste, un hôpital avec sa maternité, un commissariat de police...
Reporter : Et aujourd'hui ?
Inès : Aujourd'hui, on doit faire la queue dans un seul bureau de poste ! L'hôpital est devenu un centre médical où il n'y a pas de service d'urgences, pas de maternité ! Pour accoucher, on doit faire 30 kilomètres ! Il reste l'hôtel de ville...
Journaliste : Les centres commerciaux qu'on construit en périphérie sont responsables de la disparition des petits commerces en centre-ville. Les commerces ferment, les familles quittent le centre, le centre meurt. Nous accueillons maintenant notre invité, le maire de...

piste 51. Vocabulaire
La ville (1) → *Voir manuel page 41.*

piste 52. Vocabulaire
Les commerces et les commerçants → *Voir manuel page 41.*

piste 53. Vocabulaire
Les services → *Voir manuel page 41.*

piste 54. Phonétique
Les liaisons
a. Ex. : nous accueillons • et aujourd'hui
1. quatre-vingt-deux ans **2.** On écoute. **3.** Le boulanger est parti.
4. dans un hôpital **5.** Je fais mes courses au supermarché.

Leçon 10

Comparer des lieux de vie

piste 55. Document 2
Voix off : France Info. *L'Actu des régions*, Michel Perrin.
Michel Perrin : Bonjour. Bienvenue dans *L'Actu des régions* ! Nous avons demandé à d'anciens Parisiens pourquoi ils ont quitté Paris. Voici leur réponse.
Voix off : Capucine, mère de trois enfants.
Capucine : J'adorais Paris ! Les musées, les théâtres, les expos... C'est la ville la plus culturelle du monde ! Mais finalement, on a quitté la capitale avec mon mari, parce qu'avec trois enfants, on voulait plus d'espace. On a passé le périphérique ! Maintenant, on habite à Châtillon ; c'est la banlieue la plus proche de Paris. En proche banlieue, on a autant d'avantages qu'à Paris, les transports sont aussi nombreux : le métro, les bus... mais on paye un loyer moins cher pour une superficie plus grande !
Voix off : Benoît, père de deux enfants.
Benoît : Paris, c'était « métro, boulot, dodo » et on ne profitait de rien : on ne profitait pas des musées, on ne profitait pas des parcs... On n'avait pas le temps ! On passait notre temps dans les transports. Le plus désagréable, c'est le métro. Je déteste le métro ! Alors on s'est installés à Bordeaux pour avoir une qualité de vie différente, avec moins de temps de transports. Il y a moins de circulation dans le centre, il y a beaucoup de rues piétonnes. Je vais au travail à vélo ! La qualité de l'air est meilleure pour les enfants... Et puis... Bordeaux, c'est les vins les plus prestigieux du monde ! On ne regrette pas. On vit mieux ici. C'est une nouvelle vie !

piste 56. Vocabulaire
La ville (2) → *Voir manuel page 43.*

piste 57. Vocabulaire
Le logement (1) → *Voir manuel page 43.*

piste 58. Vocabulaire
Les goûts → *Voir manuel page 43.*

Leçon 11

Décrire une expérience à l'étranger

piste 59. Document 2
Guillaume : Allô ?
Chloé : Allô Guillaume ? C'est Chloé.
Guillaume : Hé salut ! Comment tu vas, petite sœur ?
Chloé : Bien, bien, et toi ?
Guillaume : Ça va. Je travaille beaucoup, il fait froid, je suis fatigué... mais bon ça va. J'attends les vacances pour venir te voir !
Chloé : Ça va être super ! Oh écoute : je vais te raconter un truc amusant. Avec mes colocataires, le week-end dernier, on est allés dans un village, pas loin de Lomé. On a trouvé un petit resto avec un chef très sympa.
Guillaume : Oui, et alors ?
Chloé : Alors, je lui dis : « Qu'est-ce que vous me conseillez ? ». Il répond : « Prenez les haricots, c'est très doux ». Moi, j'ai compris : « C'est sucré ». Mais pour les Togolais, « très doux » ne signifie pas « très sucré ».
Guillaume : Ah bon ? Ça veut dire quoi alors ?
Chloé : « Très doux » ça veut dire « très bon ». Et très bon, pour les Togolais, c'est souvent très pimenté, super fort ! Argh ! J'ai pas pu manger.
Guillaume : Oh non ! C'est pas vrai ?!
Chloé : J'ai pris deux desserts. C'est un bon resto mais, quand j'en suis sortie, j'avais super faim !
Guillaume : Je ferai attention quand je serai là ! Au fait, tu sais...

piste 60. Activité 8
→ *Voir manuel page 45.*

piste 61. Vocabulaire
La géographie → *Voir manuel page 45.*

piste 62. Vocabulaire
La cuisine (1) → *Voir manuel page 45.*

piste 63. Vocabulaire
Les mots familiers → *Voir manuel page 45.*

piste 64. Phonétique
Les nasales [ɛ̃] et [ɑ̃]
→ *Voir manuel page 45.*
Ex. : en France
a. C'est bien ! **b.** C'est très pimenté ! **c.** Comment ça va ? **d.** J'ai super faim ! **e.** J'ai pas pu manger ! **f.** C'est pas loin de Lomé.

Leçon 12

La médiation : présenter un événement culturel à l'oral

piste 65. Document 2
Bonjour et bienvenue sur Culture France. Eh oui, c'est l'été, et qui dit « été » dit « festivals ». Je vous parlerai aujourd'hui des Francofolies. Comme tous les ans, les amoureux de la musique ont rendez-vous à La Rochelle pour le festival des Francofolies. Comme vous le savez, les Francofolies sont nées en 1985 pour faire connaître les chanteurs d'expression française. Le programme de cette année est vraiment super : styles différents, chanteurs de générations différentes, et le retour de la chanteuse des Rita Mitsouko, Catherine Ringer. Tous ces artistes se produisent sur 9 scènes autour du port de cette belle ville de Charente Maritime. Les billets sont à partir de 30 euros par spectacle. C'est l'occasion de visiter La Rochelle. Réservez vite vos tickets sur le site des Francofolies.

S'entraîner

piste 66. Activité 6b
Ex. : Il y a deux hypermarchés en périphérie.
1. Nous aimons le centre-ville et ses anciennes boutiques.
2. Ils habitent à côté de la poste.
3. Ce commerçant a fermé son magasin hier.
4. J'achète mon pain chez un boulanger amusant.
5. Ce sont les endroits où je fais mes achats.
6. On a construit une maternité et un centre médical.

piste 67. Activité 16
Ex : Il rentre demain.
a. En voiture, ce n'est pas loin.
b. Tu as faim ? Alors mange !
c. C'est trop pimenté. Je ne veux rien.
d. Il est sympa ce client.
e. Le Bénin, c'est comment ?

Envisagez l'avenir

Leçon 13

Demander de l'aide

piste 68. Document 2
Message d'attente : Bienvenue chez *Lulu dans ma rue*. Nos concierges de quartier sont déjà en ligne afin de mettre en relation un Lulu et un client du quartier. Merci mille fois pour votre patience. Nous prenons votre appel dès que possible.
Concierge : *Lulu dans ma rue*, bonjour !
Nicole Lambert : Allô, bonjour.
Concierge : Bonjour madame, qu'est-ce que je peux faire pour vous ?
Nicole Lambert : Eh bien voilà, j'aimerais avoir de l'aide pour faire des petites choses dans mon appartement. Pourriez-vous trouver une personne pour m'aider ?
Concierge : Oui, avec plaisir. Vous habitez dans quel quartier madame ?
Nicole Lambert : Le quartier de la place Clichy.
Concierge : Très bien. Quel type d'aide voudriez-vous ?
Nicole Lambert : Je sais pas bien... Je vous explique : j'ai beaucoup de livres chez moi, dans mon salon, dans ma chambre, partout... Je n'ai pas la place pour les ranger. Et, les laisser par terre, c'est dangereux pour moi.
Concierge : Oui, je comprends.
Nicole : Et donc je souhaiterais mettre une partie de mes livres à la cave et donner l'autre partie à une association.
Concierge : D'accord, on peut vous aider ! Avez-vous un autre besoin ?
Nicole Lambert : Oui, j'ai une autre demande. Les tâches ménagères deviennent difficiles pour moi. L'aspirateur est lourd, la salle de bains est difficile à laver, c'est dur pour moi de me baisser, de me pencher... vous voyez.
Concierge : On va vous trouver des Lulu, madame !
Nicole Lambert : Je vous remercie. Des personnes gentilles et sérieuses, j'espère ! Vous connaissez ces personnes ?
Concierge : Nous connaissons tous les Lulu. Ce sont des habitants du quartier. Ils sont très sérieux, vous savez. Ne vous inquiétez pas.
Nicole Lambert : D'accord.
Concierge : Pourriez-vous me donner votre nom et votre adresse ?
Nicole Lambert. : Oui, je m'appelle Nicole Lambert. Et j'habite 25 rue Caulaincourt.
Concierge : OK. Et votre numéro de téléphone ?
Nicole Lambert : C'est le 06 34 78 06 13.
Concierge : Merci Nicole. Je vais regarder les possibilités et je vous rappelle dans la journée.
Nicole Lambert : Parfait. J'attends votre appel, alors. Merci beaucoup.
Concierge : Je vous en prie, Nicole. À tout à l'heure.

piste 69. Vocabulaire
La politesse → *Voir manuel page 53.*

piste 70. Vocabulaire
Les caractéristiques → *Voir manuel page 53.*

piste 71. Vocabulaire
Le logement (2) → *Voir manuel page 53.*

piste 72. Vocabulaire
Les tâches ménagères → *Voir manuel page 53.*

piste 73. Vocabulaire
Les actions → *Voir manuel page 53.*

piste 74. Phonétique
Les sons [i], [y] et [u]
→ *Voir manuel page 53.*
a. iiiiiiiiii • uuuuuuuu • ouououououou
b. kiiiiiiii • kuuuuuuuuu • kouououou
c. miiiiiiiiiille • muuuuuule • mououououle
d. siiiiiiiire • suuuuuuuuuur • souououour
e. C'est difficile !
f. Bienvenue chez Lulu !
g. C'est beaucoup trop lourd !
h. Bonjour ! Ici Lulu ! Je vous écoute !

Leçon 14

Conseiller

piste 75. Document 2
Lou : Eh Samba, je suis là !
Samba : Salut Lou, tu vas bien ? Désolé, je suis en retard...
Lou : C'est pas grave. Alors, qu'est-ce qui se passe ?
Samba : Alors voilà, j'ai réfléchi, et j'aimerais créer mon entreprise.
Lou : Wouah ! C'est super ! Tu sais dans quel domaine ?
Samba : Oui... non... enfin pas très bien... Tu peux m'aider ? Me donner des conseils ? Je voudrais faire de la vente en ligne, mais je ne sais pas exactement pour quels produits. Et surtout, je ne sais pas comment faire.
Lou : Donc tu veux créer une micro-entreprise de e-commerce ?
Samba : Oui c'est ça. Du e-commerce.
Lou : Si tu veux créer ton entreprise, choisis d'abord un produit, ou un service ! Tu es sûr de toi ? Tu sais, c'est nécessaire d'avoir une idée un peu originale.
Samba : Oui... Bah, j'ai parlé avec mon conseiller Pôle emploi et il trouve que c'est une bonne idée.
Lou : OK. Si tu veux, je t'aide.
Samba : Merci !
Lou : Bon, pour commencer, c'est indispensable de faire une étude de marché. Ah mais tiens ! La semaine prochaine, il y a un salon pour les futurs entrepreneurs, tu dois absolument y aller. Je te montre le programme ?
Samba : OK.
Lou : Allons sur le site entrepreneurs point com. C'est un salon très intéressant. On pourrait y aller ensemble.
Samba : Bonne idée !
Lou : Tu devrais assister à des conférences aussi. Mais il faut bien les choisir. Tu vas apprendre des choses très intéressantes. Ce sont des professionnels.
Samba : Tu me conseilles d'aller à quelle conférence ?
Lou : Écoute, si tu veux, on regarde ensemble.
Samba : Oui, je veux bien.
Lou : Alors...

piste 76. Vocabulaire
Le travail (3) → *Voir manuel page 55.*

piste 77. Vocabulaire
L'entreprise → *Voir manuel page 55.*

piste 78. Vocabulaire
L'information et la formation (1) → *Voir manuel page 55.*

piste 79. Vocabulaire
Les projets → *Voir manuel page 55.*

Leçon 15

Parler d'un lieu de travail

piste 80. Document 2
Homme : Espace coworking Tourcoing, bonjour.
Femme : Bonjour, je voudrais parler à Thomas Voland, s'il vous plaît.
Homme : C'est moi ! Qu'est-ce que je peux faire pour vous ?
Femme : Ah ! Bonjour. Chafia Bellabas à l'appareil. Je viens de créer mon entreprise et de m'installer à Tourcoing. Je n'ai pas les moyens de louer des bureaux, donc je cherche un espace partagé.
Homme : Très bien. Et vous êtes nombreux ?
Femme : Pour l'instant, je suis seule. Mais j'espère que mon activité va vite se développer. Je souhaite trouver un collaborateur rapidement.
Homme : Quel est votre secteur d'activité ?
Femme : L'Ed Tech. La formation en ligne.
Homme : D'accord ! Alors, nous avons trois formules.
Femme : Oui ! J'ai vu les formules sur votre site.
Homme : Et quelle formule vous intéresse ?
Femme : Eh bien, je ne suis pas sûre...
Homme : Vous avez besoin d'un bureau privatif ?
Femme : Non, mais je souhaite organiser des réunions en visio-conférence.
Homme : Si vous ne voulez pas de bureau privatif, la formule à 450 € par mois ne vous intéressera pas...
Femme : Si je prends la formule à 289 €, j'aurai un poste de travail dédié ?
Homme : Ah non.
Femme : Mmm... Et j'aimerais avoir accès à l'espace le soir et le samedi.
Homme : D'accord. Est-ce que vous souhaitez prendre rendez-vous pour visiter nos espaces et faire votre choix ?
Femme : Ah oui ! Je suis disponible demain matin.
Homme : Demain, 10 h 30 ?
Femme : C'est parfait !
Homme : À demain alors ! J'espère que nos locaux vous plairont !
Femme : À demain !

piste 81. Vocabulaire
Le travail (4) → *Voir manuel page 57.*

piste 82. Vocabulaire
La tarification → *Voir manuel page 57.*

piste 83. Phonétique
Les sons [s], [z], [ʃ] et [ʒ]
→ *Voir manuel page 57.*
Ex. : un espace de coworking
a. une cuisine équipée **b.** l'architecture **c.** les rangements
d. une formation **e.** Bonjour ! Je voudrais parler à Thomas Voland.
f. Vous faites des remises ? **g.** Vous voulez un bureau privatif ou partagé ? **h.** Vous pouvez organiser des visites.

S'entraîner

piste 84. Activité 2
Ex. : Il aimerait être là.
a. On pourra venir. **b.** Nous aimerions vous connaître. **c.** Tu voulais sortir ? **d.** Elle souhaiterait rester chez elle. **e.** Pourriez-vous me donner votre nom ? **f.** Vous souhaitiez nous parler ? **g.** On voudrait vous voir. **h.** Ils aimaient rester chez eux. **i.** Pourrons-nous venir ?

piste 85. Activité 5
Ex. : Merci beaucoup Lulu !
a. Vous habitez dans quelle rue ?
b. Tu fais tes courses ici ?
c. Nous sommes gentils avec Luc.
d. Trouver du travail est difficile.

piste 86. Activité 7
Ex. : Il faut très bien connaître les produits.
a. Vous devez trouver une bonne idée. **b.** On pourrait choisir ensemble. **c.** C'est indispensable de bien choisir son domaine.
d. Tu devrais peut-être trouver un partenaire. **e.** C'est nécessaire d'être créatif. **f.** Vous devriez mieux définir votre projet. **g.** Nous pourrions réunir nos entreprises. **h.** Tu dois absolument chercher un financement.

piste 87. Activité 13
Ex. : Je voudrais visiter le bureau.
a. On cherche un endroit partagé. **b.** L'architecture de cet endroit est magnifique. **c.** Elle a besoin d'un partenaire commercial. **d.** Voilà l'entreprise où je travaille. **e.** Vous aimez la formation ?

Préparation au DELF A2

Compréhension de l'oral

› Comprendre des annonces dans un lieu public et des instructions orales

piste 88. Document 1
Vos courses livrées directement chez vous ? Maintenant, c'est possible ! Rendez-vous à l'accueil de notre magasin pour découvrir les conditions de ce nouveau service.

piste 89. Document 2
Aujourd'hui, pour la fête du commerce, vos commerçants exposent leurs produits dans la rue. La circulation automobile est interdite dans le centre-ville. Venez faire vos courses dans le calme des rues piétonnes !

piste 90. Document 3
Bonjour Maxime. Je serai absente aujourd'hui. Pourriez-vous photocopier le dossier que j'ai laissé sur mon bureau, pour la réunion de demain avec nos partenaires espagnols ? Merci !

piste 91. Document 4
Bienvenue au Salon du bricolage ! Visitez les différents stands pour rencontrer les meilleurs professionnels du secteur et trouver des idées originales pour vos lieux de vie et vos espaces de travail !

piste 92. Document 5
Votre attention, s'il vous plaît. Nous vous informons que la ligne de métro n° 6 est interrompue en raison de travaux. Un service de bus est disponible sur le parking de la gare.

piste 93. Document 6
Nous vous informons que, pendant le congrès, les conférences du matin auront lieu dans l'auditorium. Les ateliers de l'après-midi se tiendront dans les salles du premier étage. La cafétéria sera ouverte à partir de 11 h 30.

Unité 5 Partagez

Leçon 17

Écrire une biographie

piste 94. Document 1
Journaliste : Bonjour à tous, nous sommes le 4 janvier 2021, il est 10 heures, bienvenue au « Club Sport Europe 1 » ! Aujourd'hui, pour parler des prochains Jeux olympiques de Paris, notre invitée est la présidente du comité des athlètes Paris 2024. Elle est aussi, depuis 2018, la présidente du comité paralympique et sportif français. Elle a été championne olympique du 400 mètres et du saut en longueur aux Jeux paralympiques de Rio en 2016... Marie-Amélie Le Fur, bonjour !
Marie-Amélie Le Fur : Bonjour !

Journaliste : Vous avez arrêté la compétition sportive il y a trois ans, en 2018, mais en trois ans vous avez fait beaucoup pour le sport et le handicap. Vous êtes la…

piste 95. Vocabulaire
Le sport et le handisport → *Voir manuel page 67.*

piste 96. Vocabulaire
L'engagement associatif → *Voir manuel page 67.*

Leçon 18
Raconter une expérience exceptionnelle

piste 97. Document 2
Femme : Alors, Hugo, comment ça s'est passé ta visite du château de Versailles ?
Homme : Ça s'est très bien passé ! Tiens, regarde les photos !
Femme : Oh ! Comme c'est beau ! C'est la vue de l'hélicoptère ?
Homme : Oui ! Le pilote a survolé tranquillement le château. On a atterri à 13 heures.
Femme : Quelle chance ! Et après ? Vous avez visité le château ?
Homme : Non, on a d'abord déjeuné.
Femme : Vous avez vu Alain Ducasse ?
Homme : Non, malheureusement ! Il vient rarement.
Femme : C'était bon ?
Homme : C'était très bon ! Et on nous a accueillis chaleureusement ! Après, on a visité le château. Regarde, ce sont des appartements privés du roi. Normalement, ils sont inaccessibles !
Femme : Qu'est-ce que c'est beau !
Homme : Mais on a beaucoup marché ! Le conférencier marchait trop rapidement ; on le suivait difficilement. Il y avait beaucoup de couloirs, d'escaliers…
Femme : Il parlait vite ?
Homme : Non, il parlait lentement. Il a expliqué clairement la vie du roi au château…
Femme : Et le retour ? Tu as des photos ?
Homme : Ah non. Il faisait nuit ! Le pilote n'a pas fait de détour, il est rentré directement à Paris. C'était une journée inoubliable !
Femme : Dis donc, Maya t'a fait un superbe cadeau !
Homme : Ah oui ! Tu dois absolument offrir cette visite à Philippe ! Vous adorerez !
Femme : Et combien ça a coûté, pour deux ?
Homme : Ah c'est un peu cher…

piste 98. Vocabulaire
Le transport aérien → *Voir manuel page 69.*

piste 99. Vocabulaire
Le château de Versailles → *Voir manuel page 69.*

piste 100. Vocabulaire
La cuisine (2) → *Voir manuel page 69.*

piste 101. Vocabulaire
L'exception → *Voir manuel page 69.*

piste 102. Phonétique
Les sons /E/, /Œ/ et /O/
→ *Voir manuel page 69.*
Ex. : un appartement
a. un château **b.** chaleureusement **c.** les escaliers **d.** Regarde !
e. une photo **f.** un peu **g.** Ils sont inaccessibles ! **h.** un bon accueil

Leçon 19
Décrire un projet de vie

piste 103. Document 1
Journaliste : Bonjour Frédéric Lopez.
Frédéric Lopez : Bonjour.
Journaliste : Frédéric Lopez, on vous connaît, vous êtes un animateur télé très célèbre. Depuis quand faites-vous de la télé ?
Frédéric Lopez : Depuis vingt-cinq ans ! J'ai d'abord été reporter, puis j'ai présenté plusieurs émissions de télé.
Journaliste : Aujourd'hui, vous annoncez que vous arrêtez la télévision. Pourquoi ?
Frédéric Lopez : La télé, j'adore ça, c'est vrai, mais c'est un travail difficile. Je ne suis plus aussi motivé qu'avant. Je n'ai plus l'énergie. Et je vois constamment ma vie privée dans les magazines. Je n'aime pas ça.
Journaliste : Qu'est-ce que vous allez faire ?
Frédéric Lopez : Je veux devenir professeur de méditation. Cette pratique m'a beaucoup aidé. Avant la méditation, j'étais très stressé, j'ai été un peu malade… Après ça, j'ai décidé d'arrêter la télé !
Journaliste : Et comment vous allez faire ?
Frédéric Lopez : Avant de devenir professeur, ou instructeur, je dois me former. D'abord, je vais aller à l'université de Strasbourg pour obtenir un diplôme universitaire. Après cette formation, je suivrai un stage dans un centre de méditation. Ensuite, j'irai à l'université d'Oxford parce qu'il y a aussi des cours de méditation là-bas. Avant de poursuivre ma formation à Oxford, je vais assister à une conférence internationale, en octobre, à Paris. Et enfin, j'ouvrirai un centre de méditation.
Journaliste : Vous serez professeur de méditation ?
Frédéric Lopez : Oui et mon but est de faire entrer la méditation dans les entreprises. Un jour, peut-être, tous les salariés pourront avoir quinze minutes de méditation gratuite par jour ! Voilà, à partir du mois de mai, je ne présenterai plus d'émissions.
Journaliste : Et que pense votre famille ?
Frédéric Lopez : Avant de prendre cette décision, j'ai beaucoup parlé avec ma famille, particulièrement avec mon fils. Il est très heureux pour moi. Mon fils n'aime pas ma célébrité. Au début, il trouvait ça sympa mais, après la publication de certaines photos de lui dans la presse, il a détesté mon travail.

piste 104. Vocabulaire
Les marqueurs temporels → *Voir manuel page 71.*

piste 105. Vocabulaire
Les sentiments (3) et les sensations → *Voir manuel page 71.*

piste 106. Vocabulaire
Les médias (1) → *Voir manuel page 71.*

piste 107. Vocabulaire
Les expressions → *Voir manuel page 71.*

piste 108. Vocabulaire
La formation (2) → *Voir manuel page 71.*

piste 109. Phonétique
Le son [r]
→ *Voir manuel page 71.*
Ex. : Arrêtez !
a. le cours **b.** le cou **c.** après **d.** appeler **e.** toi **f.** trois **g.** un « a »
h. un rat

Leçon 20
Techniques pour…. écrire un poème

piste 110. Activité 4
→ *Voir manuel page 72.*

S'entraîner

piste 111. Activité 10
Ex. : un métier • un lieu • sa majesté
a. un menu • un accueil • dîner
b. superbe • privilégié • beau
c. un hélicoptère • à bord • un survol
d. beaucoup • trop • très

e. lentement • un menu • une étoile
f. un château • un appartement • un cadeau

piste 112. Activité 16
Ex : Il voudrait changer de travail.
a. Elle suit un cours.
b. C'est un centre de formation.
c. Je veux être animateur.
d. Je vais écouter la conférence.
e. Je n'ai plus d'énergie.
f. Il est frustré.
g. On est très fatigués.
h. Je ne supporte plus cette routine.

Engagez-vous

Leçon 21
S'engager

piste 113. Document 2
Je m'appelle Matthieu. J'habite à la montagne, près de Grenoble, donc je vois les dégâts du réchauffement climatique. Sur le glacier de Sarennes, pas loin de Grenoble, il y a trente ans, il y avait une station de ski l'été. Aujourd'hui, plus rien ! La station d'été a fermé en 2005 à cause de la fonte du glacier. C'est terrible ! Il faut réagir ! Grâce à une amie, j'ai connu *Fridays for Future*. Tous les vendredis, ils font la grève du lycée. Maintenant, je fais la grève avec eux !

piste 114. Document 2
Moi, c'est Kim, de Toulouse. Les catastrophes naturelles sont plus nombreuses qu'avant. On voit tous les jours à la télé des inondations, des ouragans, des incendies de forêts... Alors je me suis dit : « Tu dois faire quelque chose ; tu dois agir », c'est pourquoi j'ai rejoint *Youth for climate France* ! On fait des actions. On manifeste. On agit, quoi !

piste 115. Document 2
Je suis marseillais. Je m'appelle Adam. On doit lutter contre la pollution des mers, des fleuves, des rivières... Tout le monde est concerné ! Comme nos dirigeants ne font rien, il faut montrer l'exemple. Avec notre association *1 Déchet Par Jour*, on ramasse les déchets dans la rue, dans la nature, sur la plage : partout ! On prend une photo et on la publie avec le hashtag #1dechetparjour. On est une communauté : jeunes, moins jeunes... On agit parce qu'on se sent concernés !

piste 116. Vocabulaire
L'engagement → *Voir manuel page 79.*

piste 117. Vocabulaire
L'environnement → *Voir manuel page 79.*

piste 118. Vocabulaire
Les catastrophes naturelles → *Voir manuel page 79.*

piste 119. Phonétique
Les enchaînements
→ *Voir manuel page 79.*
a. Il_y a trente_ans. **b.** J'_habite_a la montagne. **c.** grace_a_une_amie

Leçon 22
Caractériser des produits

piste 120. Document 2
Laura : Regarde, c'est un nouveau magasin, on va voir ?
Thomas : Allons-y...
Laura : Je ne suis jamais entrée dans un magasin végane...
Thomas : Moi non plus. On commence par quoi ? Les sacs ?
Laura : OK.
Thomas : Laura, regarde ce sac, il est pas mal non ? Ça ressemble vraiment à du cuir animal.
Laura : Lequel ?
Thomas : Celui-là, le grand pour mettre l'ordinateur.
Laura : C'est ça, le cuir végétal ?
Thomas : Oui, c'est assez joli, et c'est cher aussi !!
Laura : Thomas, regarde ces gants pour homme !
Thomas : Lesquels ?
Laura : Ceux-là, en noir. Tu les veux ?
Thomas : Je sais pas. Ils sont pas très beaux... Et j'ai déjà des gants.
Laura : OK, OK. Allons voir les produits de toilette... Mmm... Elle sent bon, cette crème.
Thomas : Laquelle ?
Laura : Celle-là. Elle est sans parabène... 24 euros. C'est un bon prix, non ?
Thomas : Tu trouves ? Celle-ci coûte moins de 15 euros.
Laura : Oui mais c'est juste une crème hydratante. Celle-ci a une protection solaire !
Thomas : Ah, d'accord. Tiens, du dentifrice végane. J'aimerais bien l'essayer.
Laura : Moi aussi. Est-ce que tu veux aller voir les chaussures ?
Thomas : Ah oui, ça m'intéresse les chaussures véganes... Lesquelles tu aimes ?
Laura : Celles-là sont bien.
Thomas : Heu... Moi, je trouve pas. Elles sont moches.
Laura : Elles sont pas très élégantes mais elles sont confortables.
Thomas : Mmm... Donc, en fait, ce sont les mêmes produits que dans un magasin normal !
Laura : Bah oui, c'est vrai...

piste 121. Vocabulaire
Les régimes alimentaires et les modes de vie
→ *Voir manuel page 81.*

piste 122. Vocabulaire
Les matières (1) → *Voir manuel page 81.*

piste 123. Vocabulaire
Les vêtements et les accessoires → *Voir manuel page 81.*

piste 124. Vocabulaire
Les produits de toilette → *Voir manuel page 81.*

piste 125. Vocabulaire
Les appréciations → *Voir manuel page 81.*

Leçon 23
Parler de sa consommation

piste 126. Document 2
Présentateur : Les magasins de vente en vrac se développent. Quels sont les avantages des produits en vrac ? Sommes-nous prêts à peser tous nos achats ? Les magasins en vrac vont-ils remplacer les commerces classiques ? Notre journaliste Nathalie Jaubert est allée dans une épicerie en vrac de la région lyonnaise avec Quentin, un fan du vrac.
Nathalie : Quentin n'achète qu'en vrac. Quentin, en vrac, c'est pas plus cher ?
Quentin : Non. Comme vous ne payez pas les emballages, ça coûte moins cher et c'est plus écolo. Moi, j'ai acheté des sacs en tissu et je les réutilise. Bonjour !
Vendeur : Bonjour !
Quentin : Même la lessive est en vrac.
Nathalie : Vous allez acheter de la lessive ?
Quentin : Oui. Aujourd'hui, je vais en prendre 250 millilitres. Normalement, ça suffit pour la semaine. Regardez. Vous prenez une bouteille réutilisable et vous la remplissez.
Nathalie : Mais pourquoi faire ça ?
Quentin : Parce que c'est moins cher. Et parce que c'est écolo, je ne gaspille pas. Dans un supermarché classique, il y a plein

d'emballages. Et ici, je choisis les quantités que j'achète. Par exemple, je peux acheter un kilo de riz mais aussi un petit peu de café, une poignée d'amandes, 50 grammes de chocolat.
Nathalie : Aujourd'hui, vous allez acheter quoi ?
Quentin : De la farine. J'en utilise souvent. Il m'en faut 300 grammes. Donc je n'achète que 300 grammes.
Nathalie : Pour la farine, il y a beaucoup de choix : farine de blé, de maïs, de pois chiches. Six farines en tout... Quentin prend de la farine de riz. Il se sert dans un sac en tissu mais c'est possible aussi de se servir dans un sac en papier.
Quentin : J'achète tous mes légumes secs ici : des lentilles – j'en mange très souvent, j'adore ça ! – des céréales, pour le petit déjeuner, j'en achète tout le temps. Aujourd'hui, j'en prends 500 grammes, pour la semaine. Je vais prendre aussi du beurre de cacahuètes ! J'en mets dans ce pot, puis je vais le peser. Là, il y en a 200 grammes.
Nathalie : Quentin passe à la caisse, il a fait ses courses pour 10 euros 20. Quentin, c'est fatigant les courses comme ça, non ?
Quentin : Non, ça prend un peu plus de temps mais c'est une consommation plus responsable. Regardez, il n'y a pas de plastique !

piste 127. Vocabulaire
Les achats et l'alimentation → *Voir manuel page 83.*

piste 128. Vocabulaire
Les quantités et les contenants → *Voir manuel page 83.*

piste 129. Vocabulaire
L'écologie → *Voir manuel page 83.*

piste 130. Vocabulaire
Les matières (2) → *Voir manuel page 83.*

piste 131. Phonétique
Les sons [p] et [b]
→ *Voir manuel page 83.*
Ex. : les pois • les bois
a. un pot noir • un pot noir **b.** un bon bain • un bon pain **c.** Tu as des poissons ? • Tu as des boissons ? **d.** Bons baisers de Berlin ! • Bons baisers de Berlin ! **e.** La belle rouge ! • La pelle rouge ! **f.** J'aime mon bébé ! • J'aime mon pépé ! **g.** La belle robe ! • La belle robe !
h. un beau paquet • un beau baquet

S'entraîner

piste 132. Activité 5
Ex. : Il faut réagir et agir contre ce problème environnemental !
a. L'association organise une action pour sauver la planète en danger ! **b.** Sauvons la Terre grâce à un combat efficace ! **c.** Écoute cette organisation ! Manifeste avec elle ! **d.** On se mobilise et on lutte ensemble !

piste 133. Activité 15
Ex. : le pas
a. le bain **b.** les boissons **c.** le pompon **d.** des proches

Préparation au DELF A2

Compréhension de l'oral

piste 134. › Comprendre un message sur répondeur
Salut, c'est Pierre. Il va y avoir une grande manifestation pour la défense de la planète, vendredi dans le centre-ville. J'ai lu ça dans le journal. Des personnes de tous les âges vont participer. Tout le monde aura un vêtement vert, la couleur de l'écologie. Il faut vraiment y aller ! Le rendez-vous est à 9 heures et demie. Julie et Anaïs viendront elles aussi ; elles nous attendront devant le cinéma. Après, on ira manger au resto végétarien. Appelle-moi demain soir pour confirmer.

piste 135. › Comprendre de brefs échanges entre locuteurs natifs
Dialogue 1
Femme : Tu as vu le nouveau resto à côté de la poste ?
Homme : Oui, il a ouvert il y a une semaine. C'est un restaurant végane.
Femme : Tu aimes la cuisine végane, toi ?
Homme : Ça dépend des plats. Ils ne sont pas toujours très bons.

Dialogue 2
Homme : Tu sais, l'association *Sport ensemble* propose des cours de sports pour tous les âges. On pourrait s'inscrire, non ?
Femme : C'est une bonne idée !
Homme : Il y a une journée portes ouvertes le week-end prochain. On peut parler avec des athlètes et choisir un sport.
Femme : Génial ! On y va alors.

Dialogue 3
Femme : Pardon monsieur, vous savez où on jette les bouteilles en plastique ?
Homme : Oui, vous devez les mettre dans la poubelle jaune.
Femme : Et le papier, on le jette où ?
Homme : Dans la poubelle bleue.
Femme : D'accord, merci !

Dialogue 4
Homme : Bonjour madame, où se trouve le rayon des produits bio, s'il vous plaît ?
Femme : Euh, tous nos produits sont bio...
Homme : Ah bon ! Vous avez du savon à l'huile d'olive ?
Femme : Oui, bien sûr. Voulez-vous un petit flacon ou un grand ?
Homme : Un petit, ça ira. Merci !

Réagissez

Leçon 25

S'informer

piste 136. Document 3
Homme : T'as vu ? Il paraît qu'un astéroïde va percuter la Terre en 2039 ! Ce sera la fin de notre civilisation !
Femme : Où tu as entendu ça ?
Homme : J'ai lu l'info sur le Net. Ouh là là ! la catastrophe ! La fin du monde !
Femme : Tu crois pas à ça ?!
Homme : Ben si, j'y crois ! Ils donnent même la date ! Le 29 avril 2039.
Femme : C'est pas une info ! C'est une infox, une *fake news*, quoi !
Homme : Comment tu le sais ?
Femme : Ils en ont parlé sur RFI, dans « Les dessous de l'infox ». Tu n'as pas pensé à vérifier l'info ?
Homme : Non, je n'y ai pas pensé...
Femme : Tu te souviens de l'info sur la fin du monde en l'an 2000 ?
Homme : Oui, je m'en souviens...
Femme : Ben, c'est la même chose : une *fake news* ! Il faut toujours vérifier une info, surtout si tu la trouves sur les réseaux sociaux !
Homme : Oui, oui...
Femme : Moi, je vérifie toujours la source.
Homme : Moi aussi ! Mais cette fois, ça avait l'air vraiment sérieux.
Femme : Ben voyons !...

piste 137. Vocabulaire
Les médias (2) → *Voir manuel page 93.*

piste 138. Vocabulaire
L'information → *Voir manuel page 93.*

Leçon 26

Présenter un problème et proposer des solutions

piste 139. Document 3

Homme : Tu as lu la tribune de Jean-Michel Tobelem dans *Le Monde* d'hier ?
Femme : Non, ça parle de quoi ?
Homme : Des inégalités culturelles en France. On ne fait rien pour favoriser l'accès à la culture !
Femme : Mais si, on fait quelque chose pour les jeunes ! Les musées sont gratuits pour les moins de 26 ans.
Homme : Mais ce n'est pas pour tout le monde. Ni les plus de 26 ans ni les étrangers ne peuvent en profiter !
Femme : Ah si ! Les étrangers de moins de 26 ans qui résident en France peuvent en profiter.
Homme : Seulement les citoyens européens !
Femme : Non ! Tous les étrangers qui ont un titre de séjour, Européens ou pas !
Homme : Et les plus de 26 ans ?
Femme : Tous les musées sont gratuits le premier dimanche du mois. Pour tout le monde !
Homme : Ah non ! Ni le musée du Louvre ni celui des Arts et Métiers ne sont gratuits le premier dimanche du mois.
Femme : Oui, mais ils le sont le premier samedi de chaque mois, le soir.
Homme : Mais seulement sur les expositions permanentes, pas sur les expos temporaires. Personne ne peut voir gratuitement les expositions temporaires !
Femme : Ah oui, ça c'est vrai ! Mais comment faire alors ?
Homme : On doit ouvrir tous les musées gratuitement pour tout le monde.
Femme : Bonne idée ! Mais… qui paiera ?

piste 140. Vocabulaire
Les équipements et les événements culturels
→ *Voir manuel page 95.*

piste 141. Vocabulaire
L'accès à la culture → *Voir manuel page 95.*

piste 142. Phonétique
Les sons [p] / [b] et [f] / [v]
→ *Voir manuel page 95.*
Ex. : un espace
a. un événement **b.** réserver **c.** les équipements **d.** un conservatoire **e.** une tribune **f.** la formation **g.** une profession **h.** Jean-Michel Tobelem

Leçon 27

Donner son avis

piste 143. Document 2

Voix off : Notre journaliste a interrogé quelques visiteurs à la sortie de l'exposition Berthe Morisot.
Journaliste : Bonjour madame. Qu'avez-vous pensé de l'exposition Berthe Morisot ?
Femme 1 : J'ai adoré. J'adore les impressionnistes et je ne connaissais pas cette peintre donc ça m'a vraiment fait plaisir de découvrir son travail.
Journaliste : Pour vous, est-ce qu'il y a assez de femmes artistes dans les musées ?
Femme 1 : Non, je trouve qu'il n'y en a pas assez ! J'ai lu qu'il y a plus de 4 000 hommes artistes dans les collections du musée d'Orsay mais seulement 150 femmes ! Les modèles sont toujours des femmes. Par contre, les peintres sont des hommes.
Journaliste : Pourquoi, à votre avis ?
Femme 1 : Parce qu'au 19e siècle, on n'aimait pas les femmes artistes. Les femmes étaient à la maison et s'occupaient de leur famille. Du coup, c'était difficile pour elles d'être sculptrices ou peintres. C'était presque impossible. Aujourd'hui, c'est plus facile mais elles doivent encore se battre à cause des inégalités entre les hommes et les femmes.
Homme : C'est vraiment une jolie exposition, j'ai beaucoup aimé. Moi, je crois qu'il n'y a pas assez de femmes artistes dans les musées. Par exemple, je ne connaissais pas Berthe Morisot. Pourtant c'est une grande peintre. Ce n'est pas normal. C'est pourquoi je pense que les musées doivent plus exposer les artistes femmes. J'ai découvert Berthe Morisot grâce à cette rétrospective. Avant cette exposition, personne ne la connaissait. C'est injuste !
Femme 2 : C'était pas mal, mais bon…Ce n'est pas une grande impressionniste. Ses tableaux sont assez beaux mais ce ne sont pas des Monet. C'est joli, c'est décoratif mais c'est tout. Femme artiste ou homme artiste, pour moi, ce n'est pas important. Je ne vais pas au musée pour voir un artiste homme ou une artiste femme, j'y vais pour voir une exposition, des œuvres d'art. Il n'y a pas beaucoup de tableaux de femmes parce que leurs œuvres ne sont pas intéressantes, c'est tout !

piste 144. Vocabulaire
L'opinion → *Voir manuel page 97.*

piste 145. Vocabulaire
L'art → *Voir manuel page 97.*

piste 146. Phonétique
Les sons [t] / [k] et [d] / [g]
→ *Voir manuel page 97.*
Ex. : un thé • un dé
a. un tableau • un tableau **b.** un gâteau • un cadeau **c.** une œuvre d'art • une œuvre d'art **d.** des écarts • des égards **e.** un modèle • un motel **f.** les grands • les crans **g.** les inégalités • les inégalités **h.** Quel auteur ! • Quelle odeur !

Leçon 28

La médiation : comprendre des notes

piste 147. Activité 6

Dans ce cours, nous allons parler de l'impressionnisme. Mais, l'impressionnisme, qu'est-ce que c'est ? Quand on pense à l'impressionnisme, on pense à des artistes comme Claude Monet et ses amis : Paul Cézanne, Pierre-Auguste Renoir, Alfred Sisley et d'autres. Le mouvement impressionniste commence en avril 1874. Cette année-là, Monet et ses amis organisent une exposition chez le photographe Nadar, boulevard des Capucines à Paris.
Les visiteurs trouvent leur peinture très surprenante. En plus, il y avait une femme peintre, Berthe Morisot ! C'était tout à fait nouveau. Il n'y avait pas le réalisme des tableaux classiques. C'est une peinture du moment, de l'instant. Une œuvre en particulier représente l'originalité de l'exposition. C'est *Impression, soleil levant* de Monet. On y voit toutes les qualités et toutes les caractéristiques de ce nouveau style. C'est ce tableau qui va donner son nom au mouvement. Un journaliste qui n'aime pas ces tableaux remarque le titre de la peinture de Monet. Il décide alors d'utiliser le mot « impression » pour qualifier ce style et nommer ces nouveaux peintres. Il les appelle les « impressionnistes », et il parle de « l'impressionnisme »… Dès 1881, Berthe Morisot et Mary Cassatt sont à la tête du mouvement impressionniste. Elles font évoluer le mouvement. Cette année, le musée d'Orsay a consacré une exposition à Berthe Morisot.

S'entraîner

piste 148. Activité 11 a
Ex. : un équipement
1. une place **2.** une offre **3.** une expo **4.** fermer **5.** favoriser

piste 149. Activité 11 b
Ex. : réserver
1. le Louvre **2.** Bonne idée ! **3.** C'est vrai. **4.** une bibliothèque **5.** une rubrique

piste 150. Activité 12
Ex. : Je viens souvent dans ce musée parce que j'aime la peinture impressionniste.
a. J'ai découvert ce peintre grâce à la rétrospective du musée.
b. Il faut aller au musée d'Orsay pour découvrir l'art du 19e siècle.
c. Je n'ai pas bien pu voir les œuvres de l'expo parce qu'il y avait trop de monde.
d. C'est super de faire une expo pour faire connaître cette sculptrice !
e. Je ne suis pas allée à l'expo à cause du prix trop élevé.

Piste 151. Activité 15 a
Ex. : un tableau
1. un modèle **2.** un créateur **3.** j'adore **4.** donc **5.** je trouve

piste 152. Activité 15 b
Ex. : une collection
1. le public **2.** grâce à **3.** Pourquoi ? **4.** un argument **5.** C'est magnifique !

Unité 8 Voyagez

Leçon 29

Faire la promotion d'un voyage

piste 153. Document 1
Vous aimez les ports, les océans et les routes maritimes mythiques ? *Mer et voyages* vous propose un voyage en cargo... Bienvenue à bord ! Pendant la traversée, partagez le quotidien de l'équipage et savourez la tranquillité d'un voyage en haute mer : promenades sur le pont, lecture, repas dans la salle à manger des officiers. Vivez au rythme d'un navire de la marine marchande. Admirez les couchers de soleil et profitez du spectacle des dauphins et des baleines. *Mer et voyages* vous offre une expérience de voyage riche et authentique. Départ du Havre ou de Fos-sur-mer. Selon la destination, durée de 6 à 40 jours. Logement dans de grandes cabines (un ou deux couchages) avec salle de bains et vue sur la mer.
Avec *Mer et voyages*, voyagez autrement !
Renseignements sur www.meretvoyages.info.fr.

piste 154. Vocabulaire
La mer et les bateaux → *Voir manuel page 105.*

piste 155. Vocabulaire
Les voyages (1) → *Voir manuel page 105.*

piste 156. Phonétique
Les sons [j] et [ʒ]
→ *Voir manuel page 105.*
Ex. : un nageur • un ailleurs
a. une cagette • une caillette **b.** je voyage • je voyage **c.** Quel Jojo ? • Quel yoyo ? **d.** Aïe aïe aïe ! • Aïe aïe aïe ! **e.** un poulet aillé • un poulet âgé **f.** Jasmine est jolie. • Yasmine est jolie. **g.** une jolie yourte • une jolie yourte

Leçon 30

Décrire un projet de voyage

piste 157. Document 1
Présentatrice : Aujourd'hui, nous rencontrons Gaspard, jeune retraité de 64 ans qui a décidé de visiter la péninsule ibérique à vélo, en dormant gratuitement chez l'habitant. Il partira dans une semaine. Il longera la côte de Lisbonne à Barcelone. Une aventure de deux mois, peut-être plus. Il partage avec nous son programme. Alors Gaspard, votre valise est prête ?
Gaspard : Heu... on n'a pas de valise avec un vélo ! Je vais préparer mon sac demain. Donc... le programme... Lisbonne-Faro, en ligne droite, c'est 250 kilomètres. Mais je ne le ferai pas en ligne droite par la route principale. Je partirai de Lisbonne et je longerai l'Atlantique jusqu'à l'extrême sud du Portugal, en prenant les chemins et les petites routes. Cette région du sud s'appelle L'Algarve.
Présentatrice : Avez-vous un programme pour chaque étape ?
Gaspard : Non, pas vraiment. Comme je serai à vélo, je pourrai m'arrêter dans les villages, aller me baigner, manger à une terrasse, rencontrer des gens. Et, bien sûr, je devrai trouver où dormir.
Présentatrice : Et après ça ?
Gaspard : Après le Portugal, j'arriverai en Espagne en passant par Huelva. Je rêve de visiter Séville depuis longtemps. Je remonterai donc un peu vers le nord pour passer quelques jours dans cette ville. Ce sera une étape touristique et culturelle. Puis je rejoindrai la côte pour m'arrêter à Malaga où je retrouverai des amis.
Présentatrice : C'est un voyage sportif !
Gaspard : C'est vrai ! Mais, si je suis fatigué, je prendrai un bus ou un train. Je n'ai pas d'itinéraire fixe, je n'ai pas de billets de train. J'ai quelques réservations chez les habitants, pour dormir sur leur canapé. Mais je ne sais pas toujours où je dormirai. Je me débrouillerai. Je peux aller au camping, dans une auberge, une pension, la résidence d'une université, ou bien dormir à la belle étoile !
Présentatrice : Merci Gaspard. Bon voyage ! On se retrouve dans deux mois.

piste 158. Vocabulaire
Les voyages (2) → *Voir manuel page 107.*

Leçon 30

Raconter une expérience de vie à l'étranger

piste 159. Document 2
Voix off : *La Compagnie des œuvres*, Matthieu Lagrange.
Matthieu Lagrange : Bonjour à toutes et bonjour à tous. Jean-Marie Gustave Le Clézio est né à Nice en 1940, mais ne s'est jamais senti réellement appartenir à cette ville. C'est l'Afrique où il a passé une année enchantée, quand il était enfant, qui le définit plus. L'Afrique où son père, un homme sévère et impressionnant, était médecin de brousse, dans les villages. Ce Nigeria où il pouvait marcher pieds nus, plus libre qu'en Europe. À l'âge de huit ans, il part avec sa mère au Nigeria pour rejoindre son père qui y exerce la médecine. Le récit *L'Africain* (paru en 2004) parle de ce père absent pendant les premières années de sa vie. Marie Leroy revient avec nous sur ce « rapport difficile » au père.
Marie Leroy : Je trouve que *L'Africain* est son plus beau livre. Dans *L'Africain*, Le Clézio a écrit ce qu'il n'a jamais dit à son père. Et c'est ça que je trouve beau... Dans ses autres livres, il est arrivé à raconter plein de choses de sa famille, etc. Mais ce père, il n'a jamais pu lui parler. Et là, il dit tout ce qu'il ne lui a pas dit et, tout à coup, le père devient présent. Jusqu'à l'écriture de *L'Africain*, on avait une image négative, absente du père. Et là, ça y est, avec l'écriture de ce texte, il a enfin un père. Ce père, c'est l'Africain.

piste 160. Vocabulaire
L'habitation → *Voir manuel page 109.*

piste 161. Vocabulaire
Les relations familiales → *Voir manuel page 109.*

piste 162. Phonétique
Phonie-graphie
→ *Voir manuel page 109.*
1. une image négative • ignorer **2.** une case en ciment **3.** un lointain voyage avec toi **4.** un réservoir • sévère • impressionnant

Leçon 32

La médiation : commenter des photos

piste 163. Activité 7
Là, c'est la vieille ville d'Hanoi, au Vietnam. Ma pension était au-dessus du magasin *Soft Fashion*, chez Madame Nguyen. C'est une rue très animée. Il y a plein de marchands ambulants, à mobylette ou à vélo. C'est un quartier très coloré, très vivant.

piste 164.
Ça, c'est un petit village dans l'état du Pará, au Brésil. C'est au milieu de l'Amazonie. Il y a une dizaine de maisons comme ça, sur le fleuve. C'est beau. J'ai dormi chez des pêcheurs trois nuits. Il faisait très chaud et très humide. Le soir, on n'entendait que les bruits de la nature. C'était impressionnant la première nuit. C'est un lieu magnifique.

S'entraîner

piste 165. Activité 6
Ex. : un nuage
a. un passager **b.** payer **c.** l'équipage **d.** un jour **e.** briller
f. nous voyons **g.** j'aime **h.** on travaille **i.** le soleil

piste 166. Activité 13b
→ *Voir manuel page 113.*

DELF A2 - Compréhension de l'oral

piste 167. Exercice 1
Vous allez entendre plusieurs documents. Il y a deux écoutes. Écoutez puis cochez la bonne réponse.

Document 1
Bienvenue dans notre magasin *Tout en vrac*. Nous vous rappelons que nos produits sont sans emballage et que vous devez utiliser vos propres sacs.

piste 168. Document 2
Bienvenue à bord du *Thalassa*. La traversée va durer 1 heure 40. Nous vous demandons de ne pas rester dans les couloirs pour faciliter la circulation des membres de l'équipage. Merci !

piste 169. Document 3
Allô, bonjour madame Cauvin. C'est Élodie à l'appareil, de l'agence *Voyageurs du Monde*. Vos billets pour les Philippines sont prêts. Vous pouvez passer les retirer. Demain, je serai absente mais Manon, ma collègue, est au courant. Bonne fin de journée !

piste 170. Document 4
Votre attention, s'il vous plaît. Nous vous informons que la prochaine visite guidée de l'exposition Monet commencera dans 15 minutes. La visite partira de la porte B. Merci de préparer vos billets pour le contrôle.

piste 171. Document 5
Notre bibliothèque propose un atelier « lecture » pour les enfants de 3 à 6 ans. La première séance aura lieu ce vendredi à 17 heures. Consultez le programme sur notre site et inscrivez vos enfants. C'est gratuit.

piste 172. Document 6
Mesdames, Messieurs, le spectacle va reprendre dans quelques minutes. Nous vous prions de regagner vos places. Nous vous rappelons qu'il est interdit de photographier ou de filmer pendant la représentation.

piste 173. Exercice 2
Vous écoutez la radio. Lisez les questions. Écoutez le document puis cochez la bonne réponse.

Document 1
Voyager sans se déplacer, Delphine, enseignante, l'a fait ! À l'occasion du Nouvel An chinois, elle a organisé pour ses filles un voyage en Chine. Pendant une semaine, à la maison, elle leur a proposé des documentaires, des CD musicaux et des livres mais aussi des aliments traditionnels pour leur faire découvrir ce pays.

piste 174. Document 2
C'est une exposition très intéressante qui a ouvert hier au musée des Civilisations. Dix artistes contemporains observent les conséquences de nos déchets sur l'environnement et s'interrogent sur le futur de notre planète. Venez découvrir leurs œuvres originales. C'est jusqu'au 30 octobre.

piste 175. Document 3
L'association *Radio activité* propose un atelier pour permettre à tous de découvrir la radio. Le principe est simple : les participants préparent et animent une émission de radio. Ils choisissent un thème et réalisent entièrement leur émission. Des animateurs les accompagnent pendant toute la réalisation.

piste 176. Exercice 3
Vous travaillez dans un restaurant. Vous écoutez ce message sur un répondeur téléphonique. Lisez les questions. Écoutez le document puis cochez la bonne réponse.

Bonjour, c'est Louis Grandet. Je vous appelle pour confirmer ma réservation pour le samedi 17 septembre à 20 heures. C'est pour les dix-huit ans de ma fille, Camille. Et voici quelques précisions. Il y aura tous ses cousins et ses amis, 60 invités au total. Je voudrais des tables de six personnes et aussi une animation musicale. Julie, ma femme, voudrait savoir si le jardin du restaurant sera accessible ? Ah, et puis ma fille voudrait parler avec votre chef pour décider du menu. C'est possible ? Pouvez-vous me rappeler ce soir au 06 65 54 24 18 ? Merci. À bientôt !

piste 177. Exercice 4
Lisez les situations. Écoutez les quatre dialogues puis cochez la bonne réponse.
Attention : il y a six situations mais seulement quatre dialogues.

Dialogue 1
Femme : Je dois aller chez le médecin cet après-midi. Est-ce que tu pourras aller chercher Anna et Mathis à l'école ?
Homme : Oui, pas de problème. Ils sortent à quelle heure ?
Femme : À 16 heures 30, comme d'habitude !
Homme : D'accord, je m'en occupe !

Dialogue 2
Homme : Bonjour. J'aimerais savoir à quelle heure commence le concert de reggae samedi prochain.
Femme : Le concert commence à 21 h 30 mais les portes de la salle ouvriront à 20 h 30.
Homme : Et ça finit à quelle heure ?
Femme : Vers minuit.
Homme : D'accord, merci !

Dialogue 3
Femme : Regarde. Il y a une exposition sur Magritte au Grand Palais. On pourrait y aller !
Homme : Encore ! On a déjà visité son musée à Bruxelles ! Allons plutôt au Palais de Tokyo, il y a toujours des expos très intéressantes. J'adore !
Femme : Bon, d'accord !

Dialogue 4
Homme : Salut Virginie. Tu as réservé le resto pour ce soir ?
Femme : Oh, zut ! J'ai complètement oublié ! Je m'en occupe tout de suite !
Homme : C'est peut-être trop tard. Leur salle est petite et nous sommes huit !
Femme : Je suis vraiment désolée. On essaie quand même ?

Entrez en relation !

S'entraîner p. 22-23

Leçon 1

1 a. Elle est en train de chercher un emploi. b. Il est en train de finir ses études. c. Nous sommes en train de faire des études de commerce. d. Vous êtes en train de suivre cette formation ? e. Tu es en train de t'occuper d'un nouveau projet. f. Ils sont en train d'apprendre le français.

2 Passé récent : d, g ; Présent continu : c, e ; Futur proche : a, b, f

3 a. expositions b. yoga c. travailleuse indépendante d. célibataire ; me pacser e. beaux-parents f. classique ; danse g. fille ; compagnon

4 b. 6 ; c. 1 ; d. 2 ; e. 3 ; f. 4

5 a. Bonjour tout le monde. / Je m'appelle Pierre. / Je cherche un emploi. / Je suis franco-polonais / et ma compagne / est française. / On habite à Lyon / chez un ami. / On est en train de chercher / un appartement.

Leçon 2

6 a. Je croise toujours cette voisine le matin. b. Ils ne disent jamais bonjour. c. Je fais rarement le premier pas. d. Elle dort parfois chez des amis. e. Nous sortons souvent avec des copains. f. Elle est toujours désagréable avec mes amis.

7 a. que b. qui c. qui d. qu' e. qui f. qu' g. qui

8 a. Êtes-vous heureux ? b. Est-ce que tu déjeunes avec tes collègues ? c. Fréquentez-vous vos voisins ? d. Est-ce qu'ils ont beaucoup de défauts ? e. C'est facile de faire le premier pas ? f. Est-ce que vous parlez facilement aux gens ? g. Tu peux vivre sans amis ?

9 a. Quand b. Qu' c. Qui d. Pourquoi e. quoi f. Combien de g. Que h. Où i. combien

10 a. Quel b. Quels c. quels d. Quelles e. quelle f. Quel

Leçon 3

11 a. trouveras b. réussira c. déciderons d. connaîtront e. vivrez

12 a. serez b. faudra c. ferez d. sauront e. deviendra f. verras g. devrez

13 a. à partir de b. Dans c. quand d. dans e. Quand f. À partir du

14 [ɔ̃] : c, d, g ; [ɛ̃] : a, f ; [ɑ̃] : b, e,

Évaluez-vous ! p. 24

› *Exemples de productions :* Je suis en train d'écrire / de déjeuner / de tomber amoureux / amoureuse.

› *Exemples de productions :* Je suis célibataire / pacsé(e) / marié(e) / séparé(e) / divorcé(e).

› *Exemples de productions :* Je ne dîne jamais au restaurant. / Je dîne rarement / parfois / souvent au restaurant.

› J'ai une collègue **qui** est sympa.
J'ai une collègue **que** je ne connais pas bien.

› *Exemples de productions :* Aimes-tu l'opéra ? / Qu'est-ce que tu fais le week-end ? / Quelle est ta principale qualité ? / Est-ce que tu as des défauts ? / Tu aimes quoi ?

› L'année prochaine j'arrêterai de travailler. Je partirai en voyage : je ferai le tour du monde !

› aller → Ce soir, j'irai au cinéma.
avoir → Plus tard, j'aurai des enfants.
être → Quand je serai grand, je serai pompier !

› dans sept jours → la semaine prochaine
dans deux jours → après-demain

Parlez de vous

S'entraîner p. 34-35

Leçon 5

1 a. l' b. les c. la d. les e. l' f. les

2 a. Il ne nous connaît pas bien. b. Elle la voit une semaine sur deux. c. Ils ne me comprennent pas toujours. d. Elle vous aime bien. e. Je l'ai rencontré en vacances.

3 a. tout : 3, 5 b. toute : 2, 6 c. tous : 4, 7 d. toutes : 1, 8

4 a. sommes allés. b. est venue c. n'a pas vu d. sont restés e. a vécu f. n'ai pas voulu

5 a. une belle famille recomposée b. de mauvaises relations familiales c. un gros choc sentimental d. sa première rencontre amoureuse e. une nouvelle situation compliquée f. les mêmes parents biologiques g. une grande aventure passionnante

6 a. respecter b. disputent c. affinités d. entend, amuse e. relations

Leçon 6

7 a. avions b. partage c. alliez d. joue e. s'amusaient f. savions g. commençais

8 habitais ; vivions ; étaient ; travaillaient ; allais ; commençait ; mangeait ; revenaient ; avions ; s'occupait ; rentrions

9 b. 4 ; c. 3 ; d. 5 ; e. 1

10 a. [ɔ̃] : 3, 5 ; [ɑ̃] : 1, 2, 4, 6, 7
b. **1.** le bâtiment **2.** l'employée **3.** nous travaillons **4.** le chantier **5.** l'immigration **6.** la campagne **7.** ma compagne

Leçon 7

11 a. se sont rencontrés b. s'est séparée c. nous sommes revus d. vous êtes reconnues e. t'es jamais mariée f. se sont retrouvées

12 rêvais ; était ; s'est arrêté ; est tombé ; s'est excusé ; ai eu ; ai souri ; me suis levée ; suis descendue ; suis allée ; faisait ; me suis assise ; s'est approchée ; était ; portait ; sommes reconnus ; avons passé

13 années 90 ; pendant ; printemps ; 26 avril ; jeudi ; plus tard

14 a. courts b. enceinte c. souriant d. brune ; longs

15 a. **1.** J'ai travaillé. **2.** J'ai levé la tête. **3.** On ne le reconnaît pas. **4.** Ils buvaient un café. **5.** C'était l'été, il faisait beau.

Évaluez-vous ! p. 36

› Je **la** vois le dimanche. Je **l'**aime beaucoup.

› *Exemple de production :* Emma, c'est ma tante du côté de ma mère, elle a 28 ans. Je l'aime bien.

› *Exemple de production :* Le matin, je suis allé(e) au cours de français. L'après-midi, j'ai travaillé, puis j'ai fait du sport.

› petit(e) • beau / belle • premier / première • grand(e) • gros(se)

› *Exemple de production :* Quand j'étais petit(e), j'allais en vacances à la campagne chez mes grands-parents.

› Nous **nous sommes rencontrés** quand on **avait** 15 ans. On **était** au collège.

› Dans les années 1960, Internet n'existait pas.

Parlez de votre mode de vie

S'entraîner p. 48-49

Leçon 9

1 On = nous : 3, 4, 5, 6, 7, 8 ; On = les gens, tout le monde : 1, 2, 9

2 **a.** La boulangerie est un magasin où on va souvent. **b.** Le centre-ville est un lieu où j'aime faire du shopping. **c.** C'est une rue où le stationnement est gratuit. **d.** J'habite dans une ville où il y a un grand marché.

3 **a.** qui **b.** où **c.** qu' **d.** où **e.** qu' **f.** où **g.** qui **h.** que

4 **b.** 1 ; **c.** 3 ; **d.** 2 ; **e.** 5 ; **f.** 4

5 **a.** à la **b.** à l' **c.** chez le **d.** au **e.** chez le/la **f.** au **g.** à l'

6 **a.** **1.** Nous‿aimons le centre-ville et ses‿anciennes boutiques. **2.** Ils‿habitent X à côté de la poste. **3.** Ce commerçant X a fermé son magasin X hier. **4.** J'achète mon pain chez‿un boulanger X amusant. **5.** Ce sont les‿endroits X où je fais mes‿achats. **6.** On‿a construit une maternité et X un centre médical.

Leçon 10

7 **a.** aussi heureux qu'en ville **b.** plus tard qu'avant **c.** est plus peuplé que le 6e **d.** est moins compliquée que la vie là-bas **e.** est meilleure qu'à Paris

8 *Réponses libres.*

9 **a.** moins de **b.** autant d' **c.** moins de **d.** plus d'

10 **a.** les quartiers les moins agréables **b.** le meilleur restaurant **c.** le moyen de transport le moins cher **d.** les meilleurs vins **e.** la banlieue la plus proche

11 **a.** la santé **b.** le stationnement **c.** la circulation **d.** la maison **e.** le mariage **f.** le logement **g.** la mairie **h.** le témoignage **i.** la vie **j.** la natalité

Leçon 11

12 **a.** en **b.** en **c.** à **d.** à **e.** en **f.** au **g.** aux

13 **a.** en **b.** y **c.** en **d.** y **e.** en **f.** y **g.** y

14 **a.** vous **b.** m' **c.** lui

15 **a.** vous **b.** leur **c.** nous **d.** lui **e.** m'

16

	a.	b.	c.	d.	e.
[ɛ̃]	2	1	2	1	1
[ɑ̃]	1	2	1	2	2

Évaluez-vous ! p. 50

› **que** j'adore / **qui** est très culturelle / **où** les commerces ferment

› *Exemples de productions :* Il y a moins d'habitants à Bordeaux. • Bordeaux est plus petite que Marseille. • Il fait plus chaud à Marseille qu'à Bordeaux. • Les musées sont moins nombreux à Bordeaux.

› *Exemples de productions :* Je vis au Danemark, en Europe / en Tunisie, en Afrique / aux États-Unis, en Amérique.
La ville la plus culturelle de mon pays est Copenhague / Tunis / New York. Copenhague / Tunis / New York est la ville la plus culturelle de mon pays.

› J'**en** viens. J'**y** vais cet été.

› On **lui** offre quoi ? On **leur** téléphone ?

Envisagez l'avenir

S'entraîner p. 60-61

Leçon 13

1 **a.** Ils/elles pourraient **b.** Il/Elle On voudrait **c.** Nous souhaiterions **d.** vous aimeriez

2 Phrases à cocher : b, d, e, g

3 **a.** voudrions **b.** souhaiterais **c.** voudraient **d.** pourrais **e.** souhaiterait **f.** Pourraient

4 **b.** 6 ; **c.** 1 ; **d.** 8 ; **e.** 2 ; **f.** 7 ; **g.** 3 ; **h.** 4

5

	[i]	[y]	[u]
a.	2	3	1
b.	3	1	2
c.	2	3	1
d.	3	2	1

Leçon 14

6 **a.** allons **b.** écoute **c.** créez **d.** choisissons **e.** vends

7 Obligation : a, c, e, h ; Conseil : d, f ; Proposition : b, g

8 **a.** créez, choisissez **b.** veut, doit **c.** commences, suis **d.** entrez, faites **e.** souhaitez, accompagne

9 *Mots à entourer :* **a.** entreprise **b.** salon **c.** concrétiser **d.** domaine **e.** e-commerce **f.** étude de marché

Leçon 15

10 **a.** J'espère que je vais changer **b.** Je souhaite travailler **c.** Je souhaite obtenir **d.** J'espère que je vais concrétiser

11 **a.** achetez, aurez **b.** choisissez, disposerez **c.** ferons, a **d.** êtes, pourrons **e.** communiquera, permet **f.** jouerai, se développe

12 *Mots à barrer :* **a.** une cuisine équipée **b.** un espace **c.** un open space **d.** un scanner **e.** un espace détente **f.** le fauteuil

13

	[s]	[z]	[ʃ]	[ʒ]
a.			✔	✔
b.	✔		✔	
c.	✔	✔		
d.		✔		✔
e.	✔	✔		

Évaluez-vous ! p. 62

› Formation du conditionnel : base du futur + terminaisons de l'imparfait

› Tu peux / Pourrais-tu / Tu pourrais m'aider à utiliser Photoshop ?

› *Exemples de productions :* C'est indispensable d'avoir une idée originale. Il faut faire une étude de marché. C'est nécessaire de proposer un nouveau produit / service.

› *Exemple de production :* Si tu veux trouver un appartement, va dans une agence immobilière. Tu devrais envoyer ton CV à différentes entreprises avant de quitter la France. Si tu veux sortir le soir, tu peux demander des conseils à tes nouveaux collègues.

› *Exemples de productions :* Si tu ne connais pas le chemin, / Si tu veux, viens avec moi.
Si tu aimes la France, achète des produits français / apprends le français.

› *Exemples de productions :* J'aimerais faire un grand voyage. / Je voudrais changer de travail.

› J'espère que tu **parleras** bien français dans un an !

› *Exemples de productions :* Si je visite la France un jour, je mangerai dans le restaurant d'un grand chef / je visiterai des musées.

Unité 5 Partagez

S'entraîner p. 74-75

Leçon 17

1 rêvait ; a commencé ; étaient ; a décidé ; voulait ; avait ; a gagné ; a pratiqué

2 **a.** depuis **b.** depuis **c.** il y a **d.** depuis **e.** il y a **f.** il y a

3 **a.** en **b.** en **c.** Pendant **d.** pendant **e.** en

4 **a.** 4 ; **b.** 3 ; **c.** 1 ; **d.** 2

Leçon 18

5 **a.** naturellement **b.** clairement **c.** longuement **d.** sérieusement **e.** attentivement

6 **a.** trop **b.** beaucoup **c.** très **d.** trop **e.** beaucoup **f.** trop

7 **a.** Les appartements du roi sont très beaux. **b.** On a très bien mangé au restaurant *Ore*. **c.** La visite dure trop longtemps. **d.** Le conférencier parle trop vite. **e.** Nous avons beaucoup marché. **f.** Ce château impressionne beaucoup les visiteurs.

8 **a.** Comme **b.** Qu'est-ce que **c.** Quelle **d.** Qu'est-ce que **e.** Qu'est-ce que c'est **f.** Comme c'est **g.** Quels

9 **a.** superbe **b.** unique **c.** mémorable **d.** privilégié

10 **a.** dîner **b.** beau **c.** un hélicoptère **d.** très **e.** une étoile **f.** un appartement

Leçon 19

11 trop de fatigue nerveuse ; trop de frustrations ; trop d'activités ; trop d'idées ; trop d'ennui ; trop de choses

12 **a.** après **b.** Avant **c.** avant **d.** après

13 **a.** Avant **b.** avant de **c.** avant de **d.** avant d' **e.** avant

14 **a.** bruyant **b.** intelligemment **c.** prudent **e.** récemment **f.** couramment **g.** patient

15 **a.** Non, il ne l'a pas encore fait. **b.** Non, elle ne les suit plus **c.** Non, je n' y travaille plus **d.** Non, elles ne l'ont pas encore commencé. **e.** Non, il ne la présente plus.

16 **a.** 1 ; **b.** 2 ; **c.** 2 ; **d.** 1 ; **e.** 1 ; **f.** 2 ; **g.** 1 ; **h.** 2

Évaluez-vous ! p. 76

› Tony Parker **a arrêté** sa carrière de joueur professionnel de basket en 2019 ; il **avait** 37 ans.

› J'apprends le français **depuis** deux ans.
J'ai visité la France **il y a** deux ans.

› lentement • tranquillement • malheureusement • élégamment

› Je travaille **beaucoup**. • J'ai **très** bien compris ! • Je regarde **trop de** films.

› **Avant** les études à l'université, on va au lycée.
Après mes études, je commencerai à travailler.

› Non, il **n'est plus** journaliste.

› Je ne parle pas encore français couramment.

Unité 6 Engagez-vous

S'entraîner p. 86-87

Leçon 21

1 **a.** à cause d' **b.** à cause de **c.** grâce à **d.** grâce au **e.** à cause des **f.** à cause du **g.** grâce aux

2 **a.** cause : La fonte des glaces augmente. → Comme la fonte des glaces augmente, les ours disparaissent. **b.** cause : Ils détruisent la nature. → On utilise moins les sacs en plastique parce qu'ils détruisent la nature. **c.** cause : Il a été très puissant. → Comme il a été très puissant, l'ouragan a détruit le village. **d.** cause : Il y a eu un tremblement de terre. → On a coupé les routes parce qu'il y a eu un tremblement de terre.

3 **a.** La planète est en danger donc on doit agir. **b.** Je voulais être utile, c'est pourquoi j'ai rejoint cette organisation. **c.** On se sent concernés alors on agit. **d.** Il est urgent de défendre la planète c'est pourquoi je me mobilise.

4 combat ; défense ; agissent ; lutter ; problèmes environnementaux ; membres ; manifestations ; sensibilisent

5 **a.** L'associati**on_organ**is**e_une_ac**tion pour sauver la planè**te_en** danger ! **b.** Sauvons la Terre **grâce_à_un** com**bat_efficace** ! **c.** Écoute ce**tte_organisation** ! Manifes**te_avec_elle** ! **d.** On se mobili**se_et_on** lu**tte_en**semble !

Leçon 22

6 **a.** les siens **b.** les nôtres **c.** le sien **d.** le vôtre **e.** les leurs **f.** la tienne

7 **a.** Laquelle ? **b.** Lesquels ? **c.** Lequel ? **d.** Lesquels ? **e.** Lesquelles ?

8 **a.** Celle-là **b.** Ceux-ci **c.** Celui-là **d.** Ceux-là **e.** Celle-ci **f.** Celles-là

9 Vrai : a, c, d, f ; Faux : b, e

Leçon 23

10 de la farine ; des céréales ; du chocolat ; des légumes secs ; du beurre ; de l'huile ; de la viande ; du lait ; de la lessive

11 **a.** un peu de sel **b.** un paquet de croquettes **c.** un pot de confiture **d.** 500 grammes de pois chiches **e.** un demi-litre de jus de pomme

12 **a.** Il en faut 1 kilo. **b.** On en prend. **c.** Tu en achètes 250 grammes ? **d.** On en jette beaucoup. **e.** Il y en a. **f.** Je n'en utilise pas.

13 **a.** Je n'achète que des produits en vrac. **b.** Il n'y a que des aliments bio. **c.** Elle n'utilise que des sacs en tissu. **d.** On ne prend que les quantités nécessaires.

14 Cases à cocher : a, b, c, f

15 **a.** le bain **b.** les boissons **c.** le le pompon **d.** des proches

Évaluez-vous ! p. 88

› **Comme** le climat est en danger, on doit agir ! Le climat est en danger, **c'est pourquoi** on doit agir !

› Mes chaussures sont en cuir végétal. Et **les vôtres** ?
Les miennes sont en cuir animal.

› **Lesquels** achetez-vous ?

› Cette chemise est en coton bio mais **celle-là** ne l'est pas.

› *Exemple de production :* J'achète un peu de viande, 500 grammes de pâtes, trois fruits.

› *Exemple de production :* Non. J'en achète quand ils ne sont pas trop chers.

Réagissez

S'entraîner p. 100-101

Leçon 25

1 **a.** C'est l'info qu'il va vérifier. **b.** C'est la presse écrite sur papier qui est la moins utilisée. **c.** Ce sont les deux stations de radio qu'elle aime écouter. **d.** C'est le nouveau site d'info que je viens de découvrir. **e.** Ce sont les jeunes qui utilisent les réseaux sociaux pour s'informer. **f.** C'est le site que je préfère pour l'info internationale. **g.** C'est RFI qui vient de parler de cette catastrophe.

2 **a.** y **b.** en **c.** y **d.** en **e.** en **f.** y

3 **a.** Moi non plus **b.** Si **c.** Non **d.** Si **e.** Moi non plus **f.** Non **g.** Moi aussi

4 **a.** magazine **b.** appli **c.** tout en ligne **d.** version papier **e.** fiable **f.** source

Leçon 26

5 **a.** Toutes les propositions **b.** chaque inégalité **c.** Chaque citoyen **d.** Tous les musées **e.** toutes les expositions **f.** chaque quartier

6 **a.** Quelques **b.** Plusieurs **c.** Toutes les **d.** chaque **e.** Plusieurs

7 en allant ; en écoutant ; en faisant ; en apprenant ; en s'informant ; en étant ; en ayant

8 **a.** Rien n'est gratuit pour les jeunes. **b.** Personne ne va au concert. **c.** Je ne connais personne dans ce théâtre. **d.** Rien ne m'intéresse dans ce magazine. **e.** Le conservatoire ne cherche personne pour donner des cours de théâtre. **f.** Le gouvernement ne fait rien pour la culture.

9 **a.** Je n'aime ni le théâtre ni le cinéma. **b.** Ni la musique ni la danse ne m'intéressent. **c.** Je n'ai vu ni cette exposition permanente ni cette exposition temporaire. **d.** Ni les étrangers ni les Français de plus de 26 ans ne peuvent profiter de la gratuité des musées. **e.** Ni ce peintre ni ce musicien ne sont très connus. **f.** On ne peut réserver les places ni le lundi ni le mercredi.

10 **b.** 1 – **c.** 4 – **d.** 2 – **e.** 6 – **f.** 5

11 **a.** [p] : 1, 3 ; [f] : 2, 4, 5
b. [b] : 2, 4, 5 ; [v] : 1, 3

Leçon 27

12 La cause : a, c, e ; Le but : b, d

13 **a.** Cette exposition est vraiment intéressante. Du coup, j'y suis retournée une deuxième fois. **b.** Cette artiste est célèbre, c'est pourquoi le musée lui consacre une exposition. **c.** Il n'y a pas beaucoup de visiteurs dans ce musée pourtant il est gratuit. **d.** J'aime bien cette sculpture par contre je déteste celle-ci.

14 pourtant ; C'est pourquoi ; par contre ; du coup / pourtant

15 **a.** [t] : 2, 5 ; [d] : 1, 3, 4
b. [k] : 1, 3, 5 ; [g] : 2, 4

Évaluez-vous ! p. 102

› **C'est** le musée d'Orsay **que** je préfère.

› *Exemples de productions :* Oui, j'y pense régulièrement. / Non, je ne m'en souviens pas.

› Je connais **quelques** / **plusieurs** musées français.

› On démocratisera la culture **en proposant** des activités culturelles gratuites et **en construisant** des bibliothèques.

› Je ne vais pas souvent au cinéma, **pourtant** j'adore les films.

› *Exemples de productions :* Je pense qu'il faut changer les noms de quelques rues. / Je trouve que les noms de rues n'ont pas d'importance.

Unité 8 Voyagez

S'entraîner p. 112-113

Leçon 29

1 **b.** 3 ; **c.** 6 ; **d.** 2 ; **e.** 5 ; **f.** 7 ; **g.** 1 ; **h.** 9 ; **i.** 8

2 **a.** les **b.** les **c.** le **d.** leur **e.** la **f.** lui

3 **a.** les **b.** y. **c.** leur **d.** en **e.** en **f.** y **g.** en **h.** y

4 **a.** Allons-y **b.** Ne lui raconte pas **c.** Ne m'informez pas **d.** Attendez-nous **e.** ne le réserve pas **f.** Confirmez-moi

5 *Intrus à barrer :* **a.** le passager **b.** un officier **c.** l'avion **d.** le continent

6 [j] : b, e, f, h, i ; [ʒ] : a, c, d, g

Leçon 30

7 **a.** va découvrir **b.** vais préparer **c.** allons réserver **d.** allez aller **e.** vont arriver **f.** allons faire **g.** vas revenir

8 **a.** prendrez **b.** se retrouvera **c.** faudra **d.** pourrez **e.** irons **f.** durera **g.** aura **h.** sera **i.** proposeront **j.** reviendrons

9 **a.** combien de temps **b.** s' **c.** que **d.** de **e.** ce qu' **f.** si

10 **a.** les **b.** qu'il doit **c.** s'ils auront **d.** sa **e.** leurs

Leçon 31

11 **a.** me manquait ; ai décidé ; ai acheté ; suis arrivée ; ai marché ; faisait ; me sentais ; suis montée ; ai posé ; me suis couchée ; ai regardé ; était ; brillaient ; étais ; s'est levé ; me suis endormie ; me suis réveillée ; étions
b. je n'y étais jamais restée ; j'avais économisé

12 **a.** je pouvais lui parler **b.** je n'y suis jamais retourné **c.** j'aimerais bien les revoir **d.** je ne l'ai jamais revu **e.** je vais en parler dans un livre

13 **a.** négatif **b.** résidence **c.** logement **d.** médecin **e.** visite

Évaluez-vous ! p. 114

› **Départ** de Marseille à 9 h et **arrivée** en Corse à 20 h.

› Je **l'**ai vu. Je ne **lui** ai jamais parlé. J'ai dû **le** lire. Je n'ai pas pu **lui** téléphoner.

› *Exemples de productions :* Je vais faire du shopping. L'été prochain, j'irai en Croatie.

› Il/Elle me demande où je vais en vacances.
Je lui réponds que je vais à Biarritz.

› Quand j'**étais** enfant, j'**ai vécu** pendant un an en Australie. J'**habitais** une grande maison avec mes parents et ma sœur. J'**étais** heureux. Un jour, nous **avons dû** rentrer en France. J'**ai pleuré** mais j'**ai retrouvé** mes cousins et ma tristesse **est passée**.

Droits de reproduction et crédits photographiques

Photo de couverture : Getty Images / Morsa Images

p. 28 photographie © Marie-José Lopes ; affiche © BETC, Palais de la Porte Dorée
p. 29 photographie (bas) © Marie-José Lopes
p. 31 photographie © Jean-Thierry Le Bougnec
p. 47 affiche © Festival des Francofolies
p. 52 site Internet © Lulu dans ma rue
p. 72 poème © Fondation Maurice Carême
p. 78 logos © 1 Déchet Par Jour ; © Fridays for Future Grenoble ; © Youth for Climate Toulouse
p. 108 couverture de *L'Africain* © Éditions Gallimard / Collection Folio ; extrait de *L'Africain* © Éditions Gallimard

Age Fotostock
p. 27 © Shestock

AFP
p. 40 photo A © Alain Le Bot / Photononstop / AFP ; photo B © Arié Botbol / Hans Lucas / AFP – **p. 78** photo 4 © Oscar Gonzalez / NurPhoto / AFP ; photo 6 © Xeuhma / Hans Lucas / AFP

Getty Images
p. 13 © Oliver Rossi – **p. 25** © Westend61 – **p. 39** © Leo Patrizi – **p. 51** © Alvarez – **p. 65** © Mike Powell – **p. 66** saut © Marcus Hartmann ; portrait © Aude Alcover – **p. 70** © Foc Kan – **p. 77** © Oliver Rossi – **p. 91** © Matthew Micah Wright – **p. 103** © Oscar Wong

Autres photos : © Shutterstock

Nous remercions vivement les neuf étudiants de français pour leur collaboration à *Inspire*.

Nous avons fait notre possible pour obtenir les autorisations de reproduction des documents publiés dans cet ouvrage. Dans le cas où des omissions ou des erreurs se seraient glissées dans nos références, nous y remédierons dans les éditions à venir.

Couverture : Nicolas Piroux
Maquette intérieure : Eidos
Adaptation graphique : Anne-Danielle Naname
Mise en page : Barbara Caudrelier
Secrétariat d'édition : Sarah Billecocq
Illustrations : Gabriel Rebufello (p. 106, 109 et 110)
Cartographie : carte de la France, plat III © Claire Levasseur
Enregistrements audio, montage, mixage : Quali'sons, David Hassici

ISBN 978-2-01-513579-3

58, rue Jean Bleuzen, CS 70007, 92178 Vanves Cedex, France.

Achevé d'imprimer en Italie en août 2020 par L.E.G.O. S.p.A. Lavis
Dépôt légal : août 2020 - Édition 01
89/4653/1